H. G. WELLS   A GUERRA NO AR

ILUSTRAÇÕES
LOUISA GAGLIARDI

TRADUÇÃO
ALCEBÍADES DINIZ

CARAMBAIA

005		PREFÁCIO DO AUTOR PARA A EDIÇÃO DE 1921
007		PREFÁCIO DO AUTOR PARA A EDIÇÃO DE 1941
009	I.	SOBRE O PROGRESSO E A FAMÍLIA SMALLWAYS
031	II.	COMO BERT SMALLWAYS ACABOU ARRUMANDO ENCRENCA
057	III.	O BALÃO
079	IV.	A FROTA AÉREA ALEMÃ
117	V.	A BATALHA DO ATLÂNTICO NORTE
141	VI.	COMO A GUERRA CHEGOU A NOVA YORK
165	VII.	O *VATERLAND* É POSTO FORA DE COMBATE
191	VIII.	UM MUNDO EM GUERRA
215	IX.	EM GOAT ISLAND
247	X.	GUERRA TOTAL
269	XI.	O GRANDE COLAPSO
287		EPÍLOGO

PREFÁCIO DO AUTOR PARA A EDIÇÃO DE 1921[1]

Um breve prefácio para *A Guerra no Ar* tornou-se necessário se o leitor quiser fazer justiça ao livro que tem em mãos. Trata-se de uma parte expressiva de uma sequência de histórias a que me dediquei em períodos distintos. As outras duas são *The World Set Free* e *O dorminhoco*, todas as três geralmente designadas "romances científicos" ou "romances futuristas". Contudo, creio que uma denominação bem melhor seria "fantasias sobre possibilidades". Tais narrativas assumem algumas das possibilidades de desenvolvimento da humanidade em certos aspectos para trabalhá-las em direção às mais amplas consequências possíveis. Este *A Guerra no Ar* foi escrito, e o leitor deve ter isso em mente, em 1907, sendo serializado pela *Pall Mall Magazine* a partir de janeiro de 1908. Ou seja, antes dos primórdios da máquina voadora: Blériot[2] só atravessaria o Canal em julho de 1909 e os dirigíveis *Zeppelin* estavam ainda nos primeiros estágios de desenvolvimento. Talvez possa ser divertido, hoje, comparar meus palpites e suposições com o que de fato ocorreu.

Mas o livro, creio eu, não se tornou uma peça completamente inútil. A questão principal não está centrada na possibilidade de o homem voar, ou em mostrar como seriam esses homens voadores e suas máquinas.

---

1   Este prefácio foi escrito quando da reedição do romance, pela editora Collins. Fornecia uma breve contextualização para os leitores que testemunharam a Primeira Guerra Mundial. [Todas as notas são desta edição.]

2   Louis Charles Joseph Blériot (1872-1936), aviador, engenheiro e inventor francês, foi o primeiro homem a atravessar o Canal da Mancha em uma aeronave mais pesada que o ar.

A tese que o norteia, na verdade, foi reforçada no momento atual e está longe de ser superada. Essa tese é a seguinte: com as máquinas voadoras, a guerra foi alterada em sua essência. Nenhum dos lados, vencedor ou perdedor, permanece imune a danos terríveis, uma vez que o vasto aumento na destrutividade da guerra foi acompanhado por um aumento na indecisão acerca de seus efeitos e resultados. Assim, a Guerra no Ar significou destruição social para todos em vez de simples vitória ao final do conflito. Isso não modificou apenas os métodos da guerra, mas suas consequências. Tendo em vista tudo o que aconteceu depois de esta fantasia sobre possibilidades ter sido escrita, acredito que não estava equivocado a respeito dessa tese central. Após recente jornada à Rússia, que detalhei em *Russia in the Shadows*, fiquei inclinado a ter um conceito um pouco melhor sobre mim mesmo ao reler toda a minha abordagem imaginária sobre o colapso da civilização devido à pressão da guerra moderna, que constitui o epílogo desta narrativa. Em 1907, esse capítulo costumava ser lido com sonoras gargalhadas – o produto do cérebro não muito confiável de um "romancista imaginativo". Ainda continua hilário nos dias de hoje?

Peço a meu leitor que se recorde também de 1907 ao ver personagens como o príncipe Karl Albert ou Graf von Winterfeld. Sete anos antes de se concretizar, a Primeira Guerra Mundial já projetava sombras sobre nosso mundo ensolarado de forma bem evidente aos olhos deste "romancista imaginativo" – e de qualquer pessoa dotada da mais ordinária percepção. A grande catástrofe marchava sobre nós em plena luz do dia, mas quase todos pensavam que, de alguma forma, ela seria detida antes de acontecer. Atualmente, outros caminham no compasso dessa catástrofe. A rápida deterioração da moeda, a redução da produção, o refluxo da energia educacional na Europa são as consequências mais óbvias a qualquer homem com certa clareza de visão. As rivalidades nacionalistas e imperialistas levaram e levam nações inteiras, em passo acelerado, ao colapso social. O processo continua, abertamente, da mesma maneira que a concepção militarista era levada adiante nos anos em que *A Guerra no Ar* foi escrito.

Será que ainda é possível confiarmos uns nos outros?

EASTON GLEBE, 1921.

PREFÁCIO DO AUTOR PARA A EDIÇÃO DE 1941

Agora, em 1941, *A Guerra no Ar* ganhou uma nova edição. O romance foi escrito em 1907 e publicado pela primeira vez em 1908. A primeira reedição ocorreu em 1921, quando escrevi um prefácio que também foi reeditado. Peço ao leitor, novamente, que atente aos avisos que dei naquela ocasião, vinte anos atrás. Há alguma coisa que eu possa incluir, hoje, naquele prefácio? Nada além de meu epitáfio. Que, quando chegar minha hora, deverá ser: "Eu avisei, tolos *malditos*" (o itálico é meu).

I.
SOBRE O PROGRESSO E A FAMÍLIA SMALLWAYS

1

— O progresso chegou – disse o sr. Tom Smallways. — E para ficar.

— Quem diria que ele *viria* para ficar – prosseguiu o sr. Tom Smallways.

Tais observações do sr. Smallways foram feitas muito antes de a Guerra no Ar ter início. Ele estava sentado na cerca do fundo de seu jardim, dando uma boa olhada nos gasômetros de Bun Hill, sem aprovar ou reprovar o que via. Acima daquele grupo de construções, três formas nada familiares surgiram – bexigas finas e compridas que oscilavam, rolavam e cresciam, cada vez mais arredondadas. Balões que eram enchidos, preparados para a ascensão de sábado à tarde no aeroclube do sul da Inglaterra.

— Eles sobem todos os sábados – disse o vizinho, sr. Stringer, o leiteiro. — Parece que foi esses dias que toda a Londres tinha acabado de ver um balão subindo. Agora, cada lugarejo no país inteiro também tem suas saídas semanais, ou melhor dizendo, suas subidas. Acho que foi a salvação para as empresas de gás.

— No último sábado fui obrigado a tirar três barris cheios de cascalho das minhas batatas – disse o sr. Tom Smallways. — Três barris cheios! É o que eles usam como balastro. Acerta as plantas, quebra algumas, enterra outras.

— Há senhoras, dizem, que gostam de subir neles!

— Não sei se devemos chamar essas mulheres de senhoras – respondeu o sr. Tom Smallways. — De fato, o que elas fazem não casa com a minha ideia de senhora: sair voando por aí, jogando cascalho no povo aqui embaixo. Não é nada do que eu estou acostumado a considerar apropriado a uma dama, é ou não é?

O sr. Stringer aquiesceu com a cabeça, em sinal de aprovação. Por algum tempo, continuaram olhando para os volumes inflados com expressões que variavam de indiferença a reprovação.

O sr. Tom Smallways era verdureiro por profissão e jardineiro por vocação. Sua pequena esposa, Jessica, cuidava da quitanda, e os céus pareciam tê-lo concebido para viver num mundo tranquilo. O problema é que os céus não conceberam um mundo tranquilo para ele. O sr. Smallways vivia em um mundo de mudança incessante e obstinada, e em uma região onde os efeitos desse processo eram implacavelmente notáveis. A vicissitude estava bem no solo que ele lavrava. Até mesmo seu jardim era na verdade um arrendamento anual, ofuscado por uma enorme placa que evidenciava ser o local menos um jardim e mais um possível canteiro de obras. Ele era um horticultor que tinha um aviso pendente para deixar sua terra, o último pedaço de campo em meio a um distrito inundado por novidades urbanas. Fazia o possível para se consolar, imaginando que a maré, nesse caso, poderia virar.

— Quem diria que viria para ficar – disse o sr. Tom Smallways.

O velho pai do sr. Smallways ainda se lembrava de Bun Hill como uma idílica vila de Kent. Trabalhou como condutor para *sir* Peter Bone até seus 50 anos. Começou, então, a beber um pouco além da conta e adotou o ofício de condutor de ônibus até completar 78 anos. Depois se aposentou. Aquele enrugado e velhíssimo cocheiro sentava-se em frente à lareira, sobrecarregado de reminiscências, preparado para qualquer estranho desavisado que aparecesse. Ele poderia contar histórias sobre a propriedade desaparecida de *sir* Peter Bone, retalhada para a construção muito tempo antes, ou sobre como esse magnata mandava e desmandava naquela longínqua região rural quando ela ainda era uma longínqua região rural, ou sobre a prática de tiro e da caça, de coches que percorriam a estrada principal, do campo de críquete que se localizava "onde agora ficam os gasômetros", da chegada do Palácio de Cristal. O Palácio de Cristal ficava a 6 milhas de Bun Hill, uma grande fachada reluzente pela manhã, uma silhueta azulada contra o céu no final da tarde e, à noite, uma fonte gratuita de fogos de artifício para toda a população local. Mas vieram a estrada de ferro, casas e mais casas, e então os gasômetros, as estações de bombeamento, enormes e feios conjuntos habitacionais de operários, e em seguida a drenagem, e a água desapareceu de Otterbourne e restou apenas uma vala medonha, e logo apareceu uma segunda estação de trem, a

Bun Hill South, e mais casas, mais comércios, mais competição, grandes vitrines, um conselho escolar, taxas, ônibus, bondes – que iam diretamente para o centro de Londres –, bicicletas, carros motorizados, mais carros motorizados, uma biblioteca pública financiada pelo sr. Carnegie.

— Quem diria que viria para ficar – disse o sr. Tom Smallways, que cresceu em meio a todas essas maravilhas.

E ficou. Assim, quando ele abriu a quitanda em uma das menores casas originais do vilarejo, que sobreviveu na ponta da Rua Principal, havia essa atmosfera de esconderijo, de fuga diante de uma perseguição. Quando pavimentaram a Rua Principal, o processo de nivelamento fez com que, para se chegar à quitanda, fosse necessário descer três degraus. Tom fazia de tudo para vender apenas sua excelente mas limitada gama de produtos; porém o progresso atropelava sua vitrine com coisas novas: alcachofras e berinjelas francesas, maçãs importadas – de Nova York, da Califórnia, do Canadá, da Nova Zelândia, "frutas bem bonitas, mas nenhuma delas genuinamente inglesa", dizia Tom –, bananas, nozes pouco usuais, uvas, mangas.

Os carros motorizados que iam a norte e a sul ficavam a cada dia mais potentes e eficientes, zunindo mais alto e cheirando pior; apareceram enormes e barulhentos troles movidos a gasolina para a entrega de carvão e de encomendas, substituindo as extintas carroças puxadas por cavalos; ônibus motorizados destituíram os de tração a cavalo, e até mesmo os morangos de Kent eram despachados para Londres durante a noite por máquinas que estrepitavam em vez de ranger, com o progresso e o petróleo afetando o sabor das frutas.

Foi então que o jovem Bert Smallways resolveu comprar uma bicicleta motorizada...

2

Bert, é necessário explicar, era um Smallways progressista.

Nada representava mais eloquentemente a insistência impiedosa do progresso e sua expansão em nossa era do que a constatação de que o próprio progresso acabou inoculado no sangue dos Smallways. Mas já havia algo de avançado e empreendedor no jovem Smallways desde quando ele ainda usava calças bem curtas. Quando tinha 5 anos, ficou perdido um dia inteiro, e antes de completar os 7 quase se afogou no novo reservatório de água. Chegou a empunhar uma pistola de verdade, retirada de suas mãos por um policial igualmente real, aos 10. Aprendeu a fumar não com cachimbos e papel para cigarro de palha, como Tom, mas com um maço barato de Boys of England American. Sua linguagem chocava o pai já antes dos 12, e foi com essa idade, levando embrulhos até a estação e vendendo o *Bun Hill Weekly Express*, que começou a ganhar uns bons 3 xelins por semana, às vezes até um pouco mais, e a gastá-los em gibis e revistas, como *Chips*, *Comic Cuts*, *Ally Sloper's Half-Holiday*, cigarros e demais itens necessários para uma vida de prazer e esclarecimento. Nada disso foi um entrave aos estudos de Bert, que chegou excepcionalmente jovem ao último ano letivo. Menciono tais fatos para dissipar quaisquer dúvidas a respeito da essência do irmão de Tom Smallways.

Bert era seis anos mais novo que Tom. Este tentou, durante algum tempo, empregar o irmão na quitanda quando, aos 21 anos, se casou com Jessica – que tinha 30 e já economizara algum dinheiro trabalhando. Mas ser empregado não era o forte de Bert. Odiava trabalhar na horta, e quando alguém dava alguma cesta para ele entregar, um instinto nômade irresistível era ativado, ele assumia a posse do pacote e carregava-o não importasse seu peso ou a distância a ser percorrida – contanto que a mercadoria nunca chegasse a seu destino. O glamour preenchia o mundo todo e era isso que Bert desejava, mesmo quando estava carregando a cesta de encomendas. Assim, Tom passou a entregar ele mesmo os pedidos enquanto procurava algum patrão que ainda não conhecesse as tendências poéticas de Bert, cuja trajetória profissional fora errática – carregador do armarinho, entregador da farmácia, pajem do médico, assistente júnior do encanador, escrevinhador de cartas, auxiliar do leiteiro, *caddie* do campo de golfe e, por último, ajudante na loja de bicicletas. No negócio das bicicletas Bert aparentemente encontrou aquilo por que sua natureza progressista ansiava. O patrão era um sujeito jovem e com alma de pirata, de nome Grubb, cujo rosto estava sempre sujo de graxa durante o dia e iluminado pelos teatros de variedades à noite. Sonhava em patentear uma corrente de bicicleta. Esse indivíduo, no conjunto, surgiu aos olhos de Bert como o perfeito modelo de um autêntico e completo cavalheiro. Alugava aquelas que deviam ser as bicicletas mais sujas e perigosas de todo o sul da Inglaterra, dominando com vigor impressionante as posteriores discussões com seus clientes. Grubb e Bert se davam muito bem. Com o tempo, o jovem Smallways tornou-se um exímio ciclista – capaz de andar milhas com uma bicicleta que se faria em pedaços instantaneamente caso fosse conduzida por você ou por mim – que lavava o rosto para retirar a graxa ao fim da jornada de trabalho, gastando o excedente de seu dinheiro com admiráveis gravatas e colarinhos, cigarros e aulas de taquigrafia no Bun Hill Institute.

Bert visitava o irmão algumas vezes. Tinha uma expressão e falava de forma tão brilhante que Tom e Jessica, donos de uma tendência natural de curvar-se respeitosamente diante de tudo e de todos, olhavam para ele com autêntico espanto.

— Bert é um sujeito arrojado – disse Tom. — Ele sabe muita coisa.

— Vamos esperar que ele não saiba coisas demais – respondeu Jessica, que possuía um refinado senso de limitação.

— Vivemos em um tempo arrojado – persistiu Tom. — Todo esse avanço não é bom para as batatas; do jeito que as coisas vão, essas só vão brotar em março. Nunca vi uma época igual. E a gravata que ele tava usando ontem à noite?

— Não ornava, Tom. Era coisa de patrão. Não é pra um tipo como ele, nem o resto das roupas. Não era apropriado...

Pois agora Bert vestia um traje de ciclista completo, incluindo jaqueta, boné, distintivo e tudo o mais. Ver Grubb e seu jovem escudeiro descendo em direção a Brighton (e voltando) – cabeça abaixada, mãos firmes no guidão, dorso curvado – era a revelação das possibilidades do sangue dos Smallways.

Tempos arrojados!

O velho Smallways ficava sentado diante do fogo, balbuciando algo a respeito da grandeza dos dias passados, do velho *sir* Peter, para quem conduzia a carruagem até Brighton (um percurso de ida e volta que levava 28 horas), das cartolas brancas do velho *sir* Peter, de *lady* Bone (que nunca punha os pés no chão, a não ser quando caminhava no jardim), das ótimas lutas que havia em Crawley, valendo prêmios em dinheiro. Falava dos calções de banho cor-de-rosa feitos de pele de porco, das raposas em Ring's Bottom (onde agora o conselho do condado encerra os lunáticos pobres), das chitas e crinolinas de *lady* Bone. Ninguém lhe dava ouvidos. O mundo agora dera origem a um tipo de cavalheiro totalmente novo – um cavalheiro possuidor de uma energia pouco cavalheiresca, um cavalheiro que se vestia com empoeiradas roupas de oleado, óculos de proteção e

I. SOBRE O PROGRESSO
E A FAMÍLIA SMALLWAYS

um belo boné, um cavalheiro encardido e fedorento, um animal rápido e de alto nível, que usava as longas estradas para fugir perpetuamente do pó e do fedor que perpetuamente produzia. E a companheira desse cavalheiro, do tipo muito visto em Bun Hill, era uma deusa que não se intimidava com chuva ou sol, livre de refinamento como os ciganos, embora carregasse bem menos roupas, desnecessárias aos deslocamentos em alta velocidade.

Bert cresceu, portanto, alimentado com ideais de velocidade e iniciativa e tornou-se – não sei se poderíamos afirmar que se tornou alguma coisa – um mecânico de bicicletas, um recauchutador que faz o gênero vamos-ver-o-que-temos-aqui. Mesmo uma máquina de corrida que alcançasse 120 por hora não o satisfazia, e por algum tempo ele se acabava, em vão, pelas estradas – cada vez mais poeirentas e congestionadas de tráfego mecânico – a 20 milhas por hora. Mas, por fim, conseguiu juntar algumas economias e surgiu uma oportunidade de ouro. Uma oferta de crédito permitiu-lhe saltar alguns obstáculos financeiros e, em uma límpida e memorável manhã de domingo, Bert pôde sair da loja rodando com sua nova máquina, seguiu os conselhos e desfrutou da assistência de Grubb, e lá se foi com o motor a roncar em meio à névoa do tráfego que torturava a estrada principal, somando-se ele próprio àqueles perigos públicos voluntários em meio às amenidades do sul da Inglaterra.

— Já está indo pra Brighton! – disse o velho Smallways, ao observar seu mais jovem rebento a partir do assento próximo à janela, acima da quitanda, com um misto de orgulho e reprovação. — Quando eu tinha essa idade, nunca ia até Londres ou além do sul de Crawley; nunca estive em nenhum local ao qual não pudesse chegar andando. E assim era com todo mundo que eu conhecia. A não ser que fosse endinheirado. Agora qualquer um viaja pra tudo quanto é lugar e o interior parece quebrado em um monte de pedacinhos. Fico besta imaginando quando é que vão voltar para a rotina de casa. Tá indo mesmo pra Brighton! Será que alguém precisa comprar uns cavalos?

— Também nunca estive em Brighton, pai – disse Tom.

— Nem queira ir – interrompeu Jessica –, um desperdício de tempo e dinheiro.

3

Por algum tempo, as possibilidades da bicicleta motorizada ocuparam a mente de Bert de tal forma que ele permaneceu alheio à nova direção na qual a ambiciosa alma humana buscava tanto seu foco quanto seu alívio. Falhou em observar que os modelos dos carros motorizados, bem como os das bicicletas, estavam em declínio, perdendo sua natureza aventureira. De fato, é preciso destacar que Tom fora o primeiro a observar o novo foco de desenvolvimento. Pois cuidar de seu jardim o tornara mais atento aos céus, e a proximidade de Bun Hill com o gasômetro e o Palácio de Cristal, de onde subiam os balões – que resultavam na descida brusca dos balastros em suas batatas –, indicou à sua mente relutante um fato: a Deusa da Mudança, agora, voltava sua perturbadora atenção para o céu. O primeiro grande *boom* aeronáutico começara.

Grubb e Bert tinham ouvido falar das novas tendências no teatro de variedades, depois o tema voltou à mente de ambos no cinematógrafo. Logo a imaginação de Bert foi estimulada por uma edição de 6 *pence* do clássico da aeronáutica *The Outlaws of the Air*, escrito pelo sr. George Griffith[1]. Foi então que, de fato, a novidade capturou os dois.

O aspecto mais óbvio da nova moda era, à primeira vista, a multiplicação dos balões. Os céus de Bun Hill estavam infestados desse tipo de objeto voador! Nas tardes de quarta-feira e sábado, particularmente, era bem difícil ficar parado uns quinze minutos olhando para o céu sem avistar um balão em algum lugar. Então, em certo dia ensolarado, a atenção de Bert, que seguia motorizado para Croydon, se voltou para a insurreição de um gigantesco monstro em forma de almofada na área em que se localizava o Palácio de Cristal. Teve de descer da bicicleta e assistir ao evento. Era como uma almofada sem uma das pontas e, abaixo dela, comparativamente menor, tinha uma rígida estrutura na qual se encontravam um homem e um motor com uma hélice que rodava, zunindo, diante de uma espécie de leme traseiro, feito de tela. A estrutura parecia puxar o relutante cilindro de gás como se um pequeno *terrier* muito ativo rebocasse um elefante tímido repleto de gases. O monstro composto certamente poderia ser guiado em uma viagem. Deslocava-se a uma altitude de uns mil pés (Bert conseguia ouvir seu motor), na direção sul, sumindo atrás dos montes e reaparecendo

---

1   George Griffith (1857–1906) foi um escritor de ficção científica britânico.

como uma pequena silhueta azul, distante, a leste. A velocidade do aparato agora era bem alta devido aos ventos mais fortes de sudoeste. Voltou a circular as torres do Palácio de Cristal, na busca de uma posição para a descida, até finalmente desaparecer de vista.

Bert suspirou profundamente antes de voltar para sua bicicleta motorizada.

Pois esse era apenas o início de uma sucessão de estranhos fenômenos nos ares – cilindros, cones, monstros na forma de peras, até mesmo uma coisa de alumínio que brilhava com intensa beleza e que Grubb, confundindo algumas ideias a respeito de lâminas de blindagem, considerou ser uma máquina de guerra.

Depois veio o voo para valer.

Ele não foi, contudo, imediatamente visível de Bun Hill; ocorria em terrenos privados ou em outros locais fechados, sob condições favoráveis, e Grubb e Bert Smallways tiveram acesso apenas pelas páginas de revistas, de jornais mais caros ou de cinejornais. Mas os dois encontravam insistentemente informações sobre esses voos, uma vez que, nessa época, se alguém ouvisse um homem dizer, em alto e bom som, "É certo que vai aparecer", as chances de o sujeito estar se referindo a atividades aéreas eram de dez para uma. Assim, um dia Bert pegou a tampa de uma caixa de papelão e nela escreveu, como se fosse um letreiro, que Grubb afixou na fachada:

AEROPLANOS: MONTAGEM E REPAROS

Isso realmente aborreceu Tom – parecia uma decisão um tanto leviana. Mas a maioria da vizinhança, especialmente os tipos mais entusiasmados com a nova prática, aprovou a mudança.

Todo mundo falava em voar, todos batiam nessa tecla repetidamente. "É certo que vai aparecer", insistiam, mas o fato é que todos sabiam que o objeto nunca aparecia. Havia um empecilho. Voava-se, de fato, em máquinas mais pesadas que o ar. Mas essas máquinas se espatifavam. Às vezes, apenas o aparato se espatifava, outras vezes era o aeronauta que se espatifava. Geralmente, ambos se espatifavam. Máquinas que conseguiam voar 3 ou 4 milhas e pousar em segurança sofriam, logo na vez seguinte, um temerário desastre. Parecia não ser possível confiar nesses dispositivos – a brisa os atrapalhava, vórtices próximos ao solo os atrapalhavam, um devaneio passageiro que o aeronauta tivesse os atrapalhava. Simplesmente tudo os atrapalhava.

— Acho que é a estabilidade, né? – dizia Grubb, repetindo os jornais. — Eles voam, voam, e depois o que voa são os pedaços deles.

Os experimentos saíram de moda após dois anos de expectativa de sucesso. O público e logo os jornais estavam saturados de reproduções fotográficas caras, de informes otimistas, da sequência sempre igual de triunfo-desastre-silêncio. Voar não era como antes. Até o balonismo perdera, em parte, sua imensa popularidade, embora ainda fosse uma prática muito apreciada. O cascalho que ficava nos arredores do gasômetro de Bun Hill ainda era continuamente requisitado e depois despejado sobre jardins e gramados da população local. Assim se passaram meia dúzia de anos tranquilizadores para Tom Smallways, ao menos no que dizia respeito a assuntos aéreos. Contudo, esse mesmo período foi a era de ouro para o desenvolvimento de monotrilhos, de forma que a ansiedade dele apenas se deslocara das grandes altitudes para ameaças mais imediatas e sinais de mudanças bem mais próximas.

Houve discussões a respeito dos monotrilhos por alguns anos. O verdadeiro estrago começou, entretanto, após a demonstração que Brennan fez de sua locomotiva de monotrilho com giroscópio na Royal Society.[2] Foi a sensação da temporada de 1907 e a sala de demonstrações revelou-se pequena demais para acomodar o público que queria ver a breve exibição do invento. Soldados corajosos, líderes sionistas, escritores reputados e damas da nobreza congestionavam a passagem estreita, enfiando seus distintos cotovelos em costelas que socialmente não se deixavam quebrar de bom grado, considerando-se já muito afortunados de conseguir ver "só um pedacinho do monotrilho". Convincente, embora praticamente inaudível, o grande inventor expôs sua descoberta, enviando seu pequeno e obediente modelo dos trens do futuro por declives, curvas fechadas e cabos irregulares. O trenzinho andava sobre um único trilho, em um conjunto de rodas individuais, e era simples e eficiente. Ele poderia parar e inverter seu movimento mantendo perfeita estabilidade. O equilíbrio persistia mesmo diante de uma trovoada de aplausos. A audiência, por fim, se dispersou, discutindo quanto ainda demoraria para que se pudesse apreciar a travessia de um abismo sobre um cabo de metal. "Suponha que o giroscópio dê uma pane!" Poucos anteciparam um décimo daquilo que o monotrilho de Brennan faria pela segurança das estradas mundo afora.

2   Louis Brennan (1852–1932) foi um engenheiro mecânico e inventor irlandês.

Em alguns anos, perceberiam com mais clareza. Logo ninguém mais pensaria em atravessar um abismo sobre um cabo de metal, uma vez que o monotrilho substituiu as linhas de bonde, de trem e, de fato, de toda forma de locomoção mecânica por trilho. Onde a terra fosse barata, os novos trilhos apareciam sulcando o solo; onde fosse cara, eram construídos sustentados por estruturas de ferro. Carros rápidos e convenientes surgiram e retomaram as marchas aceleradas dos veículos anteriores.

Quando o velho Smallways morreu, Tom não achou nada mais comovente para dizer em sua homenagem que: "Em seu tempo de garoto, não havia nada mais alto que as chaminés, nenhum fio ou cabo no céu!".

O velho Smallways foi para uma sepultura embaixo de uma intricada rede de fios e cabos, uma vez que Bun Hill se tornara não apenas uma espécie de centro menor no fluxo de distribuição de energia – a Companhia Distrital de Energia instalara, próximo aos gasômetros, transformadores e uma estação geradora –, mas também um entroncamento do sistema de monotrilho do subúrbio. Além disso, cada comerciante local, talvez cada casa, já tinha seu próprio telefone.

Os caminhos de monotrilho tornaram-se marcos na paisagem urbana, sendo em sua maior parte instalações robustas de ferro em vez de cavaletes afilados, sempre pintados de um suave tom azul-esverdeado. Um deles, aliás, transpunha a casa de Tom, que parecia ainda mais retraída e humilde diante dessa nova imensidão, enquanto outro gigante se projetava no canto do jardim, embora permanecesse inoperante e inacabado – ostentando apenas alguns anúncios: um indicando um relógio barato, outro um fortificante para os nervos. Esses anúncios pareciam ter sido postos quase na horizontal para chamar atenção dos passantes que utilizassem o entroncamento do monotrilho superior, servindo muito bem de telhado para os barracões de ferramentas e de cogumelos na propriedade de Tom. Dia e noite, os carros velozes que partiam de Brighton e Hastings passavam murmurando acima das cabeças, com seus vagões longos e confortáveis, levemente iluminados após o crepúsculo. À noite, tais veículos pareciam voar, abrindo passagem com luzes fulgurantes e ruído estrondoso, uma espécie de trovoada de verão perpétua que descia a rua.

A essa altura o Canal da Mancha também já recebera sua ponte – uma série de gigantescas colunas metálicas, ao estilo da Torre Eiffel, que carregavam os ramos do monotrilho 150 pés acima do nível da água, exceto na metade do percurso, onde a altura era ainda maior para permitir a passagem de embarcações que percorriam a rota entre Londres e Antuérpia e os transatlânticos que saíam de Hamburgo em direção à América.

Automóveis motorizados mais pesados começaram a circular em apenas duas rodas, uma atrás da outra, o que por alguma razão irritava profundamente Tom, que ficou deprimido por dias quando um desses veículos passou pela primeira vez perto de sua quitanda...

Todo esse desenvolvimento do giroscópio e do monotrilho naturalmente absorveu em grande parte a atenção do público – também houve considerável excitação quando da extraordinária descoberta das jazidas de ouro localizadas na costa de Anglesea, conduzida pela prospectora submarina srta. Patricia Giddy. Tendo obtido graduação em geologia e mineralogia pela Universidade de Londres, trabalhava com rochas auríferas ao norte de Gales – após um curto período dedicado às manifestações pelo direito ao voto feminino – quando percebeu a possibilidade de aqueles recifes reaparecerem debaixo da água. Ela conseguiu verificar essa suposição utilizando o rastreador submarino inventado pelo dr. Alberto Cassini. Assim, o encontro feliz de racionalização e intuição, peculiar ao sexo feminino, permitiu a descoberta de ouro no primeiro mergulho, pois a máquina emergiu após três horas de submersão trazendo 2 quintais[3] de minério contendo ouro em uma proporção sem precedentes de 17 onças[4] por tonelada. Mas a história toda da mineração submarina, embora extremamente interessante, deve ser contada em outro momento; é suficiente destacar que foi durante a consequente alta generalizada de preços, de confiança e do espírito empreendedor que a esperança em voar renasceu.

4

É curioso o modo como esse entusiasmo recomeçou. Foi algo como a chegada de um vento mais forte em um dia calmo: do nada, ele surgiu. As pessoas começaram a falar sobre voar como se em nenhum momento o assunto tivesse saído de moda. Imagens de voos e de máquinas voadoras voltaram aos jornais, artigos e alusões cresceram e se multiplicaram

3   Equivalente a 200 quilos.
4   Equivalente a 483 gramas.

I. SOBRE O PROGRESSO
E A FAMÍLIA SMALLWAYS

nas revistas mais sérias. As pessoas se perguntavam, percorrendo os monotrilhos: "Quando será que poderemos voar?". Uma nova geração de inventores surgiu da noite para o dia como um tipo de fungo. O aeroclube anunciou o projeto de uma grande exibição aeroespacial em uma vasta área disponível após a remoção das comunidades pobres de Whitechapel.

A nova onda logo produziu um movimento de adesão em Bun Hill. Grubb voltou a estudar seu modelo de máquina voadora, testando-o no quintal da loja. Até conseguiu alçar voo, ou algo parecido com isso, antes de quebrar dezessete vidraças e nove vasos na estufa do quintal vizinho.

Mas logo surgiu, vindo sabe-se Deus de onde, o boato persistente e perturbador de que o problema fora resolvido, que o segredo já era conhecido. Bert vislumbrou essa solução numa tarde que encontrou suas horas derradeiras mais cedo que o normal, ao se refrescar em uma pousada próxima a Nutfield, para onde se dirigira com sua bicicleta motorizada. Ali, um sujeito em uniforme cáqui, um engenheiro do exército, que fumava meditabundo, mostrou-se interessado pela máquina de Bert. Era um aparato bastante robusto, de certo valor documental nesses tempos de mudanças rápidas, pois já contava com oito anos desde a sua construção. Após discutir alguns aspectos da máquina, o soldado iniciou novo assunto:

— A minha próxima máquina vai ser um aeroplano, se as coisas continuarem assim. Estou farto de estradas e vias terrestres.

— É o que dizem – disse Bert.

— Eles estão dizendo e vão fazer – respondeu o soldado. — A coisa está chegando...

— Mas sempre dizem que *está* chegando – insistiu Bert. — Só acredito vendo.

— Não vai demorar – respondeu o soldado.

O diálogo arriscava degenerar-se em uma discussão amigável de opiniões opostas.

— Pois te digo que eles já *estão* voando – o soldado insistiu. — Eu mesmo vi.

— Todos nós vimos – respondeu Bert.

— Não estou me referindo aos voos breves seguidos de quedas. Falo da coisa real: um voo seguro, estável e controlado, mesmo com vento, bom e direto.

— Você não viu isso!

— Eu *vi*, sim! Em Aldershot. Estão tentando manter segredo. Mas eles conseguiram. A questão é que nosso Departamento de Guerra não dormiu no ponto nesse caso.

A descrença de Bert foi suspensa. Formulou questões que o soldado respondeu de forma expansiva.

— Como eu disse, eles têm uma área de mais ou menos 1 milha quadrada, totalmente cercada, uma espécie de vale. São cercas de arame farpado com 10 pés de altura. É dentro dessa área que eles fazem os testes. Há muita gente no acampamento, e de vez em quando conseguimos dar uma boa olhada. Mas não somos nós apenas. Os japoneses também estão nessa, eles conseguiram também, pode apostar. E, claro, os alemães! E nunca vi nada em que os franceses não tivessem saído à frente, à sua maneira. Criaram os encouraçados, criaram os submarinos, criaram os aeróstatos dirigíveis, e pode apostar que não estão perdendo tempo com a aviação.

O soldado mantinha as pernas bem afastadas enquanto enchia seu cachimbo de tabaco, pensativo. Bert descansava na mesma parede na qual sua bicicleta motorizada estava encostada.

— Vão ser armas de combate bem gozadas – ele disse.

— A aviação está para estourar – prosseguiu o soldado. — Quando isso acontecer, quando se abrirem as cortinas, eu lhe digo que todo mundo vai querer participar. Todo mundo mesmo... Vai ser uma luta! Mas eu acho que você não acompanha essas coisas na imprensa, acompanha?

— Li alguma coisa a respeito – respondeu Bert.

— Bom, então você deve conhecer o caso que chamam de "o notável desaparecimento de um inventor", um sujeito que conseguiu boa publicidade, fez vários experimentos muito bem-sucedidos e depois desapareceu.

— Acho que não li sobre isso, não – disse Bert.

— Mas eu li, em todo caso. Quem consegue algo nesse campo, alguma coisa que dê certo, desaparece. O sujeito some, de maneira discreta, sem deixar vestígios. Depois de um tempo, esquecem dele. Entende como é? Esses inventores desaparecem. Somem, sem endereço, nada. Primeiro foi com os irmão Wright, na América, mas isso já é história velha. Eles planaram por muitas milhas, mas depois planaram para fora da vista do público. Foi lá pelos idos de 1904, 1905 que eles sumiram. Depois uns sujeitos na Irlanda, mas esqueci o nome deles. Todos disseram que eles

I. SOBRE O PROGRESSO E A FAMÍLIA SMALLWAYS

conseguiram voar. E então *eles* sumiram. Não estão mortos, pelo que ouvi dizer. Mas também não dá para dizer que estão vivos. Não se localiza nada sobre eles. Depois tem o camarada que voou ao redor de Paris e afundou no Sena. De Booley, não? Esqueci. Mas foi um grande voo, apesar do acidente. Agora, onde é que *ele* está? O acidente não o feriu. Hã? Pois é. Está escondido em algum lugar.

O soldado se preparou para acender seu cachimbo.

— Parece que uma sociedade secreta some com esses tipos – comentou Bert.

— Sociedade secreta *uma ova*!

O soldado acendeu um fósforo e o aproximou da ponta do cachimbo.

— Sociedade secreta... – repetiu em resposta ao comentário, com o cachimbo entre os dentes e o fósforo ainda aceso. — Parece muito mais coisa do Departamento de Guerra – o soldado atirou o fósforo longe enquanto se dirigia para sua máquina. — Uma coisa eu lhe digo, senhor: não há uma única potência na Europa, *ou* na Ásia, *ou* na América, *ou* na África, que não tenha pelo menos uma ou duas máquinas voadoras escondidas na manga neste exato momento. Nenhuma. Máquinas reais, funcionais, claro. E a espionagem? Também há muita espionagem e manobras diversas para descobrir a quantas andam as pesquisas alheias. Eu só digo uma coisa: um estrangeiro ou um nativo sem muita credibilidade não consegue andar nem 4 milhas em Lydd hoje em dia, isso sem contar o pequeno circo em Aldershot e o campo experimental em Galway, aliás. Não!

— Bem – disse Bert –, gostaria muito de ver uma dessas máquinas, de qualquer forma. Só me resta ter fé de que um dia vou conseguir. Mas não tem jeito, não: eu só acredito vendo, e é isso.

— Você vai ver muito em breve – respondeu o soldado, levando sua máquina para a estrada.

Ele deixou Bert em seu muro, sério e pensativo, com o boné na parte de trás da cabeça e um cigarro aceso no canto da boca.

"Se isso tudo for verdade", Bert disse consigo mesmo, "eu e Grubb estamos perdendo nosso precioso tempo, além de dinheiro, com as tais das estufas".

5

Enquanto essa misteriosa conversa com o soldado ainda estimulava a imaginação de Bert Smallways, ocorreu o incidente mais assombroso de todo aquele capítulo dramático da história humana: a chegada da aviação. Costuma-se falar, de forma prolixa, a respeito de eventos que marcaram épocas, e esse foi um deles. O totalmente imprevisto e inteiramente bem--sucedido voo do sr. Alfred Butteridge, do Palácio de Cristal até Glasgow, ida e volta, em um pequeno e eficaz aparato mais pesado que o ar – uma máquina inteiramente manobrável e controlável que voava tão bem quanto um pombo.

Tratava-se não de um mero passo à frente nesse campo, mas de uma passada enorme, um salto. O sr. Butteridge permaneceu no ar por cerca de nove horas, durante as quais voou com a confiança de um pássaro. A máquina que conduzia não era, contudo, parecida com um pássaro, muito menos com uma borboleta. Também não possuía a largura e as expansões laterais comuns aos aeroplanos. O efeito sobre o observador estava mais para algo da natureza de uma abelha ou de uma vespa. Partes do aparato giravam velozmente, o que lhes dava o efeito de asas transparentes. Outras partes, incluindo dois "élitros" curiosamente curvados – utilizando aqui uma comparação com o sistema de voo dos besouros –, mantinham-se expandidas e rígidas. No meio, estava o corpo central, circular como o de uma mariposa. Era nele que o sr. Butteridge podia ser visto montado como um cavaleiro. A aparência de vespa aumentava pelo fato de tal dispositivo voar com um zumbido alto e incessante, muito parecido com o produzido por uma vespa em uma vidraça.

Butteridge pegou o mundo de surpresa. Ele era um desses cavalheiros que o destino faz surgir, aparentemente do nada, para o estímulo do progresso da humanidade. A origem do inventor parecia variada: falava-se em Austrália, América, sul da França. Também era descrito, de maneira algo incorreta, como filho de um sujeito que amealhara considerável fortuna produzindo penas de ouro e as canetas-tinteiro Butteridge. Essa era uma cepa de Butteridges bem diferente. Por alguns anos, a despeito do vozeirão, de uma forte presença, da arrogância agressiva e de seus modos implacáveis, fora apenas mais um que militava em praticamente todas as associações aeronáuticas existentes. Mas, um dia, escreveu para os jornais de Londres anunciando que estava finalizando os ajustes para um experimento que começaria no Palácio de Cristal, em uma máquina cuja finalidade era demonstrar satisfatoriamente que as impressionantes dificuldades de voar haviam finalmente sido superadas. Poucos jornais imprimiram a carta, e pouquíssimas pessoas acreditaram na pretensão do inventor. Ninguém ficou muito entusiasmado nem quando houve confusão nas escadarias de um importante hotel em Piccadilly, onde o sr. Butteridge tentou atingir com um chicote de montaria um proeminente músico alemão, motivado por alguma questão pessoal, o que atrasou o prometido experimento. A disputa foi relatada de modo inadequado na imprensa e a grafia de seu nome ganhou algumas variações: Betteridge e Betridge. Até que seu voo tivesse êxito, ele não existia para a opinião pública. Não havia nem trinta indivíduos para assistir ao planejado voo, apesar de todas as tentativas de divulgá-lo. Por volta das seis horas de uma manhã de verão, abriram-se as portas de um barracão no qual estavam Butteridge e seu aparato – próximo ao modelo em escala real de um megatério do lado de fora do Palácio de Cristal –, e o inseto gigante saiu, zunindo, apresentando-se a um mundo negligente e incrédulo.

Mas, antes que ele fizesse uma segunda passagem pelas torres do Palácio de Cristal, a fama já levantara sua trombeta e puxara um pouco de ar, enquanto o zunido da máquina voadora despertava os mendigos que dormiam nos bancos da Trafalgar Square, ao circular a Coluna de Nelson. Quando Butteridge alcançou Birmingham, por volta das dez e meia, a trombeta da fama soava de modo ensurdecedor por todo o país. A proeza ansiada por todos aconteceu. Um homem voou de forma segura e satisfatória.

A Escócia aguardava boquiaberta a chegada do inventor. Ele alcançou Glasgow por volta da uma da tarde – relata-se que pouquíssimas fábricas ou docas de tão industriosa cidade operaram antes das duas e meia. A opinião pública estava tão acostumada com a ideia de que voar era uma impossibilidade que não conseguiu dar ao feito do sr. Butteridge o devido valor. A máquina circulou os prédios da universidade e fez voos rasantes, para aclamação popular, em West End Park e na encosta de Gilmour Hill. A coisa voava com grande estabilidade, alcançando uma velocidade de 3 milhas por hora, num contorno amplo, fazendo um zumbido tão alto que afogaria a voz do inventor se este não estivesse equipado com um megafone. Evitava contornar igrejas, edifícios e caminhos de monotrilho com facilidade, enquanto falava.

— Meu nome é Butteridge – gritava –, B-U-T-T-E-R-I-D-G-E. Entenderam? Minha mãe era escocesa.

Depois de assegurar que fora entendido, fez uma curva para subir, em meio à gritaria patriótica, voando rápida e facilmente na direção sudeste do céu, subindo e descendo com ondulações prolongadas e tranquilas, de forma que lembrava extraordinariamente uma vespa.

Seu retorno a Londres – ele visitou e sobrevoou Manchester, Liverpool e Oxford no meio do caminho, tendo feito questão de soletrar seu nome em cada uma dessas cidades – foi ocasião de incomparável entusiasmo. Todos olhavam para o céu. Havia mais pessoas percorrendo as ruas naquele dia que nos três meses anteriores. Um barco a vapor da municipalidade, o *Isaac Walton*, colidiu com o píer da ponte de Westminster e por pouco não houve um desastre, não fosse a embarcação ter se arrastado por terra firme – a água naquele ponto estava baixa – na lama do lado sul. Butteridge voltou para a área do Palácio de Cristal de onde partira, um local que já era clássico na aventura aeronáutica, ao pôr do sol. Regressou ao barracão de origem sem nenhum acidente catastrófico e, após a entrada do aparato, as portas se fecharam imediatamente, deixando fotógrafos e jornalistas esperando a aparição triunfal do inventor.

— Vejam bem, companheiros – disse Butteridge, acompanhado de seu assistente –, estou morto de cansaço, pois dirigir essa máquina não é fácil. Não vou conseguir dar uma declaração hoje. Estou acabado. Mas meu nome é Butteridge. B-U-T-T-E-R-I-D-G-E. Vamos ver se dessa vez vocês escrevem certo. Sou um súdito da rainha. Falarei mais e melhor amanhã.

Nebulosas fotografias sobreviveram para registrar o incidente. O assistente de Butteridge luta contra uma maré de jovens cavalheiros bastante agressivos que carregam blocos de notas ou câmeras, dotados de chapéus-coco e gravatas de empreendedor. O próprio inventor abre caminho até a porta de saída, uma figura enorme com uma boca – cavidade eloquente localizada abaixo de um vasto bigode – distorcida pelos gritos que dava diante dos incansáveis agentes da informação pública. Ali estava, escalando jornalistas, o mais famoso indivíduo de todo o país. Quase simbolicamente, gesticula segurando o megafone na mão esquerda.

6

Tanto Tom quanto Bert Smallways assistiram ao retorno da máquina aérea. Estavam no ponto mais alto de Bun Hill, de onde muitas vezes haviam assistido aos espetáculos de pirotecnia oferecidos pelo Palácio de Cristal. Bert estava entusiasmadíssimo, enquanto Tom mantinha sua indolente calma. Nenhum dos dois, contudo, percebeu a forma sistemática pela qual sua vida seria invadida pelos frutos do invento.

— Talvez o velho Grubb vá se preocupar mais com a oficina agora – disse Bert – e colocar aquele bendito modelo no lixo. Não que isso vá salvar a gente se não seguirmos a maré e contarmos apenas com o pagamento dos Steinharts da vida.

Bert sabia o suficiente a respeito dos problemas e das soluções da aeronáutica para perceber que aquela imitação de abelha gigante, para usar uma expressão que lhe era cara, "tinha tirado os jornalistas do sério". No dia seguinte, confirmou-se que os jornalistas tinham mesmo sido tirados do sério: as páginas das revistas estavam cobertas de fotografias feitas às pressas, de textos convulsivos, de manchetes esbravejantes. Foi ainda pior no dia seguinte. Antes do fim da semana, o que fora publicado disputava espaço com o que era gritado nas ruas.

O fato dominante em todo esse alvoroço era a personalidade excepcional do sr. Butteridge e as condições extraordinárias que ele impunha para manter o segredo de sua invenção.

Pois era um segredo, e a ideia era mantê-lo secreto de uma forma bastante elaborada. Ele construíra seu aparato sozinho, na privacidade segura dos barracões fornecidos pelo Palácio de Cristal, com a assistência de trabalhadores que desconheciam o objetivo do invento. Um dia após o voo, dividiu o engenho em partes menores, distribuídas em pacotes que podiam ser carregados facilmente. Com o auxílio de assistentes que não tinham visto o invento por inteiro, espalhou esse material por locais diversos. Pacotes lacrados foram enviados para norte, leste e oeste em veículos de transporte, e as peças da máquina foram embaladas com cuidado peculiar. Ficou evidente que essas precauções todas não eram inoportunas, diante da demanda violenta por toda sorte de fotografia ou esboço sobre a novidade. Mas o sr. Butteridge, depois de fazer sua demonstração, pretendia manter seu invento confidencial, a salvo de qualquer risco de vazamento. Encarou a opinião pública britânica, que o questionava a respeito do objetivo de manter tal segredo. As respostas do inventor sempre frisavam que ele se considerava um "súdito da rainha", que seu primeiro e último desejo era ver seu invento com uma patente e um monopólio do Império. Mas...

Foi aí que os problemas começaram.

Ficou claro que o sr. Butteridge era um indivíduo singularmente livre de qualquer falsa modéstia – na verdade, de modéstia de qualquer tipo –, prestativo e disposto a responder a entrevistadores sobre quaisquer assuntos que não a aeronáutica, dar opiniões espontâneas, críticas e autobiografia, fornecer fotografias de si mesmo e, de modo geral, expandir sua personalidade para todos os lados. Os retratos do inventor publicados insistiam, em primeiro lugar, no imenso bigode; em segundo lugar, na ferocidade que se encontrava logo atrás do bigode. A impressão geral do público era que Butteridge era um homem pequeno. Ninguém que fosse de fato corpulento poderia ter uma expressão assim virulentamente agressiva, embora a verdade fosse que o inventor chegava a quase 1,90 metro, com peso bastante proporcional à altura. Além disso, ele teve um caso de amor de dimensões amplas e incomuns, em circunstâncias irregulares, de modo que a ainda muito decorosa opinião pública britânica compreendeu, após alguma relutância, alarmada, que deveria ver esse caso com bons olhos se o Império Britânico quisesse ter acesso à aquisição exclusiva do inestimável segredo da estabilidade aérea. As particularidades exatas dessas circunstâncias irregulares nunca vieram à tona, mas, aparentemente, a senhora em questão, num ataque de exultante inadvertência, teria ido à cerimônia de casamento com um – para citar o discurso inédito do sr. Butteridge – "gambá pusilânime", e a referida aberração zoológica acabou, de certa maneira lícita e vexatória, arruinando a felicidade social dela. O sr. Butteridge, de qualquer forma, desejava discursar a respeito do ocorrido, mostrar o esplendor da natureza da senhora à luz de suas dificuldades. Foi algo realmente embaraçoso para uma imprensa que sempre teve considerável tendência a ser reticente, que realmente buscava material na intimidade alheia, especialmente em suas versões mais modernas, mas nada que fosse pessoal demais. Era embaraçoso ver-se confrontado inexoravelmente com o gigantesco coração do sr. Butteridge, ver o próprio homem submeter-se a uma impiedosa vivisecção, com suas pulsantes entranhas adornadas com etiquetas tão enfáticas como bandeiras.

O confronto ocorreu, não havia como escapar. O sr. Butteridge pôs suas vísceras espantosas e palpitantes diante dos apequenados jornalistas – nem um tio inconveniente, com um grande relógio e um bebê no colo, seria tão incansável, detendo qualquer tentativa de digressão da parte deles. Ele estava "glorificado pelo amor", dizia, constrangendo seus ouvintes a escrever isso.

— Sem dúvida, são assuntos de foro íntimo do sr. Butteridge – esses tentavam dizer.

— A injustiça, cavalheiros, é pública. Não me importo, de qualquer forma, se estou contra instituições ou indivíduos. Não me importo se estou contra o bem universal. Pleiteio a causa do amor, cavalheiros, e de uma mulher de muita nobreza, mas que foi incompreendida. Pretendo reivindicá-la aos quatro cantos!

— Professo meu amor pela Inglaterra – Butteridge costumava dizer –, professo esse amor pela Inglaterra, mas abomino o puritanismo. Me enche de um asco que sobe pela garganta. Tome meu exemplo...

Assim, o inventor batia constantemente na tecla de seu coração e em garantir que suas declarações fossem publicadas. Se não se fazia justiça a seus bramidos e gestos abordando a questão do amor, ele fazia questão de assinalar, numa enorme garatuja de tinta, tudo o que fora omitido e muitas coisas mais.

Era um problema extremamente constrangedor para o jornalismo britânico. Nunca houvera caso amoroso tão óbvio e desinteressante, nunca no mundo se acompanhara a história de um afeto errático com menos apetite e simpatia. Por outro lado, todos estavam muito curiosos com a invenção do sr. Butteridge. Mas, quando o inventor não se dedicava à causa da dama que ele defendia de forma valorosa, falava de modo singular – com lágrimas de ternura em sua voz – sobre a mãe e a infância: sua mãe, que coroava toda uma enciclopédia de afeto maternal ao ser "notavelmente escocesa". Ela não era muito ordeira, mas chegava perto de ser. "Devo tudo à minha mãe", afirmava Butteridge, "absolutamente tudo. Tudo, sim!", e depois: "Perguntem a qualquer um que tenha alcançado algo na vida. Ouvirão a mesma história. Devemos tudo às mulheres. Elas são especiais, cavalheiros. O homem nada é além de um sonho. Que vem e vai. A alma feminina nos liderará adiante e além".

Sempre seguia por aí.

O que particularmente desejava do governo em troca de seu segredo não vinha à tona, tampouco aquilo que se podia esperar de um Estado moderno nesse tipo de transação além do pagamento em dinheiro. O efeito geral desse drama em observadores mais sensatos, de fato, era interpretar a postura do sr. Butteridge como a de alguém que não estava atrás de nenhuma negociação, mas que utilizava a oportunidade que surgia a partir de seu caso espetacular para se projetar na imprensa e obter a atenção do mundo todo. Rumores a respeito da veraz identidade do inventor depressa se espalhavam. Diziam que ele fora o proprietário de um ambíguo hotel na Cidade do Cabo, que dera abrigo, testemunhara experimentos e depois roubara papéis e projetos de um jovem inventor – extremamente tímido e sem amigos – de nome Palliser, que, saído da Inglaterra, fora para a África do Sul com uma tuberculose bem avançada que o mataria por lá. Essa, de qualquer forma, era a alegação da imprensa mais franca da América, mas provas ou contraprovas a respeito disso jamais chegaram a público.

O sr. Butteridge se envolveu também, apaixonadamente, em um complicado jogo de disputas pela posse de alguns valiosos prêmios em dinheiro. Tais prêmios começaram a ser oferecidos havia muito tempo, em 1906, para voos mecânicos bem-sucedidos. Quando o sr. Butteridge finalmente alcançou o pleno sucesso, um número considerável de jornais, tentados pelo fato de outros pioneiros não reclamarem seus triunfos, haviam se comprometido a pagar eles mesmos, em alguns casos, vultosas quantias para a primeira pessoa a voar de Manchester a Glasgow, de Londres a Manchester, 100 ou 200 milhas na Inglaterra e assim por diante. A maioria desses prêmios estipulava, espertamente, condições ambíguas, e depois ofereciam alguma resistência. Um ou dois jornais pagaram no ato, e disso fizeram bastante alarde. O sr. Butteridge, de qualquer forma, mergulhou em litígios com os mais recalcitrantes, sustentando ao mesmo tempo uma agitação vigorosa e uma campanha para que o governo comprasse sua invenção.

Um fato, contudo, pairava permanentemente no desenrolar de todos os negócios e casos em torno de Butteridge – seus absurdos interesses amorosos, sua política e personalidade, todos os gritos e declarações bombásticas: apenas ele estava de posse do segredo de um aeroplano que poderia realmente voar. Até que qualquer outro dissesse o contrário, a chave do futuro para o Império se encontrava nas mãos do estranho inventor. Infelizmente, para grande consternação de muitos – entre os quais podemos incluir o sr. Bert Smallways –, ficava cada vez mais claro que quaisquer que fossem as negociações, a aquisição desse segredo vital pelo governo britânico parecia estar em perigo iminente. O *Daily Requiem*, de Londres, foi o primeiro a deixar esse alarmismo bem claro ao publicar uma entrevista com o terrível título: "Sr. Butteridge fala o que pensa".

Ali o inventor – se é que ele era um inventor – abriu seu coração.

— Venho dos confins da Terra – afirmava, o que talvez seria a confirmação dos rumores e histórias ambientados na Cidade do Cabo – para minha terra natal com o segredo que poderia levá-la a se tornar o império do mundo. E o que eu obtive? – aqui, uma pausa estratégica. — Minha vida devassada e farejada por esses velhos mandarins sabujos... E a mulher que amo, tratada como leprosa!

— Professo meu amor à Inglaterra – dizia um esplêndido desabafo subsequentemente transcrito à mão pelo próprio Butteridge –, mas há limites de tolerância em qualquer coração humano! Há nações jovens, nações mais vivas! Nações que não roncam e cacarejam em paroxismos vários sobre o leito da formalidade e da burocracia! Há nações que não estão dispostas a jogar fora seu império em troca de desacatar um homem desconhecido e insultar uma mulher distinta cujos calçados eles nem sequer seriam capazes de desamarrar. Há nações que não estão cegas diante da ciência, não estão atadas a afirmações de burocratas esnobes e de outros tipos decadentes ou degenerados. Em resumo, escreva o que eu estou dizendo, *há outras nações*!

Esse discurso impressionou vivamente Bert Smallways.

— Se os alemães ou os americanos põem as mãos nisso – disse com ênfase para impressionar seu irmão –, o Império Britânico já era. É *nocaute* na certa. A bandeira do Reino Unido não vai valer a tinta que usaram para fazê-la, Tom.

— Suponho que você não possa dar uma mão pra gente esta manhã – disse Jessica, após imponente pausa de Bert. — Todos em Bun Hill parecem estar querendo as batatas mais cedo. Tom não dá conta de carregar nem metade dos pedidos.

— Estamos vivendo em um vulcão – disse Bert, desviando-se da sugestão de Jessica. — A qualquer momento, uma guerra vai estourar. E que guerra!

Balançou a cabeça solenemente.

— É melhor cuidar deste lote primeiro, Tom – disse Jessica. Voltou-se bruscamente para Bert. — Não pode nos ajudar só pela manhã?

— Queria muito dar uma ajuda – respondeu Bert. — A oficina anda meio parada, especialmente agora. O problema é que todo o perigo ao Império não sai da minha cabeça.

— O trabalho vai manter sua mente em paz – disse Jessica.

E em breve também Bert estaria caminhando em um mundo que mudava rápida e espantosamente, curvado em meio a caixas de batatas e insegurança patriótica, que por fim se mesclavam à irritação definitiva com o peso e a falta de elegância das batatas e com uma ideia muito clara acerca de como Jessica, sua cunhada, era detestável.

II.
COMO BERT SMALLWAYS ACABOU ARRUMANDO ENCRENCA

1

Não ocorreu a Tom ou a Bert Smallways que a notável performance aérea do sr. Butteridge pudesse afetar a vida de ambos de uma maneira especial, de modo diferente de como afetaria a existência de milhões. Eles testemunharam o voo da curiosa máquina que parecia um inseto desde o ponto mais alto de Bun Hill até o final – suas asas rotativas, o halo dourado que produzia ao entardecer, o zumbido constante que desapareceu dentro do barracão –, depois deram meia-volta, retornaram à quitanda debaixo dos caminhos de ferro do monotrilho Londres-Brighton e retomaram as discussões que mantinham antes que o triunfo do sr. Butteridge surgisse em meio à névoa de Londres.

Eram discussões difíceis, que não engrenavam. Muitas vezes as vozes chegavam a gritos por causa dos constantes gemidos e rugidos dos carros motorizados com giroscópios que atravessavam a Rua Principal, embora a natureza do que discutiam fosse litigiosa e privada. A oficina de Grubb atravessava um período difícil e, em um momento de prosperidade financeira, Grubb deu a metade do seu negócio a Bert, cujas relações com seu empregador tinham sido, durante algum tempo, não remuneradas, na base de trocas informais.

Bert tentava impressionar Tom com a ideia de que a renovada oficina, agora Grubb & Smallways, pudesse oferecer oportunidades sem precedentes ao pequeno e sensato investidor. Assim, Bert estava descobrindo, como se isso fosse uma novidade espantosa, que Tom era singularmente insensível a novas ideias. No fim das contas, a estratégia do irmão mais novo foi deixar de lado as questões financeiras e acentuar o lado do afeto fraterno, e assim conseguiu o empréstimo solicitado com a garantia soberana assegurada por sua palavra de honra.

A nova empreitada, a empresa Grubb & Smallways, anteriormente apenas Grubb, passava por uma persistente maré de azar que já durava um ano, mais ou menos. Por muitos anos, o negócio lutara com certo sabor de insegurança romântica nessa pequena loja de aparência dissoluta na Rua Principal, adornada com anúncios de bicicletas em cores fortes e brilhantes, um mostruário de buzinas, clipes protetores para calça, latas de óleo, suportes para bomba de ar, quadros, carteiras, entre outros acessórios, além dos anúncios "Locação de bicicletas", "Reparos", "Encha o pneu de graça", "Combustível" e similares. Eram distribuidores de diversos fabricantes de bicicletas obscuros – dois modelos constituíam o catálogo – e ocasionalmente alcançavam sucesso em alguma venda. Também consertavam pneus furados e faziam o melhor que podiam, ainda que nem sempre a sorte estivesse a seu lado, nos outros tipos de reparos que surgissem: remediaram uma série de gramofones baratos e mexeram em pequenas caixas de música. O carro-chefe da empresa, contudo, era a locação de bicicletas. Tratava-se de um comércio singular, que não obedecia a nenhum princípio mercantil ou econômico – na verdade, a princípio nenhum. Havia um estoque de bicicletas para senhoras e cavalheiros em tal estado de abandono que ultrapassava a possibilidade de descrição: esse material era destinado ao aluguel. Direcionado a pessoas pouco habilidosas e irresponsáveis, que desconhecem os assuntos correntes do mundo, o serviço tinha uma taxa nominal de 1 xelim pela primeira hora e 6 *pence* por hora adicional. Mas a verdade é que não havia um preço fixo, e garotos insistentes poderiam conseguir uma bicicleta e a emoção do perigo de dirigi-la durante uma hora pela razoável soma de 3 *pence*, se fossem capazes de convencer Grubb de que era tudo que tinham. O selim e o guidão eram, então, porcamente ajustados por Grubb, um depósito, exigido – a não ser no caso de clientes usuais –, as engrenagens, lubrificadas, e assim o aventureiro podia começar sua jornada. Em geral, ele ou ela retornavam, mas algumas vezes, quando acontecia um acidente mais sério, Bert ou Grubb precisavam sair para trazer a máquina de volta. O valor do aluguel corria até a hora em que a bicicleta voltasse à loja e era deduzido do depósito. Era raro que uma bicicleta saísse das mãos dos dois em estado de eficiência comprovada. Possibilidades românticas de acidente estavam à espreita nos parafusos soltos do selim, no estado precário dos pedais, na corrente frouxa, no guidão e, sobretudo, nos freios e pneus. Ruídos, estrépitos e um estranho rangido rítmico surgiam assim que o intrépido locatário saía a pedalar pelo campo. Esse seria o momento em que talvez a buzina travasse ou os freios sofressem uma pane súbita quando deviam entrar em ação em uma ladeira; ou acontecia de o cano em que se encontrava o selim afrouxar-se, resultando em uma descida do assento de 3 ou 4 polegadas após um desconcertante solavanco; ou de a corrente, frouxa e ruidosa como um chocalho, saltar dos eixos das rodas enquanto a máquina estivesse em uma descida particularmente íngreme, causando uma parada abrupta e desastrosa sem tempo de conter o impulso do ciclista para a frente; ou de um pneu estourar, ou esvaziar-se silenciosamente e entregar-se raspando na poeira.

Quando o locatário retornava, a pé e enfurecido, Grubb ignorava as reclamações verbais para examinar a máquina solenemente.

— Você não a utilizou corretamente – costumava iniciar seu discurso.

Assumia, então, a suave personificação da racionalidade.

— Você não espera que a bicicleta te pegue no colo e carregue por aí – acrescentava. — Precisa mostrar inteligência. Afinal, ela é apenas uma máquina.

Algumas vezes, o processo de liquidação das reclamações beirava a violência. Sempre envolvia uma negociação extremamente retórica e algumas vezes penosa, mas, nesses tempos de progresso, é necessário fazer algum barulho para manter-se vivo. Em geral, era um trabalho duro, mas ainda assim esse serviço de aluguel constituía fonte segura de lucros. Pelo menos até o dia em que o vidro das vitrines e da porta foram quebrados e o estoque substancialmente danificado por dois locatários extremamente críticos, destituídos de senso para apreciar a irrelevância retórica. Eram enormes e brutais foguistas de Gravesend. Um deles estava aborrecido porque o pedal esquerdo de sua máquina se soltou no meio do trajeto; o outro, por causa de um pneu murcho – incidentes pequenos, quase negligenciáveis pelos padrões de Bun Hill, resultado de um manuseio grosseiro dos delicados equipamentos alugados. Mas os sujeitos não conseguiram perceber com clareza que a culpa era deles, ao menos dentro da linha argumentativa escolhida. E adotaram uma forma miserável de convencer quem fornece uma máquina defeituosa: atacar sua loja com a bomba de enchimento de pneus e levar embora seu estoque de sinos, só para devolvê-los através das vidraças das janelas. Mas não chegaram a convencer a mente de Grubb ou de Bert, pois isso apenas os irritou e contrariou. Essa primeira altercação se transformou em legião, e tais dissabores levaram a uma violenta disputa entre Grubb e o proprietário do imóvel acerca dos aspectos morais e da responsabilidade legal pela reposição dos vidros estilhaçados. O caso atingiu seu clímax na véspera do Domingo de Pentecostes.

Ao final, não restou a Grubb & Smallways outra opção além de uma mudança noturna estratégica para outro local.

O novo local já vinha sendo considerado por eles havia algum tempo. Uma pequena loja que mais parecia um galpão, dotada de uma janela de vidro e um quarto nos fundos, localizada em uma curva fechada próxima à via mais distante de Bun Hill. Aqui, eles seguiram lutando bravamente, a despeito do persistente aborrecimento causado pelo proprietário do imóvel anterior, alimentando esperanças de que a peculiar situação da nova loja pudesse ser promissora. Aqui, também, essas esperanças terminaram em enorme desapontamento.

A estrada principal que conduzia de Londres a Brighton e atravessava Bun Hill era como o Império ou a Constituição da Grã-Bretanha – algo que cresceu até atingir a importância atual. Diferentemente de todas as outras estradas da Europa, as britânicas nunca foram alvo de medidas organizacionais para nivelá-las ou endireitá-las, o que sem dúvida acabou por dotá-las de certa natureza pitoresca. A velha Rua Principal de Bun Hill possui um trecho final, de 80 a 100 pés, em descida, a um declive de 20 graus para a direita e em seguida para a esquerda, que se prolonga em uma curva por cerca de 30 jardas até uma ponte de tijolos sobre um canal seco, chamado Otterbourne outrora, para depois dobrar de forma aguda novamente para a direita, ao redor de uma densa formação de árvores, e prosseguir, em linha reta, numa pacífica estrada principal. Alguns acidentes de cavalo, carruagem ou bicicleta aconteceram ali antes da construção da loja de Bert e Grubb e, para ser sincero, foi chance de outras ocorrências como essas que os atraiu para lá.

Essa alternativa surgiu aos dois, inicialmente, em termos bem-humorados.

— Aqui é um bom lugar pra ganhar a vida com uma criação de galinhas e frangos – disse Grubb.

— Não se consegue viver só da criação de galinhas – respondeu Bert.

— Claro que sim, se você criar para os motoristas – comentou Grubb –, quem atropelar uma, que pague por ela.

Quando de fato se mudaram para a nova loja, lembraram-se dessa conversa. Galinhas, contudo, estavam fora de cogitação. Não haveria espaço a não ser na própria loja, onde, claro, ficariam um pouco deslocadas. Ela era muito mais moderna que a anterior, com sua fachada em vidro laminado.

— Cedo ou tarde – comentou Bert –, teremos um carro motorizado por aqui.

— Tudo bem – disse Grubb. — Compensação. Não ligo para quando o carro motorizado vai chegar aqui. Não ligo nem se ele vai ser grande coisa.

— Enquanto isso – disse Bert com grande astúcia –, vou comprar um cachorro pra mim.

Foi o que fez. Ele comprou três, um em seguida do outro. Surpreendeu o pessoal que trabalhava no Lar de Cães de Battersea ao solicitar um retriever surdo, rejeitando todos os candidatos que levantavam as orelhas.

— Quero um cachorro manso, surdo e lerdo – disse. — Um cachorro que não saia por aí aprontando.

Revelaram-lhe uma incômoda curiosidade, declarando haver uma escassez de cães surdos.

— Veja bem – disseram –, os cães em geral não são surdos.

— Os meus precisam ser – respondeu Bert. — Já tive cachorros que não eram surdos. Era tudo o que eu queria. Mas o problema é o seguinte: eu trabalho com gramofones. Naturalmente, preciso mostrar os aparelhos funcionando, com suas vozes e buzinas. Bem, um cão que escuta não gosta disso: fica agitado, farejando tudo, latindo, uivando. Isso incomoda os clientes, entende? Um cachorro que ouve bem imagina coisas. Transforma mendigos em assaltantes. Quer lutar com cada veículo motorizado que passa ou buzina. Isso é bacana se você quer animação na sua vida, mas eu já tenho animação suficiente. Não quero um cachorro comum. Quero um que seja quieto.

No final, acabaram sendo três, um depois do outro, mas com nenhum deles as coisas deram certo. O primeiro perdia-se no infinito, não respondendo a nada. O segundo foi morto durante a noite por uma carroça motorizada carregada de frutas, cuja fuga aconteceu antes que Grubb pudesse alcançar o atropelador. O terceiro acabou preso na roda dianteira de um ciclista que passava perto do estabelecimento e acabou atravessando o vidro laminado – mas o ciclista, um ator desempregado, estava inapelavelmente falido. Exigiu indenização por alguma ferida imaginária ocasionada pelo acidente e não quis ouvir nada a respeito da importância daquele bicho que acabara de matar ou mesmo da vitrine que quebrara, o que obrigou Grubb a adotar a mais pura obstinação física para endireitar a roda da frente da bicicleta acidentada, para depois importunar o fabricante com uma enxurrada de cartas de reclamação. Chegou a contestar todas as respostas – ferozmente, o que o fazia, na opinião de Bert, perder a razão.

Os negócios acabaram minguando mais e mais diante de todas essas pressões. A vidraça foi restaurada, mas uma discussão pouco agradável a respeito do atraso nos reparos, travada com o novo proprietário, um açougueiro de Bun Hill – pessoa irritante, histérica e pouco razoável, em síntese –, trouxe uma boa recordação dos problemas enfrentados com o antigo senhorio. As coisas estavam nesse ponto quando Bert reconsiderou a possibilidade de criar algo como capital de debêntures no negócio em benefício de Tom. Mas, como dito anteriormente, Tom possuía pouco espírito empreendedor em seu estofo. Sua ideia de investimento era a estocagem; ele persuadiu o irmão a não manter a proposta de pé.

Então, a má sorte deu seu último golpe no negócio, que já estava moribundo, deixando-o na lona.

2

Mas não se pode ser infeliz o tempo inteiro, e o Domingo de Pentecostes chegou prometendo uma pausa nos complicados negócios da firma Grubb & Smallways. Os dois sócios, encorajados pelos resultados aparentemente positivos das negociações de Bert com o irmão e pelo fato de que metade do estoque estava alugado de sábado até segunda-feira, decidiram ignorar possíveis transações com as máquinas restantes no domingo para se dedicar a uma folga tranquila e muito necessária. Ansiavam por aproveitar o belo dia, talvez uma festinha no domingo santo, para que pudessem retornar revigorados aos afazeres, já que deveriam enfrentar algumas dificuldades e fazer reparos bem na segunda-feira do feriado. Nenhum trabalho é bem-feito quando executado por indivíduos exaustos e desanimados. Calhou que os dois tinham conhecido duas jovens moças que trabalhavam em Clapham – srta. Flossie Bright e srta. Edna Bunthorne – e estavam decididos a fazer, ao lado das jovens, um alegre passeio de bicicleta no coração de Kent, seguido de um piquenique que permitisse gastar a tarde e a noite em uma morna indolência, em meio a árvores e samambaias que havia entre Ashford e Maidstone.

A srta. Bright sabia pedalar, e uma máquina adequada foi-lhe arranjada – não entre o estoque destinado à locação, mas nas amostras mantidas para venda. Já a srta. Bunthorne, para a qual os afetos de Bert convergiam, não dominava a arte de guiar, e foi portanto com alguma dificuldade que Bert conseguiu alugar uma pequena carreta adicional para o equipamento em um grande estabelecimento, o Wray's, em Clapham Road. Era uma bela cena ver os nossos dois jovens cavalheiros encaminhando-se para o encontro, impecavelmente trajados e com seus cigarros acesos: Grubb conduzia a máquina escolhida para a srta. Bright ao lado da sua, com uma mão habilidosa, enquanto Bert, com seu aparato roncando continuamente, meditava como poderia triunfar sobre a falência. O açougueiro proprietário, ao vê-los, rugiu um "Grrrr!" e gritou "Caiam fora!" em um tom alto e selvagem na direção das costas dos dois, que se afastavam.

Que lhes importava!

O clima estava ameno, e, embora já estivessem a caminho utilizando rotas ao sul antes das nove da manhã, havia uma imensa multidão que aproveitava o feriado nas estradas. Enorme quantidade de jovens em bicicletas convencionais e motorizadas, e uma maioria utilizando carros giroscópicos rodando em duas rodas – ao estilo das bicicletas –, misturados com o tráfego à moda antiga, em quatro rodas. Os feriados sempre levavam veículos antigos e pessoas esquisitas às estradas. Era possível encontrar carros de três rodas, coches elétricos e velhas máquinas de corrida com enormes rodas pneumáticas. Em determinado momento nossos domingueiros viram uma carroça puxada por tração animal. Outra singularidade foi encontrar um jovem montando um cavalo negro, ouvindo as troças dos transeuntes. Além disso, havia muitas aeronaves dirigíveis a gás, para não mencionar os balões, voando a certa altitude. Tudo era imensamente interessante e excitante, ainda mais tendo em vista todas as angústias pelas quais eles haviam passado nos negócios. Edna vestia um chapéu de palha marrom com crisântemos que lhe caía muito bem, sentada como uma rainha na carreta puxada pela bicicleta motorizada de 8 anos de idade, mas que rodava como se fosse nova.

037   **II. COMO BERT SMALLWAYS ACABOU ARRUMANDO ENCRENCA**

Pouco importavam a Bert Smallways os cartazes com as manchetes dos jornais, que proclamavam:

ALEMANHA DENUNCIA A DOUTRINA MONROE.
ATITUDE AMBÍGUA DO JAPÃO.
O QUE A INGLATERRA FARÁ?
É A GUERRA?

Esse tipo de coisa aparecia com alguma frequência, mas, durante um feriado, costumava ser ignorada, o que era compreensível. Durante a semana, em um momento de indolência após o almoço, talvez alguém pudesse se aborrecer com as questões do Império e da política internacional; mas com certeza não em pleno domingo de sol, com uma bela garota puxada por sua bicicleta motorizada e cercado por outros ciclistas invejosos diante de tal conquista. Tampouco os nossos jovens, naquela ocasião, deram alguma importância às sugestões esvoaçantes de atividade militar que os rodeavam e surgiam vez por outra. Próximo a Maidstone, havia uma coluna com onze canhões motorizados de construção muito peculiar, estacionados ao lado da estrada. Vários engenheiros militares, com aparência de homens de negócios, estavam agrupados em torno da coluna, observando através de binóculos um tipo de entrincheiramento situado na parte extrema de um declive. Tudo isso não tinha o menor significado para Bert.

— O que é que há? – perguntou Edna.

— Hum! Acho que são exercícios militares – respondeu Bert.

— Ah! Pensei que eles faziam esse tipo de coisa na Páscoa – comentou Edna, satisfeita com a resposta.

A última grande guerra enfrentada pelos britânicos, a Guerra dos Bôeres, estava acabada e esquecida. O público perdera a capacidade de fazer críticas militares com conhecimentos aprofundados no assunto.

Nossos quatro jovens fizeram seu piquenique, bastante divertido, aproveitando a felicidade que era comum na antiga Nínive. Os olhos brilhavam; Grubb estava bem-humorado, quase espirituoso; já Bert tinha conseguido elaborar alguns epigramas. As cercas estavam cheias de madressilvas e rosas-caninas. No bosque, o fom-fom distante do tráfego na estrada com sua neblina de poeira agora não passava de trombetas dignas da morada de elfos. Deram boas gargalhadas, colheram flores, fizeram amor, conversaram e as garotas fumaram uns cigarros. Também brigaram um pouco, mas tudo de brincadeira. Entre outras coisas, conversaram sobre aeronáutica e sobre como, em menos de dez anos, estariam vindo para um novo piquenique na máquina voadora de Bert. Naquela tarde, o mundo parecia cheio de possibilidades divertidas. Imaginavam o que seus bisavôs pensariam a respeito da aeronáutica. No fim da tarde, por volta das sete, o grupo se preparava para voltar. Eles não esperavam, de forma alguma, um desastre, mas foi exatamente o que encontraram entre Wrotham e Kingsdown.

Haviam subido o morro ao entardecer. Bert estava ansioso por andar o máximo possível antes de ligar – ou melhor, de tentar ligar, uma vez que se tratava de uma questão sobre a qual pendiam dúvidas – as luzes de sua máquina. Tinham acabado de ultrapassar velozmente alguns ciclistas e um carro motorizado de quatro rodas, um modelo velho que se arrastava por causa de um pneu murcho. Um pouco de poeira entrara na buzina de Bert, com resultado curioso e divertido: um som sibilante atrapalhava o convencional fom-fom que se espera desse tipo de aparato. Tendo em vista o divertimento do sócio e das damas, e a própria glória, ele apertava a buzina sempre que possível, provocando ataques de riso em Edna, na carreta rebocada. Faziam assim uma espécie de corrida jovial pela estrada afora, que afetava os demais viajantes de forma variada, dependendo do temperamento de cada um. Nesse momento, Edna percebeu uma boa quantidade de fumaça azulada e fétida vindo dos rolamentos sob seus pés, mas pensou ser uma consequência natural da tração motorizada, sem se preocupar com isso. Mas tudo mudou quando notou, igualmente, uma pequena chama amarelada surgir repentinamente.

— Bert! – ela gritou.

E Bert apertou os freios com tal presteza que ela se viu agarrada às pernas dele enquanto ele descia da máquina. Edna correu para o acostamento, reajustando às pressas o chapéu, que ficara avariado.

— Caramba! – exclamou Bert.

Permaneceu alguns segundos verificando o combustível, que gotejava e se incendiava, bem como a chama crescente e espasmódica, que agora cheirava a pintura esmaltada e óleo. O principal pensamento que lhe passava pela cabeça era o arrependimento de não ter vendido sua máquina em alguma feira para artigos de segunda mão um ano antes, coisa que deveria ter feito – uma boa ideia, de certa forma, mas não exatamente útil naquele momento. Voltou-se bruscamente para Edna e disse:

— Consiga um monte de areia úmida – conduziu a bicicleta para fora da estrada, tomando uma via lateral, onde estacionou para ir atrás de algum suprimento de areia úmida. As chamas consideraram essa atitude um gesto afetuoso e redobraram sua intensidade. Pareciam brilhar com vigor crescente, conforme a noite se adensava. Como eles estavam em uma estrada de cascalho, no meio de uma região pedregosa, as possibilidades de encontrar areia eram escassas.

Edna conseguiu parar um ciclista baixo e gordo. Disse a ele:

— Precisamos de areia úmida – e acrescentou –, nosso motor está em chamas.

— O ciclista baixo e gordo ficou olhando por algum tempo para o espaço, sem expressão, mas então, com um grito de ânimo, começou a raspar as gretas da estrada. Ao que Bert e Edna também o seguiram. Outros ciclistas chegaram, desceram de suas máquinas e permaneceram olhando, as faces iluminadas pelo fogo expressavam satisfação, interesse, curiosidade.

— Areia úmida – dizia o ciclista baixo e gordo, que raspava terrivelmente o solo da estrada –, areia úmida. — Um outro ciclista se juntou a ele. Eles jogaram seus punhados de areia, extraídas a muito custo, sobre as chamas, que os aceitaram com entusiasmo.

Grubb chegou a toda velocidade. Estava gritando algo. Apareceu de repente e largou a própria bicicleta em uma cerca próxima.

— Não joguem água! Não joguem água! – falava, demonstrando uma presença de espírito destinada ao comando. Tornou-se o capitão da situação. Os outros estavam felizes por repetir o que dizia e fazia.

— Não joguem água! – todos repetiam. De qualquer forma, não havia água para jogar.

— Abafem o fogo, idiotas! – berrou.

Pegou uma manta que estava na carreta (um bom cobertor de retalhos que Bert utilizava no inverno) para abafar o combustível que queimava. Durante um maravilhoso minuto, parecia que a empreitada estava funcionando. Mas Grubb acabou por espalhar poças ardentes de gasolina pela estrada e outros, inflamados por seu entusiasmo, fizeram o mesmo. Bert pegou a almofada da carreta e começou a bater; havia outra almofada, além da toalha usada no piquenique, que também acabou servindo ao mesmo fim. Um jovem herói tirou o casaco e se juntou à frenética tarefa de abafar as chamas. Por algum tempo, não houve muita conversa, pois a respiração acelerada pelo esforço predominava, bem como um tremendo ruído de tecidos batendo. Então Flossie, chegando aos limites da multidão, gritou:

— Ó meu Deus! Socorro – disse ela, caindo em lágrimas. — Fogo!

O carro motorizado capenga chegou e, consternado, interrompeu seu percurso. O motorista, um sujeito alto, com óculos de proteção e cabelo grisalho, questionou – a voz era cuidadosa e clara, com distinto sotaque de Oxford:

— *Nós* podemos ajudar de alguma forma?

Tornava-se evidente que a manta, a toalha de mesa, as almofadas e o casaco ficavam cada vez mais besuntados de combustível e fogo. O enchimento da almofada agitada por Bert começava a se desfazer, e o ar estava cheio de plumas, como uma tempestade de neve em pleno entardecer.

Bert, suado e esgotado, ficou coberto de poeira da estrada. Sentia que sua arma fora arrancada de sua mão bem no momento da vitória. O fogo permanecia agonizante, rente ao chão e traiçoeiro; emitia uma onda de angústia a cada golpe que sofria. Mas agora Grubb já pisava a manta queimada e os demais começavam a desistir, bem quando o triunfo parecia tão próximo. Alguém estava correndo em direção a seu carro motorizado.

— *Ei!* – gritou Bert. — Temos que continuar!

Ele jogou fora os reduzidos restos da almofada, tirou o próprio casaco e começou a batê-lo nas chamas, aos gritos. Pisoteou as labaredas até que o fogo lambeu suas botas. Edna o viu, um herói iluminado pelo vermelho do fogo, e pensou como era bom ser homem.

Um espectador foi atingido por meio centavo flamejante que voou pelo ar. Bert então se lembrou instantaneamente dos papéis que carregava nos bolsos e recuou, tentando extinguir as chamas em seu casaco – sujo, repulsivo, consternado.

Edna estava paralisada pela aparição de um benevolente espectador idoso, em seus melhores trajes e chapéu de seda.

— Oh! – ela gritou para ele. — Ajude este jovem cavalheiro! Como pode ficar aí parado, assistindo?

Um grito se ouviu:

— A lona!

Um sujeito de aparência séria, trajando uma vestimenta cinza leve de ciclismo, surgiu subitamente ao lado do carro motorizado capenga e perguntou a seu dono:

— Você tem uma lona?

— Sim – foi a resposta do cavalheiro. — Sim, nós temos uma lona.

— Perfeito! – disse o sujeito de aparência séria, repentinamente aos gritos. — Vamos usar a lona, rápido!

O cavalheiro mais velho, com gestos de frágil desaprovação, como uma pessoa hipnotizada, trouxe uma excelente e ampla lona.

— Aqui! – gritou o sujeito sério para Grubb. — Segure firme!

Todos perceberam que um novo método seria posto em prática. Outras mãos de bom grado agarraram a lona do cavalheiro idoso de Oxford. Alguns permaneceram onde estavam, mas produziram ruídos de aprovação. A lona foi posicionada sobre a bicicleta em chamas como um dossel, logo asfixiando tudo o que estava embaixo dela.

— Deveríamos ter feito isso antes – arfou Grubb.

Foi um momento de triunfo. As chamas desapareceram. Agarraram um pedaço da ponta da lona todos aqueles que foram capazes de fazê-lo. Bert segurou um canto com as duas mãos e um pé. A lona, inchada no centro, parecia ter suprimido a exultação triunfante das chamas. Mas isso foi demais para ela, que estourou com um sorriso vermelho e brilhante bem no centro. Riu-se, com uma lufada de labaredas. A cena refletia-se, em vermelho, nos óculos do dono da lona. Todos recuaram.

— Salvem a carreta! – alguém gritou, no que parecia ser o último assalto da luta. Mas não se conseguiu separar a pequena carreta da máquina principal: seu revestimento de vime se incendiara, e a carreta foi a última parte a queimar. Uma espécie de silêncio abateu o grupo. O combustível queimava devagar, a carreta de vime estalava e crepitava. Agora, a pequena multidão se dividia em um círculo externo de críticos, conselheiros, demais personagens secundários (que tiveram influência indistinguível ou nenhuma no caso) e em um grupo central de protagonistas, enraivecidos e angustiados. Um rapaz com mente inquiridora e considerável conhecimento em bicicletas motorizadas se aproximou de Grubb e quis iniciar uma discussão, argumentando que aquilo não poderia ter acontecido. Grubb foi seco e pouco simpático, de forma que o rapaz voltou para o fundo da multidão, onde falou ao benevolente cavalheiro idoso com chapéu de seda que as pessoas que utilizavam máquinas as quais não compreendiam podiam culpar somente a si próprias quando algo acabava dando errado.

O cavalheiro idoso deixou o rapaz falar por algum tempo antes de comentar em tom de prazer arrebatador:

— Surdos como pedras – e acrescentou –, coisa desagradável.

Um homem de rosto rosado e chapéu de palha pediu a atenção geral.

— Consegui salvar a roda dianteira – ele disse –, e vocês teriam salvado o aro também se eu não tivesse feito a roda girar.

Era evidente que essa afirmação estava correta. A roda dianteira mantinha seu aro e permanecia intacta, ainda executando o movimento de rotação lentamente em meio às ruínas distorcidas e calcinadas dos restos da máquina. Ela possuía algo próximo à virtude consciente e à respeitabilidade indiscutível, essa natureza que distingue um coletor de aluguéis do resto da vizinhança pobre.

— A roda deve valer 1 libra pelo menos – insistiu o homem de rosto rosado, quase criando uma cançoneta com esse refrão. — Fazendo a roda girar.

Recém-chegados continuavam brotando do sul, todos com a mesma pergunta: "O que está acontecendo?". Isso deu nos nervos de Grubb. Tendo Londres por meta, a multidão estava constantemente perdendo membros, que montavam de novo em suas máquinas variadas com o ar satisfeito de espectadores que tinham testemunhado o melhor. As vozes desapareciam na penumbra – talvez fosse até possível ouvir algumas gargalhadas quando um ou outro indivíduo se lembrava desse incidente ou de algum caso parecido.

— Lamento – disse o cavalheiro do carro motorizado – que minha lona não tenha sido suficiente.

Grubb admitiu que ele era, nesse caso, o melhor juiz.

— Não há nada mais que eu possa fazer? – questionou o cavalheiro do carro motorizado com um tom que talvez indicasse uma ponta de ironia.

Bert foi, nesse momento, despertado para a ação.

— Veja só – disse –, aqui está a minha garota. Se ela não chegar em casa até as dez, vai dormir na rua. Compreende? Bem, todo o meu dinheiro estava no bolso do casaco e virou cinza ou ficou misturado com o que está queimado, quente demais pra pegar. Nesse caso, Clapham está fora do seu caminho?

— São ossos do ofício – respondeu o cavalheiro do carro motorizado, antes de se voltar para Edna. — Será um prazer, na verdade, se vier conosco. Estamos atrasados para o jantar de qualquer forma, de modo que não fará diferença alguma voltar para casa pelo caminho de Clapham. Teremos de passar por Surbiton, no fim das contas. Mas, temo que você considerará nosso veículo um pouco lento.

— Mas o que Bert vai fazer? – perguntou Edna.

— Não sei se poderemos acomodar Bert – respondeu o cavalheiro do carro motorizado –, embora estejamos tremendamente ansiosos por ajudar.

— Você não consegue levar aqueles restos? – indagou Bert, apontando para os escombros negros e dissolutos que jaziam no solo.

— Infelizmente, temo que isso não seja possível – respondeu o homem de Oxford. — Lamento imensamente, meu caro.

— Então vou ficar por aqui um pouco mais – disse Bert. — Preciso ver o que vai sobrar. Pode ir, Edna.

— Não gosto de abandoná-lo, Bert.

— Mas não podemos fazer nada, Edna...

A última imagem que Edna teve de Bert foi seu perfil chamuscado e enegrecido, em mangas de camisa e recortado pela noite. Ele meditava profundamente em meio ao metal retorcido e às cinzas de sua agora destruída bicicleta motorizada, uma figura melancólica. Seu séquito de espectadores se reduzira a meia dúzia de vultos. Flossie e Grubb, nesse meio-tempo, preparavam a deserção.

— Ânimo, Bert, meu velho! – gritou Edna, com animação forçada. — Até logo.

— Até logo, Edna – respondeu Bert.

— Te vejo amanhã.

— Te vejo amanhã – disse Bert, embora ele estivesse destinado, de fato, a ver boa parte do globo habitado antes de vê-la novamente.

Bert começou a acender fósforos de uma caixa emprestada, na busca por algum centavo ou nota queimados que sobrasse nos restos. Sua expressão era grave e melancólica.

— Queria que nada disso tivesse 'contecido – disse Flossie, pedalando sua bicicleta ao lado de Grubb...

Por fim, Bert estava praticamente sozinho. Uma figura triste, cinzenta, de feitio prometeico, amaldiçoada pela bênção do fogo. Entretinha-se com ideias vagas, que incluíam alugar uma carreta, fazer reparos milagrosos, obter algum lucro residual daquela máquina que era praticamente sua única posse nesse mundo. Agora, sob a escassa luz da noite, percebia a presunção de tais intenções. A verdade o atingiu de modo frio, com toda a sua sombria e arrepiante convicção. Segurou e levantou o guidão, tentou endireitá-lo. A roda traseira, sem pneu, estava desesperadamente presa em meio aos restos, como temia. Por cerca de um minuto, ele permaneceu segurando pedaços de sua máquina, em desespero imóvel. Após grande esforço, empurrou os destroços até a sarjeta, chutando os pedaços, olhando para eles uma última vez antes de se voltar na direção de Londres.

Não olhou para trás.

— É o fim *desse* jogo! – disse Bert sozinho. — Nada de fom-fom para Bert Smallways, ao menos por um ou dois anos. Adeus, feriados!... Ah! Se ao menos eu tivesse vendido essa maldita quando tive chance, três anos atrás.

3

Na manhã seguinte, a firma Grubb & Smallways estava em um estado de profundo desalento. Pouco lhes importava que os cartazes com as notícias dos jornais, na banca de revistas e cigarros do outro lado da rua, estampassem o seguinte:

ANUNCIADO ULTIMATO AMERICANO.
OS BRITÂNICOS DEVEM LUTAR.
NOSSO ENFATUADO MINISTÉRIO DE GUERRA AINDA SE RECUSA A OUVIR O SR. BUTTERIDGE.
GRANDE DESASTRE DE MONOTRILHO EM TOMBUCTU.

Ou isto aqui:

A GUERRA É QUESTÃO DE HORAS.
NOVA YORK ESTÁ CALMA.
BERLIM EM FRENESI.

Ou ainda:

WASHINGTON AINDA EM SILÊNCIO.
O QUE PARIS FARÁ?
PÂNICO NA BOLSA DE VALORES.
FESTA NO JARDIM DE SUA MAJESTADE PARA TUAREGUES MASCARADOS.
O SR. BUTTERIDGE FAZ SUA OFERTA.
ÚLTIMA APOSTA DE TEERÃ.

Nem mesmo:

A AMÉRICA LUTARÁ?
DISTÚRBIOS ANTIGERMÂNICOS EM BAGDÁ.
ESCÂNDALO NA MUNICIPALIDADE DE DAMASCO.
A INVENÇÃO DO SR. BUTTERIDGE PARA A AMÉRICA.

Bert olhava para esses cartazes, afixados com clipes na vitrine da banca, com olhos ausentes. Vestia uma enegrecida camisa de flanela, além dos trapos queimados, sem o casaco, de sua roupa de domingo. A loja estava escura, e o ambiente, em um estado de abatimento indescritível. As poucas e escandalosas máquinas para locação nunca pareceram tão inapelavelmente vergonhosas. Ele pensava nos camaradas que ainda estavam "fora" e nas discussões e disputas que se aproximariam junto com a tarde. Pensou no novo proprietário, no antigo proprietário, nas contas e nas reclamações. A vida surgia aos olhos de Bert pela primeira vez como uma luta sem esperança contra o destino...

— Grubb, meu velho, veja bem – disse, buscando a quintessência –, estou cheio desta loja aqui.

— Eu também – respondeu Grubb.

— Não aguento mais. Não quero mais ter que falar com nenhum cliente.

— Mas não se esqueça da carreta – disse Grubb depois de uma pausa.

— Que se dane a carreta! – exclamou Bert. — De qualquer forma, não deixei um depósito por ela. Não fiz isso. No entanto...

Voltou-se para o amigo.

— Veja só – disse –, não conseguimos sair do lugar. Perdemos dinheiro o tempo todo. Precisamos de um negócio rentável.

— Mas o que podemos fazer? – perguntou Grubb.

— Um bota-fora. Vamos vender tudo o que pudermos, pelo valor que der, depois fechar. Entendeu? Não é uma boa ideia persistir em algo que não funciona mais. Não traz nenhuma sorte. Isso é estupidez.

— Tá certo – disse Grubb –, tá certo. Mas não é você que está com o capital empatado aqui.

— Não precisamos afundar junto com nosso capital – respondeu Bert, ignorando o ponto central do sócio.

— Aliás, não vou assumir a responsabilidade pela carreta. Nem é minha obrigação.

— Ninguém tá pedindo pra você assumir. Se quer ficar por aqui, ótimo. Estou dando no pé. Vamos deixar passar o feriado e depois eu t-ô f-o-r-a. Entendeu?

— Vai me abandonar?

— Vou te abandonar. Se você quiser ser abandonado.

Grubb contemplou a loja ao redor. Certamente, ela tinha se tornado detestável. Em algum momento no passado, ela vivia carregada de esperança: novos clientes, novo estoque e mesmo a possibilidade de crédito. Agora, estava liquidada. Muito provavelmente o proprietário já deveria estar a caminho, com uma série de encargos por conta da troca da vidraça...

— Mas para onde você pretende ir, Bert? – foi a pergunta de Grubb.

Bert se voltou para olhá-lo diretamente.

— Penso que devo ir direto para casa, para minha cama. Não consegui pregar os olhos ainda.

— E o que pensa fazer depois?

— Tenho planos.

— Que planos?

— Ah! Uma pena que você vai ficar por aqui.

— Não se me oferecer alguma coisa melhor.

— Ainda é só uma ideia – disse Bert.

— Sou todo ouvidos.

— Você fez as garotas darem umas boas risadas ontem com aquela sua canção.

— Parece que isso aconteceu há tanto tempo – disse Grubb.

— E a Edna quase chorou por minha causa.

— Aquela chora fácil – afirmou Grubb –, eu logo vi. Mas diga: o que isso tem a ver com o seu plano?

— Tudo a ver – respondeu Bert.

— Como?

— Não percebe?

— Cantar nas ruas?

— Nas ruas! Sem medo! Mas que tal seguindo o curso das águas, por toda a Inglaterra, Grubb? Cantando! Os moços de família fazem isso por uma ninharia, não é mesmo? Você tem uma voz até que boa, sabe bem disso, e a minha também não é ruim. Ainda não encontrei um camarada cantando na praia melhor que eu. Você e eu sabemos como dar uma de janota, hem? Bem, essa é a minha ideia. Você e eu, Grubb, uma canção e umas danças bacanas. Como o que fizemos por diversão ontem. Foi isso que enfiei na cabeça. Vai ser fácil montar um repertório; fácil. Uma seleta de seis canções, uma ou duas para o bis, com sapateado. Estou pronto para o sapateado, de qualquer forma.

Grubb permaneceu contemplando a loja escura e desalentadora. Pensava no antigo e no novo proprietário e no desgosto generalizado em ser pequeno empreendedor numa era que ecoava o lamento amargo da classe média. Logo começou a perceber o vago percutir de um banjo e a voz esganiçada de uma sereia encalhada. Teve a sensação clara do sol quente sobre a areia, dos filhos dos turistas ricos de feriado em volta dele, dos murmúrios de "eles são mesmo cavalheiros autênticos", e então o tilintar seguro de moedas no chapéu. Algumas até de prata. Seriam apenas lucros, nada de perdas ou contas.

— Estou nessa, Bert – disse.

— Tá certo! – respondeu Bert, acrescentando: — Agora, não temos tempo a perder.

— Também não precisamos começar sem capital – disse Grubb. — Se conseguirmos uma boa grana nessas máquinas na bicicletaria de Finsbury, devemos ter na mão 6 ou 7 libras. Podemos ir lá bem cedo, antes que alguém...

— Queria ver a cara do velho Sebo-e-Osso quando chegar aqui para a visita habitual e dar de cara com o cartaz de "Fechado para reparos".

— Vamos fazer isso – disse Grubb, entusiasmado –, vamos mesmo. E vamos botar outro aviso, zombando de todos os que vierem aqui saber se estamos abertos ou não. Entendeu? Assim já começamos a ficar conhecidos.

Antes do fim do dia, o plano da nova empreitada estava todo estruturado. Decidiram inicialmente usar para a dupla o nome de The Naval Mr. O's. Tratava-se de um plágio, aliás de má qualidade, da denominação da muito celebrada trupe dos Scarlet Mr. E's. Bert tinha outra coisa em mente: um uniforme de sarja azul-claro, abarrotado de fitas douradas e demais ornamentos, mais ou menos como se vê nos uniformes de gala dos oficiais da Marinha, mas com exagero ainda maior. Esse plano para o figurino, contudo, teve de ser abandonado por ser impraticável, uma vez que levaria muito tempo e dinheiro em sua confecção. Precisavam era de uma vestimenta mais barata e de produção mais fácil, e Grubb sugeriu usarem capotes brancos. Divertiram-se por algum tempo com a hipótese de selecionar as piores máquinas do estoque, pintá-las com tinta esmaltada escarlate, substituir as buzinas pela mais potente sirene motorizada disponível e dar umas voltas no começo e no final dos shows. Contudo, duvidavam da conveniência desse número.

— Tem muita gente por aí que não nos conhece – disse Bert –, que não nos reconheceria na rua, mas que pode reconhecer num piscar de olhos as bicicletas que andamos alugando. Não podemos ir em frente com as histórias do passado. Precisamos recomeçar.

— Concordo – disse Grubb – totalmente.

— Nós queremos esquecer o passado, cortar essas antigas chateações maçantes. Nada disso fez bem pra gente.

Mesmo assim, decidiram assumir os riscos e usar as bicicletas. Finalmente, optaram por uma vestimenta definitiva: meias marrons e sandálias, lençóis baratos de tecido cru com um buraco no meio, barba falsa e peruca de estopa. Além, claro, das roupas que usualmente trajavam! Os Dervixes do Deserto foi o nome escolhido, e o repertório viria de cançonetas populares como *In My Trailer* e *What Price Hairpins Now?*.

Optaram por começar a carreira de cantores populares tocando em pequenos lugares à beira-mar, enquanto ganhavam gradativa confiança para encarar locais maiores. Para a estreia, selecionaram Littlestone, em Kent, essencialmente por causa de seu nome despretensioso.

Assim, continuaram a tecer seus planos. Parecia à dupla algo pequeno e sem importância que, enquanto batiam papo, os governantes de metade do mundo flutuassem à deriva na possibilidade da guerra. Por volta do meio-dia, viram os primeiros cartazes com as notícias dos jornais vespertinos do outro lado da rua:

AS NUVENS DA GUERRA FICAM CADA VEZ MAIS NEGRAS.

Nada além disso.

— Guerra, eles estão sempre falando de guerra – disse Bert. — Estão pegando a guerra pelo pescoço atualmente, como se não gostassem mais da paz.

4

Assim, ficará compreensível ao leitor essa súbita aparição que mais surpreendeu que agradou – além de quebrar a tranquila informalidade que se via nas areias de Dymchurch. Dymchurch foi uma das últimas localidades na costa da Inglaterra a ser alcançada pelo monotrilho, de modo que suas areias espaçosas não sofreram grande perturbação ao longo de nossa história. Era o segredo e o prazer de um número limitado de conhecedores, que frequentavam o lugar para fugir da vulgaridade e de extravagâncias, para banhar-se no mar, sentar, conversar e brincar com os filhos em paz. Nesse sentido, a aparição dos Dervixes do Deserto não agradou às pessoas em Dymchurch de forma alguma.

As duas pequenas figuras brancas, montadas em suas máquinas escarlates, chegaram vindas do nada direto para as areias de Littlestone. Gradativamente, a estridência das buzinas tornava-se mais nítida e os gritos esquisitos, mais audíveis. Encarnavam a vivacidade mais agressiva que se podia imaginar.

— Céus! – disse Dymchurch. — O que é isso?

Então nossos dois jovens, seguindo o plano combinado, deram uma volta completa pela localidade, desceram das bicicletas e tentaram chamar atenção.

— Senhoras e senhores, pedimos licença para nos apresentar: somos os Dervixes do Deserto – e fizeram uma profunda reverência.

Uma boa parte dos poucos grupos espalhados pela praia observou aquilo tudo com horror, embora algumas crianças e jovens tenham se aproximado demonstrando relativo interesse.

— Não tem quase nenhum camarada nessa praia – disse Grubb em tom baixo, e os Dervixes guardaram suas bicicletas usando um arsenal de "atos" cômicos, que arrancaram uma risada de um rapazinho de aparência ingênua. Depois de tomarem fôlego e assumirem um ar jovial, atacaram *What Price Hairpins Now?*. Grubb fazia a primeira voz, Bert dava seu melhor para que o acompanhamento fosse bem vibrante, e ao final de cada verso dançavam alguns passos, cuidadosamente ensaiados, segurando a barra do lençol.

Ting-a-ling-a-ting-a-ling-a-ting-a-ling-a-tang...
What Price Hairpins Now?

Enquanto eles cantavam e dançavam seus passos na ensolarada praia de Dymchurch, crianças se aproximavam dos dois jovens tolos, maravilhadas por eles serem capazes de se comportar dessa forma. Já os mais velhos tudo observavam indiferentes e hostis.

Naquela manhã, em todas as cidades litorâneas da Europa, banjos tilintavam, vozes berravam e cantavam, crianças brincavam sob o sol, barcos iam e vinham. A vida comum e abundante da época, que não suspeitava de todos os perigos que se organizavam às sombras contra ela, fluía no seio dessa alegria despropositada. Nas cidades, os homens se mobilizavam em torno de seus negócios e encontros. Os jornais, que tinham gritado "Socorro!" com tanta frequência, agora berravam "Socorro!" em vão.

5

Bert e Grubb baliam o refrão pela terceira vez quando perceberam, nesse momento, um enorme balão marrom-dourado em baixa altitude no céu a noroeste, vindo velozmente na direção em que estavam.

— Justo quando conseguimos a atenção do povo aqui aparece esse troço no céu – murmurou Grubb. — Vamos lá, Bert!

Ting-a-ling-a-ting-a-ling-a-ting-a-ling-a-tang
What Price Hair-pins Now?

O balão subiu e desceu, sumindo de vista.
— Pousou, graças a Deus – disse Grubb.
O balão reapareceu.
— Droga! – grunhiu. — Vamos lá, Bert, ou vão avistá-lo de novo!
Terminaram a dança e permaneceram observando o que acontecia.
— Tem alguma coisa errada com aquele balão – disse Bert.
Todos agora olhavam para o balão, que se aproximava rapidamente após um breve desvio para noroeste graças a um vento ocidental. A música e a dança estavam mortas e enterradas. Ninguém mais pensava nisso. Até mesmo Bert e Grubb esqueceram e ignoraram o número seguinte do programa. O balão dava saltos como se seus ocupantes

tentassem pousar. A aproximação prosseguiu, em um declive lento, até tocar o chão, para depois saltar uns 50 pés para o alto e imediatamente começar a cair de novo. A cabine tocou um grupo de árvores. Uma figura negra que estava lutando com as cordas no mecanismo de aterrissagem quase caiu, mas saltou de volta para a cabine. Mais um momento e estava muito próximo. Era enorme, grande como uma casa, e flutuava rapidamente na direção da areia. Uma longa corda se arrastava atrás do balão, enquanto o homem na cabine dava gritos estridentes. Parecia que ele tirava as roupas, depois botou a cabeça para o lado de fora. Ouvia-se claramente que ele dizia:

— Agarrem a corda!

— Salvamento, Bert! – gritou Grubb, correndo atrás da corda.

Bert o seguiu, colidindo, imperturbável, com um pescador que ia na mesma direção. Uma mulher com um bebê no colo, dois garotos com pás de brinquedo e um cavalheiro robusto usando roupa de flanela, todos chegaram até a corda ao mesmo tempo e começaram a pisoteá-la, desesperados, na tentativa de segurá-la. Bert alcançou essa serpente esquiva que se contorcia e pôs o pé sobre ela, caiu de quatro no chão e segurou-a. Em questão de segundos, toda a difusa população da praia tinha se materializado em torno da corda e a puxava seguindo as veementes e animadas instruções do sujeito na cabine.

— Puxem, vamos! – dizia. — Puxem!

Por um breve momento, o balão seguiu seu impulso e o vento, arrastando a âncora humana em direção ao mar. Depois desceu, tocou a água, com um enorme borrifar prateado, antes de encolher como um dedo ao tocar algo quente.

— Ajudem! – dizia o homem na cabine. — ELA DESMAIOU!

O sujeito da cabine estava ocupado com algo que não era visível enquanto as pessoas na corda o puxavam. Bert estava bem perto do balão, muito agitado e interessado. Tropeçou algumas vezes em seu uniforme de Dervixe, em parte devido a seu entusiasmo. Nunca imaginara que um balão fosse uma coisa tão enorme, leve, livre. O cesto era de vime grosso, relativamente pequeno. A corda que agarrara estava fixada em um anel de aparência sólida, 4 ou 5 pés acima da cabine. Cada puxão que dava na corda aproximava e sacudia mais a cabine de vime, de onde surgiam urros:

— Ela desmaiou, ela desmaiou!

— Deve ser seu coração, partido devido a tudo que teve de passar.

O balão não lutava mais, pois agora estava mais próximo do solo. Bert jogou a corda, buscando outro local onde segurar e puxar. Já estava com as mãos na cabine.

— Cuide disto – disse o homem no ouvido de Bert, e seu rosto pareceu muito próximo, um rosto estranhamente familiar, com sobrancelhas ferozes, nariz achatado, um grande bigode negro. Havia tirado o casaco e o colete, talvez tivesse considerado a possibilidade de nadar para salvar a própria vida, e o cabelo negro se encontrava em espantosa desordem.

— Vocês todos conseguem segurar a cabine? – perguntou. — Nela se encontra uma dama desfalecida, talvez por um problema em seu dolorido coração. Apenas os céus sabem o que ela passou! Meu nome é Butteridge. Butteridge é o meu nome, em um balão. Agora, por favor, todos se afastem. Esta é a última vez que confio minha vida a esse tipo de mecanismo paleolítico. A corda de segurança falhou e a válvula acabou não funcionando. Se algum dia eu encontrar o canalha que deveria ter verificado isso...

Abruptamente jogou a cabeça para trás entre as cordas e disse com uma nota de franca repreensão:

— Consigam algum conhaque! Algum conhaque puro! – alguém correu até a praia atrás do pedido.

Na cabine, esparramada em uma espécie de sofá-cama e assumindo uma atitude de elaborado autoabandono, estava uma enorme senhora loura vestindo um casaco de pele e um grande chapéu florido. A cabeça pendia contra o canto almofadado da cabine, os olhos estavam fechados, a boca, aberta.

— Minha querida! – dizia o sr. Butteridge em uma voz suave e de timbre elevado. — Estamos salvos!

Ela não emitiu nenhum sinal.

— Minha querida! – exclamou o sr. Butteridge, intensificando a voz. — Estamos salvos!

Ela permanecia impassível.

Foi então que o sr. Butteridge externou o ardor de seu âmago.

— Se ela estiver morta – disse, lentamente, levantando o punho para o balão que estava acima dele, dando um enorme berro –, se ela estiver morta, eu r-r-rasgarei os céus como se fosse um farrapo de tecido! Preciso tirá-la daqui – gritava, as narinas dilatadas pela emoção. — Preciso tirá-la daqui. Não posso permitir que ela pereça em um cesto de vime de 9 pés quadrados...

Ela, que foi talhada para os palácios reais! Mantenham a mão firme nesta cabine! Há algum homem robusto que possa me ajudar a tirá-la daqui?

Segurou a dama com um poderoso movimento de braço, levantando-a.

— Não deixem a cabine tombar – disse aos que se aglomeravam ao redor dele. — Mantenham o peso equilibrado. Ela não é uma mulher leve, e, quando estiver fora daqui, será um alívio.

Bert saltou suavemente, sentando-se dentro da cabine. Os outros seguravam com força as cordas e o anel.

— Prontos? – perguntou o sr. Butteridge.

Ele se posicionou sobre o sofá-cama, levantando cuidadosamente a dama. Depois se sentou na extremidade do vime oposta a Bert, deixando uma perna do lado de fora da cabine. Uma corda, ou algo parecido, parecia perturbá-lo.

— Alguém vai me ajudar? – perguntou. — Se possível, poderiam segurar esta dama?

Nesse momento, em que o sr. Butteridge e a dama balançavam na borda do cesto, ela voltou à consciência. Um retorno repentino e violento, marcado por um grito alto de cortar o coração:

— Alfred! Salve-me! – Ela sacudia os braços desesperadamente, até que agarrou o sr. Butteridge.

Bert sentiu a cabine cambalear por um breve momento antes de dar um pinote e jogá-lo para dentro. Foi quando viu as botas da dama e a perna direita do cavalheiro descreverem um arco pelo ar, antes de desaparecer para fora do cesto. Suas impressões foram complexas, mas incluíam a certeza de que perdera o equilíbrio e acabaria de cabeça para baixo no cesto. Abriu os braços para tentar se segurar em algo. De fato estava praticamente de cabeça para baixo quando sua barba postiça se soltou e foi parar dentro da boca e sua bocheca deslizou pelo fundo acolchoado. Seu nariz acabou enterrado dentro de um saco de areia. A cabine sofreu uma guinada violenta, depois estabilizou-se.

— Que maldita confusão! – disse.

Teve a impressão de estar aturdido, por causa de um zumbido no ouvido e porque as vozes das pessoas ao redor de repente ficaram distantes, remotas. Gritavam como elfos em uma colina.

Encontrou dificuldades para ficar de pé. Seus membros se confundiam com as roupas que o sr. Butteridge descartara ao imaginar que a única saída seria mergulhar no mar. Bert gritou, meio enraivecido, meio magoado:

— Você deveria ter avisado que iria tombar o cesto – levantou-se e teve de se segurar nas cordas da cabine, convulsivamente.

Abaixo dele, muito abaixo, estava o azul brilhante das águas do Canal da Mancha. Bem distante, uma coisa mínima brilhava ao sol e se afastava em grande velocidade, como se esvaziasse e desaparecesse. Era a praia e o conjunto irregular de casas que constituíam Dymchurch. Pôde distinguir a pequena multidão de pessoas que ele deixara de forma tão abrupta. Grubb, com seu lençol branco de Dervixe do Deserto, corria ao longo da orla da praia. O sr. Butteridge, com água até os joelhos, berrava imensamente. A dama, sentada com seu chapéu florido no colo, estava chocada por não ser o centro das atenções. A praia, a leste e a oeste, salpicada de pontos minúsculos, parecia ser constituída apenas de pés e cabeças olhando para o alto. E o balão, aliviado em cerca de 25 pedras, que eram o sr. Butteridge e sua dama, ascendia veloz em direção ao céu, na velocidade de um carro de corrida. "Minha nossa!", disse Bert. "Lá vou eu!"

Olhou para baixo com o rosto comprimido, em direção à praia que desaparecia no horizonte, e percebeu que não estava com vertigens. Inspecionou laços e cordas com a vaga ideia de "fazer alguma coisa".

"Não vou ferrar com esse negócio", disse por fim, e se sentou no colchão ao centro. "Não vou tocar em nada... O que posso fazer?"

Logo se levantou de novo para olhar o mundo que encolhia diante dele: os penhascos brancos a leste e o achatado pântano à esquerda, uma minuciosa e ampla perspectiva dos bosques e terras baixas, de pequenas cidades sombrias, portos, rios e estradas que se desenrolavam como fitas, barcos e mais barcos, os conveses e as chaminés diminuídos em contraposição à enormidade do mar, a grande ponte de monotrilhos que cobria o canal desde Folkestone até Boulogne e, por fim, formações como teias de aranha e depois um véu de nuvens ocultaram a perspectiva que tinha diante de seus olhos. Não estava sentindo vertigens nem medo, apenas se encontrava em um estado de imensa consternação.

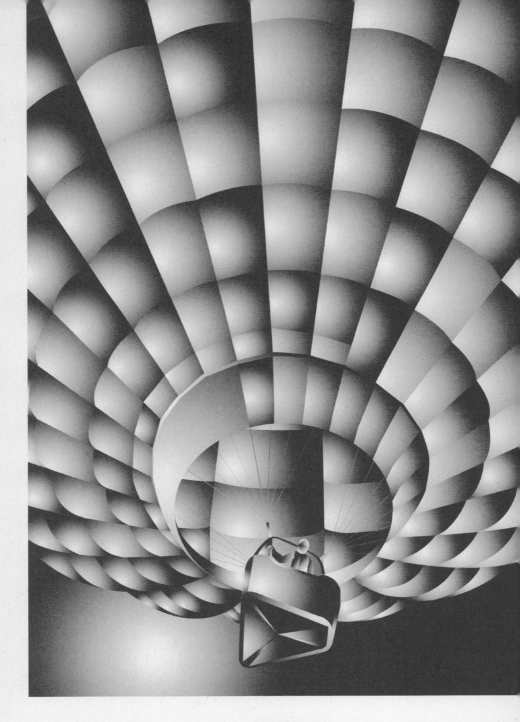

A GUERRA NO AR

III.
O BALÃO

1

Bert Smallways era uma criatura pequena, vulgar, uma espécie de descarado de alma limitada que a velha civilização do início do século XX produzia aos milhões em todos os países do mundo. Vivera toda a sua vida em ruas estreitas, entre casas mesquinhas a partir das quais nunca pôde enxergar muito longe, confinado em um círculo apertado de ideias do qual não havia escapatória. Em seu pensamento, a única obrigação do homem era ser mais esperto que seus iguais para "botar as mãos", como ele costumava sintetizar, "na grana" e aproveitá-la o máximo possível. De fato, tratava-se do tipo de homem que havia feito da Inglaterra e da América do Norte o que essas duas nações eram. A sorte esteve contra ele por muito tempo, mas isso fazia parte do percurso. Era apenas um indivíduo agressivo e ganancioso sem nenhum senso cívico, hábito de lealdade, devoção, código de honra ou mesmo coragem. Agora, graças a um curioso acidente, via-se temporariamente retirado de seu maravilhoso mundo moderno, de todos os rápidos e confusos apelos que caracterizam esse mundo, flutuando como uma coisa morta e desencarnada entre o céu e o mar. Era como se o firmamento o estivesse testando, como se o tivesse escolhido como um espécime em meio a milhões de ingleses com o objetivo de obter uma introspecção mais profunda e entender as entranhas da alma humana. Contudo, confesso que não consigo nem sequer imaginar o que o céu fez com ele, pois há muito abandonei todas as teorias sobre os ideais e as satisfações do céu.

Estar sozinho à elevada altitude de 14 ou 15 mil pés dentro de um balão – foi nessa altitude que Bert Smallways se recuperou – não se iguala a nenhuma outra experiência humana. É um dos acontecimentos supremos para um homem. Nem mesmo voar em uma aeronave supera tal experiência. É como suplantar extraordinariamente quaisquer assuntos humanos. É como descobrir o silêncio e a tranquilidade em um grau sem precedentes. É uma solidão sem sugestões possíveis de intervenção, a quietude sem a possibilidade do mais irrelevante murmúrio. É ver o céu.

Nenhum som de todo o rugido e a balbúrdia da humanidade o alcança, o ar é claro e doce, tornando impensável qualquer concepção de impureza. Nenhum pássaro ou inseto atinge tal altitude. Nem mesmo o vento sopra, pois, para um balão, a brisa não ressoa e ele se move com o vento, ele é mesmo parte da atmosfera. Uma vez nesse cume, não há movimento, balanço. Você nem sequer consegue sentir se está subindo ou descendo. Bert sentiu um frio agudo, mas não ficou enjoado pela altitude; vestiu o casaco, o sobretudo e as luvas que Butteridge descartara – tudo por cima de seu lençol de Dervixe do Deserto, que cobria sua melhor roupa barata – e permaneceu sentado, maravilhado, por um bom tempo, espantado com sua descoberta recente de um mundo silencioso. Acima dele, a luz translúcida do globo, que ondulava em tons de marrom reluzente como seda acetinada, o brilho ardente do sol e o azul profundo do céu. Abaixo, muito abaixo, o assoalho distorcido das nuvens cintilantes quebrado por enormes rachaduras, através das quais era possível ver o mar.

Quem o visse do solo poderia distinguir-lhe a cabeça, uma pequena protuberância escura que se esticava, depois de longo tempo, de um dos lados da cabine, para logo desaparecer e depois reaparecer em outro ponto.

Não estava de maneira nenhuma desconfortável ou aterrorizado. Pensava que aquela coisa incontrolável que o arrastara para o céu em algum momento desceria novamente, embora tal consideração não o perturbasse muito. Essencialmente, seu estado era de maravilhamento. O medo ou a angústia não são problemas para quem está em um balão – até a descida.

"Puxa!", disse por fim, sentindo que precisava falar nem que fosse consigo mesmo. "É bem melhor que andar de bicicleta motorizada."

"Está tudo bem!"

"Acho que devem estar mandando mensagens telegráficas a meu respeito..."

Durante a segunda hora de voo, encontramos Bert examinando o equipamento da cabine com grande curiosidade. Logo acima dele se localizava a garganta do balão, com as extremidades unidas e bem amarradas, mas com um lume aberto através do qual Bert podia espiar o vasto, vazio e quieto interior, do qual desciam duas cordas finas de utilidade desconhecida, uma branca e outra escarlate, alcançando bolsos abaixo do anel central. A rede em torno do balão terminava em cordas presas por esse anel, um aro de aço reforçado, o qual sustentava a cabine por cordas. Desse anel pendiam uma corda reforçada e um arpéu. Nas laterais da cabine, havia certo número de sacos de lona, que Bert assumiu serem o balastro para "jogar longe" em caso de perda de altitude do balão ("Não caiu muito até agora", disse Bert).

Pendendo do anel havia um aneroide e um instrumento em forma de caixa. Este possuía uma chapa de marfim na qual surgiam expressões como "estatoscópio" e outras em francês, além de um pequeno indicador que estremecia e se agitava entre duas marcações: *montée* e *descente*. "Tá certo", disse Bert. "Isso diz se estou *subindo* ou *descendo*." No assento acolchoado carmesim do balão havia duas mantas e uma câmera Kodak, e nas extremidades opostas à base da cabine, uma garrafa de champanhe vazia e um copo. "Petiscos", disse Bert, meditativo, virando a garrafa vazia. Ocorreu-lhe, então, uma ideia brilhante. Percebeu que os dois assentos acolchoados semelhantes a camas, cada um dos quais abastecido com cobertores e almofadas, eram caixas, e dentro delas descobriu aquilo que o sr. Butteridge imaginava ser o equipamento adequado para uma viagem de balão: um balaio onde havia torta de carne, torta romana, embutidos de aves, tomate, alface, sanduíches de presunto e de camarão, um bolo grande, facas e garfos e pratos de papel, garrafas térmicas com café e chocolate, pão, manteiga, geleia, algumas garrafas de champanhe cuidadosamente embaladas, outras de água Perrier e uma jarra maior com água para higiene pessoal, uma pasta, mapas e uma bússola, uma mochila com vários itens convenientes, que incluíam bobes e grampos de cabelo, um boné com protetores auriculares e assim por diante.

"É como uma casa fora de casa", disse Bert, inspecionando essa provisão enquanto amarrava os protetores auriculares sob o queixo.

Olhou para cima, pela beirada da cabine. As nuvens brilhantes estavam a grande distância abaixo dele, tão espessas que todo o mundo se encontrava oculto atrás delas. Ao sul, tais nuvens se empilhavam em grandes massas de neve, de forma que Bert imaginou inicialmente que eram montanhas. Já na direção norte e a leste se configuravam como ondas de brilho ofuscante graças ao sol. "Fico imaginando: quanto tempo um balão voa por aí?" Acreditava estar parado, pois o monstro deslizava pelo ar de modo quase imperceptível. "Não vai acontecer nada de bom se não mudarmos isso", prosseguiu dizendo.

Resolveu consultar o estatoscópio.

"Ainda *montando*", disse.

"O que será que acontece se eu puxar uma corda?"

"Não", decidiu, "não vou estragar tudo".

Depois de algum tempo, entretanto, acabou por puxar tanto as cordas de abertura quanto as de controle das válvulas. Mas, como o sr. Butteridge descobrira anteriormente, estavam obstruídas por uma dobra próxima da garganta. Nada aconteceu. No entanto, esse pequeno nó na corda de abertura impediu que o balão abrisse como se atingido por uma espada, arremessando o sr. Smallways para a eternidade, com uma aceleração de milhares de pés por segundo. "Não adianta", disse, dando o último puxão. Depois almoçou.

Tentou abrir uma garrafa de champanhe que, tão logo ele tirou a armação de arames ao redor do gargalo, lançou a rolha longe com espantosa violência, juntamente com boa parte do conteúdo. Bert, no entanto, conseguiu encher mais ou menos um copo. "É a pressão atmosférica", disse Bert, encontrando finalmente algum uso para a física elementar de seus tempos de último ano de escola. "Preciso ter mais cuidado da próxima vez. Não é bom desperdiçar bebida."

Depois intencionou fumar os charutos do sr. Butteridge; mas novamente a sorte estava a seu lado e ele não conseguiu encontrar nenhum fósforo, o qual ele tentaria acender no reservatório de gás inflamável logo acima dele, o que causaria uma explosão pirotécnica de chamas, esplêndida, mas transitória. "Ah, esse velho Grubb!", disse Bert, buscando sem sucesso nos próprios bolsos. "Claro que ele pegou minha caixinha. Está sempre filando meus fósforos."

Descansou por algum tempo. Depois se levantou, percorreu a cabine, rearranjou os sacos de balastro que estavam no chão, observou as nuvens, leu os mapas no armário. Bert adorava mapas e gastou certo tempo procurando por um da França ou do Canal. Mas só havia mapas dos distritos militares da Inglaterra. Ficou pensando em idiomas e tentou se lembrar do francês que aprendera na escola. *"Je suis Anglais. C'est une méprise. Je suis arrivé par accident ici"*,[1] decidia-se entre frases práticas. Nesse momento, percebeu que

---

1   "Sou inglês. É um engano. Cheguei aqui por acidente."

poderia se distrair dando uma olhada nas cartas do sr. Butteridge, examinando seus documentos, de modo que prosseguiu nessa atividade até o fim da tarde.

2

Sentou-se em cima do armário acolchoado, envolto cuidadosamente em camadas e mais camadas de roupa, uma vez que o ar, calmo, era incrivelmente gélido e límpido. Primeiro, vestia um traje simplório de sarja azul, embaixo do qual trajava roupas íntimas pouco pretensiosas e típicas de um jovem suburbano padrão, com sapatos de ciclista parecendo sandálias e meias marrons que cobriam a boca da calça. Depois o lençol com buraco no centro, apropriado a um Dervixe do Deserto. E então o casaco, o colete e o sobretudo de pele do sr. Butteridge. Por fim, o grande capote de pele da dama. Ao redor dos joelhos, um cobertor. Ainda trazia, sobre a cabeça, a peruca de palha, encimada pela amplo boné do sr. Butteridge com proteção auricular. As pantufas de pele do sr. Butteridge aqueciam seus pés. A cabine do balão era pequena e arrumada, e apenas alguns sacos de balastro apareciam como uma perturbação nesse contexto aprazível. Bert encontrou, por outro lado, uma mesa dobrável na qual apoiou seu cotovelo e repousou um copo de champanhe. Acima, abaixo e ao redor dele havia espaço – esse límpido e silencioso espaço que apenas um aeronauta pode experimentar.

Não era possível sequer imaginar por onde andava o balão ou o que poderia acontecer a seguir. Bert aceitara essa situação com a serenidade creditada à coragem dos Smallways, que qualquer um poderia razoavelmente supor ser a qualidade mais degenerada e abjeta de todas. Sua impressão era que, no fim das contas, desceria em algum lugar e, se não fosse esmagado no processo, alguém, ou talvez alguma "sociedade", o colocaria de novo no balão para um seguro retorno à Inglaterra. Se as coisas não saíssem dessa forma, perguntaria sem rodeios e com firmeza pelo cônsul britânico. *"Le consuelo britannique"*, decidiu que devia ser essa a forma correta de dizer. *"Apportez moi à le consuelo britannique, s'il vous plait"*,[2] ele diria, pois não era

---

2   "Levem-me ao cônsul britânico, por favor." No original, em uma mistura de espanhol e francês com erros.

um ignorante em matéria de francês. Enquanto isso, encontrara documentos que lançavam alguma luz sobre o interessantíssimo sr. Butteridge.

Havia cartas de natureza inteiramente privada endereçadas ao sr. Butteridge, em geral tórridas declarações de amor escritas em letra feminina – material que não é da nossa conta e cuja leitura, da parte de Bert, poderíamos deplorar.

A leitura das cartas amorosas de Butteridge foi pontuada por alguns "Puxa!", em tom de espanto. Após um longo período de silêncio, Bert se perguntou: "Será que as cartas são daquela mulher? Senhor!".

Meditou por algum tempo.

Logo voltou à exploração da intimidade de Butteridge. O material incluía uma série de recortes de entrevistas dadas para a imprensa e muitas cartas em alemão, além de outras com a mesma caligrafia, porém em inglês. "Olha só!", disse Bert.

Uma das mais recentes, a primeira que pegou, começava com um pedido de desculpas para Butteridge por não ter escrito a ele em inglês antes, pelas inconveniências e atrasos que por conseguinte acabaram ocorrendo, prosseguindo com um assunto que interessou vivamente a Bert. "Podemos compreender perfeitamente as dificuldades de sua posição e aquilo que acredita ser necessário na presente conjuntura. Mas, cavalheiro, não acreditamos haver quaisquer obstáculos em sua partida, o quanto antes, de seu país para o nosso, com todos os seus projetos, utilizando as rotas habituais – via Dover, Ostend, Boulogne ou Dieppe. Acreditamos ser difícil imaginar que sua vida corra risco devido à sua inestimável invenção."

"Gozado!", Bert murmurou, meditando.

Depois continuou folheando as outras cartas.

"Pelo visto queriam que ele fosse para lá", disse Bert, "mas não pareciam preocupados em buscá-lo. Ou então estavam fingindo não se importar para conseguir que ele baixasse seu preço".

"Não devem ser cartas do governo", refletiu, após outro intervalo, "parecem mais papéis de uma empresa. Tem alguns nomes impressos no cabeçalho. *Drachenflieger*. *Drachenballons*. *Ballonstoffe*. *Kugelballons*. Soa grego pra mim".

"Mas o fato é que ele queria vender seu segredo para os estrangeiros. É isso aí. Claro como o dia. Puxa! Aqui está o segredo!"

Saiu do assento, abriu o armário e a pasta diante de si sobre a mesa dobrável. Havia desenhos feitos no estilo peculiarmente simples e convencionalmente colorido dos engenheiros. Além disso, fotografias subexpostas, obviamente tiradas por um amador, com grandes closes da máquina aérea de Butteridge em seu barracão no Palácio de Cristal. Bert percebeu que tremia. "Meu Deus", disse, "aqui estou eu com todo o bendito segredo de voar. Perdido, numa altitude imensa, no meio do nada".

"Vamos ver!" Começou a estudar os desenhos e a compará-los com as fotografias. Eram intrigantes. Parecia faltar a metade deles. Tentou imaginar como aquilo tudo se encaixava, percebendo que tal esforço ultrapassava a capacidade de sua mente.

"Estou tentando!", disse Bert. "Quem me dera ter estudado um pouco de engenharia. Se eu conseguisse entender essa papelada!"

Foi para um dos cantos da cabine e permaneceu algum tempo contemplando, com olhos ausentes, um gigantesco conjunto de nuvens – que mais parecia o Monte Rosa – ensolarado. Nesse momento, a atenção de Bert se concentrou em uma estranha mancha negra que se movia, abaixo dele, por entre as nuvens. Ficou alarmado. Ela se deslocava lentamente, sem desgrudar do veículo de Bert, infatigável pelas cordilheiras de nuvens. Por que aquela coisa o seguia? O que poderia ser?...

Teve uma inspiração. "Só podia ser!", disse. Era a sombra do balão. Mas Bert ainda alimentou dúvidas a esse respeito por algum tempo.

Retornou aos projetos, na mesa dobrável.

Gastou uma longa tarde lutando para compreender o material e a necessidade de meditação. Nesse processo, desenvolveu uma série notável de frases em francês: *"Voici Mossoo! Je suis un inventeur Anglais. Mon nom est Butteridge. Beh. oo. teh. teh. eh. arr. i. deh. ghe. eh. J'avais ici pour vendre le secret de le* flying-machine. *Comprenez? Vendre pour l'argent tout suite, l'argent en main. Comprenez? C'est le machine à jouer dans l'air. Comprenez? C'est le machine à faire l'oiseau. Comprenez? Balancer? Oui, exactement! Battir l'oiseau, en fait, à son propre jeu. Je désire de vendre ceci à votre government national. Voulez vous me directer là?"*[3]

---

3   No francês aproximado de Bert: "Ei, senhor! Sou um inventor inglês. Meu nome é Butteridge. B.u.t.t.e.r.i.d.g.e. Estou aqui para vender o segredo da máquina voadora. Entendeu? Para vender depressa, em dinheiro vivo. Entendeu? É a máquina para voar no ar. Entendeu? A máquina que faz como os pássaros. Entendeu? Lançar no ar? Isso, exatamente. Construir um pássaro, de fato, da maneira que quiser. Quero vendê-lo para o seu governo nacional. Poderia me direcionar até lá?".

"Não sei se faz muito sentido do ponto de vista da gramática", disse Bert, "mas dane-se, eles devem engolir isso assim mesmo".

"Mas e depois, se me pedirem pra explicar o bendito treco?"

Voltou para os projetos, muito preocupado. "Nem acredito que está tudo aqui!", disse...

Ficou mais e mais perplexo ali em cima, entre as nuvens, com o que poderia conseguir com aquela esplêndida descoberta. A qualquer momento, lhe parecia, poderia descer entre sabe-se lá que povos estrangeiros.

"É a chance da minha vida!", exclamou. Mas ficava evidente, a cada minuto, que não era. "Assim que eu descer, vão telegrafar a novidade, publicar nos jornais. O Butteridge vai descobrir tudo e vir no meu encalço."

Butteridge seria uma pessoa terrível para se ter no encalço. Bert recordava o grande bigode negro, o nariz triangular, o berro penetrante e o brilho nos olhos. De tarde, teve um sonho em que o grande segredo de Butteridge era inacreditavelmente confiscado e vendido, o que abarrotou sua mente, dissolveu-se e desapareceu. Voltando à sanidade, despertou.

"Não pode ser. O que pode sair de bom disso?" Recolocou, com certa relutância, os papéis nos bolsos dos cadernos e da pasta, da maneira como os encontrara. Percebeu, então, uma esplêndida luz dourada que brilhava no balão logo acima dele, além de um novo calor vindo do firmamento azul do céu. Levantou-se e contemplou a grande bola de ouro solar, que cegava com sua luz abrasiva, fixava-se em meio a um mar tormentoso de nuvens que brilhava em tons de ouro, carmesim e vermelho, uma visão inimaginavelmente estranha e bela. A leste, o aglomerado de nuvens se estendia infinitamente, com seu azul-escuro, parecendo a Bert que todo o hemisfério arredondado do planeta estava ali, logo abaixo de seus olhos.

Muito mais ao longe, ultrapassando o azul, avistou três formas escuras parecidas com peixes que se deslocavam velozmente um à frente do outro, como os golfinhos costumam fazer quando estão em grupo. As formas eram bem semelhantes a peixes, dispondo inclusive de caudas. Mas a visão tornava-se enganosa com aquela luz que incidia. Piscou os olhos, voltando a observar as formas. Desapareceram. Vasculhou aquelas camadas remotas e azuladas, mas não viu mais nada...

"Agora fiquei em dúvida se cheguei a ver alguma coisa", disse, emendando: "Esse tipo de coisa não existe...".

O sol desceu, seguindo seu curso, sem mergulhos abruptos, mas se dirigindo para o norte conforme desaparecia, e subitamente a luz do dia e o calor expansivo deixaram de existir, ao mesmo tempo que o estatoscópio começou a marcar *descente*.

3

"E agora, o que vai acontecer?", disse Bert.

Notou a amplitude gelada e cinzenta agigantar-se diante dele com uma profunda e lenta impassibilidade. Conforme ele mergulhava em meio às nuvens, estas deixaram de se parecer com cordilheiras nevadas para adquirir um aspecto etéreo, imaterial, um imenso e silencioso desvio que turbilhonava a substância intangível do ar. Por certo tempo, quando ele se encontrava quase em cima das massas iluminadas pelo entardecer, atestou que estava descendo. Abruptamente, o céu desapareceu, os últimos vestígios da luz do dia se foram e Bert estava em queda acelerada, tendo como pano de fundo o crepúsculo, atravessando um turbilhão de neve suave enquanto se dirigia ao zênite. Essa leve nevasca – que se derretia tão logo encostava na cabine, em seu ocupante e nos demais objetos –, Bert a sentia em seu rosto como dedos fantasmagóricos. Teve calafrios. Sua respiração se transformou em fumaça saindo dos lábios e tudo ao redor ficou instantaneamente orvalhado e úmido.

Parecia que uma tempestade de neve ocorria com fúria incomum e exemplar *acima* dele. Notou, então, que estava descendo, e bem rápido.

Quase imperceptível, um som crescia em seus ouvidos. O grande silêncio do mundo estava no fim.

O que seria aquele ruído confuso?

Esticou a cabeça pela beirada da cabine, preocupado, perplexo.

Primeiro algo surgiu, depois desapareceu. Viu depois claramente pequenas arestas de espuma que perseguiam umas às outras, no que parecia ser uma ampla esponja de água abaixo dele. Ao longe, um barco-piloto com suas grandes velas marcadas por letras negras e uma luz fraca amarelo-rosada. Deslizava e se lançava, deslizava e se lançava, graças a um vento fortíssimo, embora Bert não sentisse alterações atmosféricas significativas. Logo o som das águas ficou nítido e claro. Estava caindo, caindo – no mar!

Ficou convulsivamente ativo.

"Balastro!", gritou, alcançando um pequeno saco no assoalho, levando-o até a beirada da cabine e lançando-o ao ar. Nem sequer esperou para ver o efeito disso, arremessou mais um em seguida. Deu apenas uma olhada através da beirada, a tempo de ver uma minúscula agitação branca nas águas escuras logo abaixo. Mas estava de volta à neve e às nuvens, pois ascendia novamente.

Mandou mais um e outro balastro, provavelmente sem necessidade, aproveitando agora a imensa satisfação de elevar-se da umidade apavorante para o claro, límpido, gelado ar das grandes altitudes, onde a luz ainda resistia. "Graças a Deus!", disse do fundo do coração.

Algumas estrelas apareceram agora no azul, e uma lua alongada brilhava a leste.

4

Essa primeira descida abrupta deu a Bert a percepção clara das águas infinitas que corriam abaixo de seu balão. Era uma noite de verão, mas ainda assim parecia-lhe extraordinariamente longa. Estava dominado por uma sensação de insegurança, no limite da irracionalidade, de que a luz solar nunca mais voltaria. Também estava faminto. Procurou, no escuro, pelo armário – suas mãos rapidamente encontraram a torta romana e alguns sanduíches, além de meia garrafa de champanhe, que conseguiu abrir com algum sucesso. Tais alimentos o aqueceram e revitalizaram. Resmungou palavras indiscerníveis para seu parceiro Grubb acerca dos palitos de fósforo e cochilou por algum tempo sobre o armário, enrolado em um cobertor. Acordou uma ou duas vezes para se certificar de que estava a salvo bem acima das águas do mar. Quando a luz da lua iluminou as estrelas pela primeira vez, as nuvens surgiram brancas e densas, enquanto a sombra do balão parecia correr atrás dele como um cão que não para de seguir alguém. Depois pareceram mais rarefeitas. Bert permaneceu imóvel, olhando para o enorme balão acima dele. Fez, então, uma descoberta. O seu colete – ou melhor, o colete do sr. Butteridge – farfalhava toda vez que ele tomava fôlego. Estava forrado de papéis. Por mais que quisesse imensamente pegá-los e analisá-los, não o pôde fazer porque não conseguia enxergar...

Foi acordado pelo cantar de galos, o latir de cães e o clamor de pássaros. Estava sendo conduzido lentamente, a baixa altitude, por cima de um território iluminado pela luz dourada do amanhecer, sob um céu límpido. Olhou pela beirada da cabine e avistou campos bem cultivados cortados por estradas, cada uma delas conectada com os postes vermelhos de cabos. Acabara de passar sobre uma vila compacta, caiada, com uma alta torre de igreja e íngremes telhados de tijolo. Certo número de aldeões, homens e mulheres, trajando blusas brilhantes e calçados grosseiros, permaneceu observando-o, atraído pela estranha novidade. Ia tão rasante que a ponta da corda quase se arrastava no chão.

Bert encarou aquelas pessoas. "Me pergunto como eles podem me ajudar a descer", pensava. "Mas será mesmo que eu *devo* descer?"

Seguia na direção das linhas de monotrilho, de modo que teve de se livrar de dois ou três balastros para desviar de tal rota.

"Vejamos. Posso dizer apenas '*Pre'nez!*'[4]. Queria saber dizer 'Peguem a corda!' em francês... Vai que eles são franceses?"

Olhou para a paisagem novamente. "Posso estar na Holanda. Ou em Luxemburgo. Ou na Lorena, até onde eu sei. Queria saber o que são aqueles negócios enormes mais à frente. Algum tipo de estufa, talvez. Parece um lugar endinheirado..."

A aparência respeitável da localidade levantou certas tendências questionadoras, naturais em Bert.

"Preciso estar mais apresentável", disse.

Optou por se levantar para se livrar da peruca (que agora esquentava sua cabeça), entre outros apetrechos. Jogou mais um dos sacos de balastro, espantando-se com a velocidade que adquiria.

"Desgraça!", disse o sr. Smallways. "Exagerei no balastro... Quando será que vou conseguir descer de novo?... Enfim, café da manhã a bordo..."

Removeu o boné e a peruca, pois o clima estava quente. Por causa da imprudência de um impulso, atirou a peruca para baixo. O estatoscópio respondeu ao gesto com um vigoroso movimento para *montée*.

"O bendito balão sobe só de você *olhar* para o lado de fora", comentou, antes de atacar o armário. Encontrou, entre diversos itens, várias latas de chocolate líquido contendo, nas embalagens, instruções minuciosas para abertura – que Bert seguiu à risca. Pressionou o fundo com a chave

4   "Peguem!"

fornecida, fazendo os furos indicados. Logo a lata passou de gelada para quente, cada vez mais quente, até que ele mal conseguia tocá-la, bastando abrir a outra extremidade para saborear o conteúdo: chocolate fumegante sem a necessidade de fósforos ou de qualquer tipo de chama. Era uma invenção antiga, mas totalmente nova para Bert. Como também havia pão, presunto e geleia, foi um café da manhã bastante razoável.

Depois tirou o sobretudo – o sol da manhã estava, em sua inclinação, bem quente – e isso trouxe à memória de Bert o ruído farfalhante que ouvira durante a noite. Tirou o colete e o examinou. "O velho Butteridge não iria gostar que eu fuçasse nisto aqui." Hesitou. Finalmente, começou a descoser a peça. Encontrou os diagramas e esquemas que faltavam para os projetos laterais de rotação, necessários para garantir toda a estabilidade da máquina voadora.

Um anjo observador teria visto Bert sentado por bastante tempo, após a descoberta, em um estado de profunda meditação. Por fim, levantou-se dominado por aparente inspiração, pegou o colete do sr. Butteridge, agora desfeito, desmantelado e saqueado, e o jogou para fora da cabine, de onde flutuou para o solo lenta e convolutamente, até repousar em cima do rosto de um turista alemão que dormia tranquilamente ao lado de Höhenweg, bem perto de Wildbad. Isso também fez com que o balão ganhasse altitude, garantindo uma posição mais conveniente para nosso imaginário anjo observador, que pôde testemunhar como o sr. Smallways tirou seu casaco e seu colete, depois o colarinho, abriu a camisa, lançou a mão ao peito e arrancou o próprio coração – bem, se não era o coração, era algum objeto brilhante escarlate de dimensões razoavelmente amplas. Caso nosso observador celestial, superando o estremecimento de horror, analisasse o objeto escarlate acuradamente, o segredo mais bem-guardado de Bert e uma de suas fraquezas essenciais teriam sido postos a nu. Tratava-se de um protetor de peito, largo e quase higiênico, o tipo de objeto que, ao lado de pílulas, unguentos e tônicos, substituiu as relíquias sagradas e as imagens de santos entre os povos de fé protestante dentro da cristandade. Bert sempre trajou essa coisa; era sua ilusão mais querida, baseada no conselho que recebera ao preço de 1 xelim da mulher que lia a sorte em Margate, que lhe dissera serem fracos os seus pulmões.

Agora, Bert desabotoava seu fetiche para logo depois atacá-lo com um canivete, abrir uma fenda e empurrar através dela os recém-descobertos projetos entre duas camadas de imitação de flanela da Saxônia, material do qual era feito. Com o auxílio do pequeno espelho para fazer a barba do sr. Butteridge e de sua vasilha de lona dobrável, reajustou sua vestimenta com a gravidade de um homem que deu um passo irrevogável na vida. Abotoou o casaco, deixou de lado o lençol de Dervixe do Deserto, lavou-se parcimoniosamente, barbeou-se, recolocou o boné e o grande sobretudo de pele. Revigorado por todos esses exercícios, esquadrinhou o território abaixo do balão.

De fato, tratava-se de um espetáculo de incrível magnificência. Talvez não fosse tão estranho e magnífico quanto o espetáculo do chão de nuvens do dia anterior, mas de qualquer forma era bem mais interessante. O céu estava em sua máxima limpidez e, com exceção do sul e do sudoeste, não havia uma nuvem sequer. O território era montanhoso, com ocasionais plantações de abetos e áreas de planalto desertas, mas também numerosas fazendas. Os montes eram recortados pelos desfiladeiros de vários rios retorcidos, interrompidos de vez em quando por lagoas artificiais e açudes necessários para os moinhos utilizados na geração de energia. Todo o espaço visível de terra era pontilhado de vilas luminosas, com seus telhados íngremes, cada uma delas exibindo uma igreja diferente e interessante ao lado da torre para o cabeamento telegráfico. Aqui e ali, amplas mansões, áreas verdes, estradas, caminhos delineados em vermelho e postes de energia brancos, bastante visíveis na paisagem. Havia recintos murados, como jardins ou campos de feno, grandes telhados de celeiros e fábricas de laticínios movidas a eletricidade. As terras altas eram mosqueadas de gado. Em alguns locais, era possível ver os trilhos das velhas ferrovias (agora convertidas em monotrilhos) escapando através de túneis e cruzando represas. Talvez até fosse possível ouvir o zumbido poderoso que marcava a passagem de um trem. Tudo era extraordinariamente nítido e também minúsculo. Algumas poucas vezes Bert viu soldados e armas, o que o recordou da agitação em torno de preparações militares que testemunhara durante o feriado na Inglaterra; mas ali não havia nada que lhe indicasse que aquelas manobras eram anormais ou que pudesse explicar eventuais tiros efetuados na direção do balão em que se encontrava.

"Gostaria de saber como descer", disse Bert, a mais ou menos 10 mil pés de altura de tudo o que via, e iniciou uma luta bastante inútil puxando as cordas brancas e vermelhas. Mais tarde preparou uma espécie de inventário de suas provisões. Aquela vida em altitudes elevadas dava-lhe um apetite assustador, e pareceu-lhe razoável naquele momento dividir o suprimento em rações. Contabilizou que poderia, sem muito aperto, passar uma semana nos céus.

Inicialmente, o vasto panorama que se desenrolava abaixo era como uma pintura imóvel e silenciosa. Mas, conforme o dia corria, o gás do balão lentamente se extinguia e Bert sentia que seu percurso se tornava descendente de novo, os detalhes ficavam mais claros, as pessoas, mais visíveis; era possível ouvir os apitos e lamentos dos trens e dos carros, os sons do gado, cornetas e tambores e mesmo vozes humanas. A corda-guia era novamente arrastada por terra firme, o que indicava ser possível uma tentativa de pouso. Uma ou duas vezes a corda roçou em cabos elétricos, e Bert sentiu seus pelos se eriçarem com a eletricidade, levando um leve choque que resultou em fagulhas próximas à cabine. Encarou tudo isso como eventualidades da viagem. Tinha uma ideia, que estava clara em sua mente, de jogar o arpéu de ferro que pendia do anel.

A primeira tentativa de usar o arpéu foi malsucedida, talvez devido ao fato de o local escolhido não ter sido uma boa opção. Um balão costuma aterrissar em um espaço amplo e aberto, mas Bert optou por uma aglomeração. Tomou tal decisão repentinamente, sem nenhum tipo de reflexão. Em seu trajeto, Bert se viu diante de uma das mais belas cidadezinhas do mundo – um conjunto de fachadas íngremes dominadas por uma vertiginosa torre de igreja, além de imensa diversidade de árvores, tudo cercado por um muro cuja porta de entrada, ampla, desembocava em uma estrada que se desdobrava em três vias. Os fios e os cabos da zona rural convergiam para essa cidade, como convidados de um espetáculo. Possuía essa qualidade que denota o conforto de um lar, bastante alegre pela abundância de bandeiras. Ao longo da estrada, camponeses, em suas grandes carroças de duas rodas e a pé, iam e vinham, além de ocasionais carros de monotrilho. Num cruzamento para veículos, abaixo de árvores que ficavam do lado de fora da cidade, havia uma pequena feira com algumas barracas. Tudo ali parecia animado, humano, enraizado e, no conjunto, completamente encantador para Bert. Ele vinha em altitude decrescente acima da copa das árvores, com o arpéu pronto para ser lançado e ancorá-lo – um convidado curioso, interessado e interessante (conforme ele imaginava), pousando no meio daquelas pessoas.

Já se via realizando prodígios de comunicação por meio da linguagem de sinais e também de acasos linguísticos, cercado por espantados e numerosos camponeses...

Mas foi então que um capítulo de acidentes adversos começou.

A corda criou antipatia antes mesmo de a multidão perceber seu surgimento acima das árvores. Um camponês idoso e aparentemente embriagado, trajando um chapéu negro brilhante e carregando um enorme guarda-chuva carmesim, foi o primeiro a perceber o artefato, assim que passou por ele, e foi logo tomado pela pouco auspiciosa ambição de matar a coisa estranha que se arrastava no céu. Perseguiu-a com todo o vigor de que dispunha, emitindo gritos desagradáveis. A corda atravessou a estrada obliquamente, caiu numa tina de leite de uma das barracas e chicoteou com sua cauda leitosa um veículo motorizado cheio de garotas operárias que estava parado do lado de fora dos portões da cidade. Elas gritaram escandalosamente. As pessoas olharam para o alto e viram Bert fazer aquilo que ele acreditava serem saudações cordiais, as quais os campônios interpretaram como insultos os mais cabeludos, dada a gritaria das moças. Em seguida, a cabine atingiu o telhado do portão da cidade com precisão, derrubou um mastro, além de arrebentar alguns fios telegráficos – que viraram chicotes descontrolados, aumentando ainda mais a impopularidade do artefato aéreo. Bert agarrou-se ao que podia, pois quase acabou ejetado da cabine. Dois jovens soldados e muitos camponeses lhe gritavam palavras ininteligíveis e agitavam punhos fechados, correndo em perseguição ao imprudente aeronauta conforme o balão sumia de vista, acima dos muros da cidade. Eram, de fato, rústicos admiráveis!

O balão saltou abruptamente, da maneira como esse tipo de aparato costuma fazer quando liberado de parte de seu peso durante a descida, com certa desenvoltura. Depois de mais um instante, Bert estava acima de uma rua lotada de camponeses e soldados, que se abria em uma atarefada praça de mercado. A onda de hostilidade o perseguiu.

"Arpéu!", disse Bert, acrescentando depois aos gritos: "Cuidado com a *tête*[5], vocês aí! Ei! Ei! *Têtes.* Que droga!"

O arpéu inicialmente esmagou um telhado bastante íngreme, precipitando uma avalanche de telhas quebradas que provocou, prontamente, gritos e urros de dor. Depois estilhaçou a janela de uma vidraça após um gigantesco e assustador impacto. O balão rolou, como se tomado por náusea, e a cabine foi jogada de um lado para o outro. Mas o arpéu não conseguiu se fixar. Ele emergiu com tudo, trazendo em um de seus ganchos, com o ar ridículo de quem faz uma seleção enfadonha, uma pequena cadeira de criança, perseguida por um lojista enlouquecido. O arpéu elevou o objeto recolhido, balançando-o no ar como se estivesse numa

5   "Cabeça", em francês.

dolorosa indecisão em meio ao rugido de fúria, e finalmente, como por uma inspiração, o largou sobre a cabeça de uma camponesa que cuidava de um sortimento de repolhos na praça do mercado.

Todos agora estavam bem cientes da presença do balão. Todos, também, tentavam evitar desesperadamente o arpéu ou agarrar a corda que pendia do artefato aéreo. Com um impulso que lembrava o de um pêndulo, o arpéu atravessava a multidão, mandando pessoas voando para a direita e para a esquerda sempre que descia para a terra. Quase atingiu um cavalheiro robusto de terno azul e chapéu de palha, projetou para longe o cavalete de sustentação da tenda de um armarinho, fez um soldado ciclista de calças curtas saltar como um cabrito-montês, prendeu-se de forma insegura às patas traseiras de uma ovelha – que fez esforços vigorosos para se libertar, mas foi arrastada até prostrar-se contra a cruz de pedra situada no meio do local. O balão ascendeu com um tranco. Em um segundo, uma enorme quantidade de mãos estava puxando o objeto voador para o solo. Nesse momento, Bert percebeu pela primeira vez o vento fresco que soprava ao redor dele.

Por breves segundos, permaneceu paralisado e desconcertado na cabine, que agora balançava vigorosamente acompanhando os esforços da multidão logo abaixo, tentando recompor-se. Estava espantado com toda essa sucessão de erros. Será que essas pessoas realmente tinham se aborrecido? Todos pareciam furiosos com ele. Não havia sequer a sugestão de divertimento ou de curiosidade com sua chegada. Um número elevado de clamores sugeria imprecações – aliás, sugeria quase uma rebelião. Alguns oficiais graduados à paisana com chapéus levantados travavam uma luta vã para controlar a multidão. Punhos e paus eram agitados. Quando Bert viu um sujeito na periferia da multidão correr até um carrinho de feno para pegar um forcado cintilante e alongado e um soldado vestido de azul desafivelar seu cinto, as dúvidas que nutria quanto à conveniência de aterrissar naquela cidadezinha transformaram-se em uma certeza.

Fora pego pela fantasia de que aquele pessoal veria nele uma espécie de herói. Agora percebera que esse raciocínio fora um erro.

Estava talvez 10 pés acima das pessoas quando tomou sua decisão. A paralisia que o afetava cessou. Saltou do assento e, apesar do risco iminente de cair de cabeça, soltou a corda do arpéu da roldana que o fixava, depois desprendeu igualmente a corda utilizada para o pouso. Um grito gutural de desgosto saudou a descida da corda do arpéu e a nova subida do balão. Alguma coisa – para Bert, tratava-se de um nabo – passou zunindo bem perto de sua cabeça. A corda seguiu o mesmo caminho da companheira em direção ao solo. A multidão pareceu afastar-se dele. Com um imenso e assustador farfalhar, o balão roçou em um poste telefônico, gerando um instante tenso em que se esperava uma explosão elétrica ou o incêndio da seda oleosa que constituía o artefato aéreo, talvez ambos. Mas a sorte estava com ele.

Cerca de um segundo depois, Bert estava encolhido no fundo da cabine, e o balão, livre do peso do arpéu e das duas cordas, rapidamente ascendeu mais uma vez pelos ares. Por algum tempo, permaneceu agachado, e, quando por fim espiou novamente pela beirada da cabine, a cidadezinha estava bem menor e se distanciando, com o resto da baixa Alemanha, em uma órbita circular ao redor da cabine – ao menos parecia fazer isso.

Quando se habituou àquilo, percebeu como a rotação da cabine era conveniente, pois o poupava da necessidade de se mover por aquele reduzido interior.

5

No final da tarde de um agradável dia de verão do ano 191..., se me permitem tomar emprestada a fórmula que caiu no gosto dos leitores do saudoso G. P. R. James, um balonista solitário – substituindo o cavaleiro solitário dos romances clássicos – poderia ser visto trilhando seu caminho através da Francônia em direção noroeste, a uma altitude de 11 mil pés sobre o mar, girando lentamente. Sua cabeça ia esticada pela beirada da cabine e ele esquadrinhava o território abaixo com uma expressão de profunda perplexidade. De vez em quando, seus lábios articulavam palavras inaudíveis. "Atirar assim num cidadão", por exemplo, ou "Vou descer de vez assim que descobrir como se faz". Sobre a beirada da cesta pendia o manto de Dervixe do Deserto, como um apelo à ponderação, uma ineficaz bandeira branca.

A percepção que agora tinha do mundo logo abaixo era bastante diferente e distante daquela visão ingênua do campo e de seus habitantes que nutrira imaginativamente no início do dia – indivíduos completamente inconscientes de sua presença, capazes de espanto e mesmo reverência diante do artefato aéreo em suas tentativas de aterrissagem, sensivelmente irritados com seu ofício e extremamente impacientes com a rota estabelecida por ele. Contudo, não fora ele que traçara aquele trajeto, mas seus mestres: os ventos vindos dos céus. Vozes misteriosas falavam a seus ouvidos, jogando palavras com o impacto de megafones, com efeito estranho e assustador por virem em muitos idiomas diferentes. Pessoas de aspecto militar faziam-lhe sinais utilizando bandeiras e gesticulavam com os braços. De modo geral, uma variação gutural do inglês prevaleceu nas sentenças que chegavam até o balão dizendo: "Desça ou atiraremos em você".

"Ah, que ótimo", disse Bert, "mas como?".

Então começaram a atirar resvalando na cabine. Foram seis ou sete tiros, e num dos disparos a bala zuniu tão persuasivamente próxima a ele, tal qual o som de seda sendo rasgada, que Bert se resignou diante da possibilidade iminente de queda livre. Mas fosse porque o alvo era ele e não o balão, ou devido simplesmente à má pontaria, nada aconteceu com o ar ao redor de Bert e de sua alma aflita.

Agora aproveitava uma pausa em toda a atenção que recebera, embora soubesse que se tratava, no melhor dos casos, apenas de um interlúdio. Portanto, era tempo de refletir da melhor maneira possível a respeito de sua posição. Assim, preparou-se para consumir café quente e torta de modo inadvertidamente desordenado, com um olho percorrendo nervosamente a beirada da cabine. Inicialmente, atribuiu o crescente interesse em seu percurso às suas tentativas pouco frutíferas de pousar na pequena e aconchegante cidade rural, mas reparava que eram os militares, mais que os civis, que estavam realmente preocupados com ele.

De forma completamente involuntária Bert desempenhava o papel misterioso de espião internacional. Vira coisas secretas. De fato, ele atravancara os planos de ninguém menos que o poderoso Império Germânico; tropeçara dentro do holofote da *Welt-Politik*[6], vagando à deriva em direção ao maior segredo alemão: um imenso parque aeronáutico que fora fundado rapidamente na Francônia com o objetivo de desenvolver, às escondidas, às pressas e em escala titânica, as grandes descobertas de Hunstedt e Stossel, dando para a Alemanha a primazia sobre as demais nações do mundo em frota de aeronaves, poderio aéreo e domínio mundial.

Mais tarde, pouco antes de finalmente o derrubarem a tiros, Bert avistou essa área imensa de trabalho empenhado, iluminada mesmo durante

6   Política mundial.

a noite, um planalto no qual os dirigíveis aparentavam ser monstros pastando pelos campos. Era um vasto espaço que se expandia ao norte a se perder de vista, metodicamente recortado por galpões numerosos, gasômetros, acampamentos de guarnições, áreas de armazenamento, tudo isso entrelaçado pelas linhas onipresentes de monotrilhos e completamente livre de fiação e cabos externos. Por todos os lados, viam-se o branco, o negro e o amarelo da Alemanha Imperial – por todos os lados, a águia negra do Império abria suas asas. Mesmo sem essas indicações, um amplo, vigoroso e disciplinado esforço penetrava em tudo, configurando essa tradicional marca da Alemanha. Vastas multidões de homens iam e vinham, muitos vestidos com monótonos uniformes brancos trabalhando nos balões, enquanto outros, em uniformes menos monótonos, treinavam. Aqui e ali, uniformes imperiais completos brilhavam.

Os dirigíveis eram as aeronaves que mais chamavam atenção de Bert, e percebeu de imediato que havia visto três deles na noite anterior, aproveitando as pesadas nuvens para manobrar sem serem observados.

Todos eram semelhantes a peixes. Pois esses grandes aparatos aéreos que logo atacariam Nova York em um último e gigantesco esforço de supremacia mundial – antes de a humanidade perceber que a tal supremacia mundial era um sonho – eram descendentes diretos dos zepelins que voaram sobre o lago de Constança em 1906 e dos dirigíveis Lebaudy[7] que fizeram memoráveis excursões sobre Paris em 1907 e 1908.

Essas aeronaves germânicas eram estruturadas como uma caixa torácica de aço e alumínio, revestida externamente por uma lona robusta e inflexível, que abrigava uma bolsa de gás, feita de tecido emborrachado e impermeável, recortada por transeptos que formavam de cinquenta a cem compartimentos. Ou seja, eram completamente cheias de gás e preenchidas com hidrogênio. O aeróstato era mantido por um alongado balonete interno feito de uma seda lubrificada e endurecida, no qual o ar era forçado para dentro da aeronave. Assim, o aparato podia alternar sua essência, ser mais pesado ou mais leve que o ar. Eventuais perdas de peso devido ao consumo de combustível, despejo de bombas e coisas do gênero podiam ser compensadas com o uso de ar nas seções onde ficavam os sacos de gás. Claro que tal sistema tornava

---

7   Referência aos pioneiros da viagem aérea propulsada, Ferdinand von Zeppelin (1838-
     -1917) e Paul Lebaudy (1858-1937).

III. O BALÃO

tudo extremamente explosivo, mas, no terreno militar, deve haver um equilíbrio entre os riscos assumidos e a cautela. Havia um eixo de aço atravessando o aparato por inteiro feito uma espinha dorsal que terminava no motor e no propulsor. Homens e munição ficavam em cabines abaixo da parte frontal expandida, semelhante a uma cabeça. O motor era um extraordinariamente poderoso Pforzheim, que estava nos píncaros da invenção alemã e trabalhava quase inteiramente com controles elétricos manipulados na parte dianteira da nave, a única realmente habitável. Se algo desse errado, os pilotos teriam acesso à parte traseira por uma escada de corda na parte inferior da estrutura. A tendência do conjunto em sacudir no ar era compensada parcialmente por uma barbatana horizontal de cada lado, e a direção, ajustada por duas barbatanas verticais, em geral recuadas como aletas branquiais dos dois lados da cabeça. Provavelmente essa seria a mais completa adaptação da forma de um peixe para as condições aéreas. A da bexiga natatória, os olhos e o cérebro, contrariando a forma do animal, ficavam abaixo, e não acima. Surpreendente e bem pouco semelhante à anatomia marinha era o aparato sem fio para comunicação telegráfica, que pendia da cabine dianteira – por assim dizer, debaixo do queixo do peixe.

Esses monstros conseguiam alcançar 90 milhas por hora com tranquilidade, de modo que podiam encarar e fazer frente a quase tudo, excetuando um tornado particularmente feroz. Variavam em tamanho, de 800 a 2 mil pés, e carregavam poder de fogo de 70 a 200 toneladas. Quantos deles havia, os anais da história não registraram, mas Bert contou perto de oitenta dessas monstruosidades em sua perspectiva aérea, na sua breve inspeção. Esses eram os instrumentos nos quais o Império Germânico confiava seu repúdio à Doutrina Monroe, como uma ousada reivindicação de uma fatia do Novo Mundo. Mas nem toda a confiança recaía nessas máquinas enormes: também havia os lançadores de bombas de uma pessoa só, os *Drachenflieger*, entre outros recursos de importância desconhecida.

Mas os *Drachenflieger* estavam distantes, no segundo maior parque aeronáutico do país, a leste de Hamburgo, e ali, da base da Francônia, Bert Smallways não os avistou com sua visão de pássaro antes de ser abatido. Porque ele foi muito bem abatido. Para isso, os alemães se serviram de novos projéteis com rastilhos de aço inventados por Wolffe de Engelberg para a guerra aérea. A bala passou rasgando por Bert antes de furar o balão – um pequeno espocar seguido pelo assobio farfalhante e pelo movimento decidido para baixo. Quando, no meio da confusão, Bert jogou mais um balastro, os alemães, com sua peculiar e firme polidez, superaram escrúpulos e abriram fogo contra o balão mais duas vezes.

A GUERRA NO AR

IV.
A FROTA AÉREA ALEMÃ

1

De todas as produções da imaginação humana que tornavam confusamente belo o mundo no qual o sr. Bert Smallways vivia, não havia nada mais estranho, complexo, perturbador, barulhento, persuasivo e perigoso que as versões atualizadas do patriotismo produzidas pela política internacional dos impérios. Na alma de cada um dos homens reside esse gosto pela classe, o orgulho da própria atmosfera, a ternura pela língua materna e pela terra que lhe seja familiar. Antes da era científica, esse conjunto de sentimentos nobres e gentis era considerado fator imprescindível no cabedal de cada vivente digno de ser chamado de humano, um fator imprescindível cujo aspecto menos amável residia em uma hostilidade, em geral inofensiva, aos demais povos, bem como em um preconceito, igualmente inofensivo, contra as demais terras. Contudo, a louca disparada de alterações na velocidade, na dimensão, nos materiais, na escala e nas possibilidades da vida humana abalou violentamente os velhos limites, as distâncias e fronteiras. Todos os hábitos e tradições ancestrais não foram confrontados apenas pelas novas condições, mas por novas condições que se renovavam e mudavam constantemente. Não houve chance para se adaptar: a tradição sofreu aniquilação, perversão ou fanatização que a desfiguraram, tornando-a irreconhecível.

Nos tempos em que Bun Hill era uma vila sob a influência do pai de *sir* Peter Bone, o avô de Bert Smallways "sabia seu lugar" de cor e salteado, tirava o chapéu para aqueles que considerava superiores, menosprezava e desmerecia os que estavam abaixo de sua estatura social e jamais mudou de ideia, do momento em que nasceu até sua morte. Era um filho de Kent e inglês, o que significava aguardente, cerveja, rosas-caninas e a melhor luz solar do mundo. Jornais, política e visitas a Londres não eram para pessoas como ele. Mas então veio a mudança. Os capítulos anteriores deram uma ideia do que acontecera a Bun Hill, de como a enxurrada de novidades varreu a devota rusticidade local. Bert Smallways era apenas um entre milhões na Europa, na América e na Ásia que, em vez de se sentirem enraizados em sua terra natal, nasceram em constante luta em meio a uma torrente que nunca entenderam com clareza. Tudo aquilo em que seus pais acreditavam sofrera um repentino sobressalto, assumindo as mais esquisitas formas e reações. Um exemplo excelente disso foi o bom e velho patriotismo, que acabou pervertido e distorcido no fluxo dos novos tempos. Em vez do robusto preconceito que estava na base da visão de mundo do avô de Bert, para quem a palavra "afrancesado" era o pior dos xingamentos, o que florescia no cérebro do jovem Smallways era uma sucessão de ideias pouco articuladas e violentas a respeito da competição germânica, do perigo amarelo, da ameaça dos negros, do fardo do homem branco – ou seja, Bert exercia seu direito absurdo de confundir ainda mais as já naturalmente confusas relações políticas sustentadas por outros broncos como ele (exceto, talvez, pelo tom de pele) que fumavam cigarros e andavam por aí de bicicleta em Bulawayo, Kingston (Jamaica) ou Bombaim. Para Bert, as pessoas dessas localidades não passavam de "raças dominadas" e ele estava disposto a morrer – por procuração, por meio da pessoa que se desse ao trabalho de atender ao recrutamento do Exército – para manter esse direito. Ele perdeu noites de sono pensando na possibilidade de perder tal prerrogativa.

A questão essencial que regia a esfera política no período em que Bert Smallways vivia – o período que culminou, por fim, na catástrofe da Guerra no Ar – era bem simples, caso as pessoas tivessem a inteligência de fazer uma abordagem simples para tal questão. O desenvolvimento da ciência alterou a escala dos assuntos humanos. Por meio da veloz tração mecânica, os homens se aproximaram, tanto em termos sociais quanto econômicos e físicos. As velhas separações em nações e impérios já não se sustentavam: uma síntese nova, ampla, não era apenas necessária, mas incontornável. Assim como os antigos ducados independentes da França tiveram de se unir para forjar uma nação, agora as nações necessitavam adaptar-se em conglomerados maiores, manter o que era precioso e possível, abolir o que fosse obsoleto e perigoso. Um mundo sadio teria percebido a patente necessidade de síntese, iniciaria discussões equilibradas sobre o tema, chegaria a um acordo e avançaria até organizar a grande civilização, algo possível para a humanidade. Mas o mundo dos iguais a Bert Smallways não fez nada disso. Seus governos nacionais, seus interesses nacionais, não se preocupavam com nada tão óbvio; dedicavam-se, antes disso, a nutrir suspeitas um do outro e a perder-se em generosas fantasias. Começaram a portar-se como pessoas sem muita noção de civilidade em um transporte público lotado, apertando uns aos outros na base da cotovelada, do empurrão, da luta corporal e da gritaria. Era vão mostrar que bastava um rearranjo comum para alcançar um grau decente de conforto a todos. Em todas as partes do mundo, os historiadores do começo do século XX encontram o mesmo problema: o fluxo e as novas possibilidades de relações humanas inextricavelmente atravancadas nos mesmos velhos lugares, com os mesmos velhos preconceitos e uma espécie de estupidez furiosa. Em todos os lugares, nações congestionadas em áreas pouco convenientes, população abundante e produção deficitária em cada uma delas, adicionando-se a isso os aborrecimentos de tarifas, toda possível vexação comercial e ameaças mútuas das Marinhas e dos Exércitos, que se tornavam mais poderosos a cada ano.

É impossível determinar quanta energia física e intelectual foi despendida em preparação e tecnologia militares em todo o mundo, mas é de se imaginar uma quantia gigantesca. A Grã-Bretanha gastou com o Exército, com a Marinha e com capacitação um dinheiro que, se empregado nos canais da cultura física e da educação, teria transformado os britânicos na aristocracia mundial. Os mandatários ingleses poderiam ter mantido toda a população estudando e se exercitando até a idade de 18 anos, criando um sujeito inteligente e de ombros largos a partir de cada Bert Smallways disponível nas ilhas caso utilizassem os recursos dispendiosos do material de guerra para construir seres humanos. Em vez disso, metiam bandeiras nas mãos dos jovens de 14 anos com a ordem de serem agitadas e depois os chutavam das escolas para iniciar a carreira em uma empresa privada, como reportamos sucintamente. A França obteve o mesmo êxito nessas imbecilidades; a Alemanha foi ainda pior, se possível; a Rússia, dominada pelo desperdício e pelas tensões do militarismo, dirigia-se célere para a falência e a ruína. Toda a Europa produzia armas enormes e inúmeros enxames de pequenos Smallways. Os povos asiáticos, numa postura defensiva, foram obrigados a desviar no mesmo sentido os novos poderes trazidos pela ciência. Às vésperas da guerra, existiam seis grandes potências no mundo, além de um conjunto de potentados menores, cada uma armada até os dentes e contraindo todos os músculos para se pôr à frente das outras em relação à letalidade dos armamentos e à eficiência militar. Enumerando as grandes potências, temos em primeiro lugar os Estados Unidos, nação devota ao comércio, mas que despertou para o universo militar devido aos esforços da Alemanha em expandir-se pela América do Sul e às consequências naturais das imprudentes anexações de territórios empreendidas pelos americanos no Japão. Mantinham duas imensas frotas militares no Oriente e no Ocidente e, no plano interno, viviam conflitos violentos entre os estados e a federação, especialmente sérios no que diz respeito ao alistamento universal e ao poderio de milícias locais. Depois veio a grande aliança da Ásia Oriental, uma união urdida entre China e Japão que ano a ano avançava a passos largos em poderio político mundial. Em seguida, a aliança comandada pela Alemanha ainda lutava para alcançar seu sonho de expansão imperialista e de imposição do alemão como idioma de uma Europa unificada à força. Esses eram os três mais agressivos e intrépidos poderes do mundo. Bem mais pacífico era o Império Britânico, perigosamente espalhado pelo globo, distraído atualmente por movimentos insurrecionais na Irlanda e entre as Raças Subjugadas. A estas o Império forneceu itens como cigarros, botas, chapéus-coco, críquete, corridas de cavalos, revólveres baratos, petróleo, o sistema fabril, jornais de meio centavo (em inglês e no dialeto local), graduações universitárias de baixo custo, bicicletas motorizadas e bondes elétricos; produziu considerável literatura expressando menosprezo pelas Raças Subjugadas e tornou-a acessível a elas, contentando-se em acreditar que nada resultaria de todo esse estímulo ao ódio apenas porque alguém, certa vez, escreveu sobre o "Oriente imemorial", e porque nas inspiradas palavras de Kipling,

> *East is east and west is west,*
> *And never the twain shall meet.*[1]

---

1 *Oriente é Oriente e Ocidente é Ocidente,/ Nunca se encontram, nem mesmo por acidente.* Trecho do poema "The Ballad of East and West" (1889), de Rudyard Kipling (1865–1936).

Em vez disso, Egito, Índia e demais países súditos do Império produziram novas gerações dominadas por um estado de indignação impetuosa, além de energia, atividade e modernidade extremas. A classe governante da Grã-Bretanha foi lentamente se adaptando a uma nova concepção das Raças Subjugadas como povos despertos e empreendeu esforços para manter o Império unido diante das pressões e de ideias cambiantes – fortemente refutadas pelo espírito totalmente folgazão com que os milhões de Bert Smallways direcionavam seus votos e pela tendência que seus equivalentes de tez mais colorida tinham em ser desrespeitosos com os irascíveis oficiais. Tratava-se de uma impertinência excessiva, que não se limitava a atirar pedras ou a gritar. Os impertinentes agora citavam Burns e também Mill ou Darwin[2] para refutar argumentos.

Ainda mais pacíficos que o Império Britânico foram a França e seus aliados, os poderes latinos, Estados pesadamente armados, mas guerreiros relutantes, que em muitos sentidos, contudo, preservavam sua liderança política e social na civilização ocidental. A Rússia era uma potência forçosamente pacífica, uma vez que estava dividida internamente entre revolucionários e reacionários, igualmente incapazes de qualquer tipo de reconstrução social, o que acarretava uma acelerada descida na direção da desordem social de proporções trágicas e da constante vingança política. Entre essas potências monstruosas, oscilavam instáveis e ameaçados por elas os Estados menores, que lutavam por uma independência precária, mantida, na medida do possível, por investimento pesado em armas e Exércitos.

Assim, em cada país, um enorme e crescente grupo de homens energéticos e inventivos estava ocupado com esforços militares ofensivos ou defensivos, com a construção do aparato de guerra, até o momento em que as tensões acumuladas atingiram um ponto de ruptura. Cada potência mantinha seus preparativos em segredo, guardando as novas armas em segurança, com a meta de antecipar e, se possível, aprender com o desenvolvimento dos rivais. A sensação de perigo ocasionada por novas descobertas afetava a imaginação patriótica de cada indivíduo no mundo todo. Vez por outra aparecia algum boato de que os britânicos possuíam uma arma esmagadora, depois eram os franceses que tinham

---

2   Robert Burns (1759-1796), poeta escocês; John Stuart Mill (1806-1873), filósofo e economista britânico; e Charles Darwin (1809-1882), naturalista britânico.

produzido um rifle invencível ou os japoneses que sintetizavam um novo explosivo ou ainda os americanos que contavam com um submarino que liquidaria cada encouraçado presente nos sete mares. A toda hora aparecia algum pânico relacionado à guerra.

O vigor físico e emocional das nações via-se entregue ao pensamento constante voltado para a guerra. Contudo, uma massa de cidadãos que viviam em democracias possuía habilidades guerreiras de baixa qualidade, em termos físicos, mentais e morais – como, aliás, é o caso de quase toda a população do mundo ou, ao menos, deveria ser. Tratava-se do principal paradoxo daquela época, que, contudo, foi única na história do mundo. O aparato e a arte da guerra, além dos métodos de luta, mudavam absolutamente a cada doze anos, num progresso estupendo que se dirigia para a perfeição, embora as pessoas fossem cada vez menos talhadas para uma eventual guerra que, no fim das contas, não existia.

Então, finalmente, ela chegou. Atingiu o mundo todo como uma enorme surpresa, pois suas verdadeiras motivações permaneciam ocultas. As relações entre a Alemanha e os Estados Unidos estavam tensas devido a um conflito de tarifas comerciais e à postura ambígua da potência americana ao pôr em prática a chamada Doutrina Monroe. As relações também não eram nada amigáveis entre os Estados Unidos e o Japão devido a uma permanente discussão a respeito de cidadania. Mas, em ambos os casos, tratava-se apenas das causas postuladas, a versão oficial. A causa real, decisiva, que não era tão aparente, estava no aperfeiçoamento do motor Pforzheim pela Alemanha e, consequentemente, na possibilidade de construção rápida e barata de dirigíveis pelo país. A Alemanha se tornara à época a potência mais eficiente no mundo: mais bem organizada para a ação pontual e secreta, mais bem equipada no que dizia respeito aos recursos da ciência moderna, com oficiais e administradores bem-formados e situados nos níveis mais elevados de educação e treinamento. Era fato conhecido que os governantes germânicos exageravam até o limite da disputa com os consultores de segredos de Estado de seus vizinhos. Pode estar relacionado com esse hábito de nutrir excessiva autoconfiança o fato de as atividades de espionagem germânicas terem ficado menos meticulosas. Além disso, a Alemanha tinha certa tradição de agir de forma pouco sentimental, até inescrupulosa, o que manchava profundamente sua posição no painel internacional. Com o desenvolvimento dessas novas armas, a inteligência coletiva germânica se excitou ao perceber que o momento ansiado chegara. Mais uma vez, na história do progresso humano, parecia que a Alemanha dominara uma arma decisiva. Agora, poderia atacar e conquistar – antes que os outros tivessem algo além de experimentos incipientes.

Ela deveria atacar, particularmente, a América do Norte, e rápido, pois era lá, mais que em qualquer outro lugar, que se encontrava a ameaça de um possível rival aéreo. Sabia-se que a América possuía uma máquina voadora de considerável valor prático, desenvolvida a partir do modelo dos Wright. Mas não se acreditava que o Departamento de Guerra em Washington tivesse feito muitas tentativas de criar sua armada aérea. Era necessário atacar antes que isso acontecesse. A França possuía uma frota de dirigíveis lerdos, muitos de 1908, o que a deixava bem atrás do novo modelo. Foram construídos apenas para propósitos de reconhecimento na fronteira oriental, eram em geral pequenos demais para carregar mais de duas dúzias de soldados e suas provisões, e nenhum deles alcançava mais que 40 milhas por hora. A Grã-Bretanha, aparentemente vítima de um acesso de mesquinharia, retardava uma situação de discussões públicas com o vigoroso imperialista Butteridge e sua extraordinária invenção. Ou seja, também estava fora do jogo – e estaria no mínimo por muitos meses. Da Ásia, nem sinal de ameaça. Os alemães explicavam essa ausência oriental dizendo, simplesmente, que os amarelos eram destituídos de caráter inventivo. Nenhum outro concorrente parecia digno de consideração. "É agora ou nunca", diziam os alemães, "é agora, ou nunca mais conseguiremos dominar todo o céu, como antes os britânicos fizeram com o mar! O momento é esse, enquanto as outras potências ainda testam suas tecnologias".

Os preparativos para a guerra foram acelerados, sistemáticos, secretos, tudo dentro do mais excelente dos planos. Até onde sua inteligência militar sabia, a América era a única ameaça à Alemanha, a mesma América que representava sua grande inimiga comercial e uma das principais barreiras a seu expansionismo imperialista. De forma que deveriam imediatamente atacar a América. Mobilizaram uma imensa frota para voar sobre o infinito do Atlântico e alcançar uma América desavisada e despreparada.

De modo geral, tratava-se de uma empreitada bem urdida e extremamente eficaz, tendo em vista as informações de que o governo germânico dispunha. Havia boas chances de o ataque ser bem-sucedido.

As aeronaves e as máquinas voadoras eram coisas muito diferentes dos encouraçados, que não ficavam prontos antes de dois anos de trabalho. Com operários e fábricas, bastariam poucas semanas para que se tornassem incontáveis. Assim que os complexos industriais e fundições estivessem organizados, o céu poderia ficar repleto de dirigíveis e *Drachenflieger*. De fato, quando chegou o momento, eles cobriram o céu como moscas em volta do lixo, para usar a expressão de um amargo escritor francês.

O ataque contra a América deveria ser o primeiro movimento de um jogo tremendo. Mas logo esse primeiro movimento inaugurou uma corrida, e parques aeronáuticos surgiram em todos os lugares, destinados a botar em funcionamento uma segunda leva de aeronaves e frotas, que dominaram a Europa, sobrevoando Londres, Paris, Roma, São Petersburgo ou qualquer outra localidade na qual se exigia seu efeito moral. Uma surpresa mundial deveria ser nada menos que a conquista do mundo. Por isso, não deixava de ter sua beleza o planejamento sistemático dessas mentes ousadas para satisfazer seu desejo colossal.

Von Sternberg era o Moltke[3] dessa Guerra no Ar, embora tenha sido o duro romantismo do príncipe Karl Albert a triunfar sobre a hesitação do imperador diante do regime. O príncipe Karl Albert tornou-se, assim, o protagonista do drama mundial. Era a expressão máxima do espírito imperialista alemão e do ideal de uma nova aristocracia – a nova cavalaria, nas palavras do príncipe – que sucederia o socialismo, minado por suas divisões internas, pela falta de disciplina e pela concentração da riqueza nas mãos de poucas famílias mais tradicionais. Os habituais aduladores o comparavam com as figuras de Eduardo, o Príncipe Negro; de Alcibíades; do jovem César. Para muitos, ele era a revelação do além-homem de Nietzsche. Tratava-se de uma figura corpulenta, loira, viril, esplendidamente amoral. Seu primeiro grande feito – que trouxe comoção à Europa e quase provocou uma nova Guerra de Troia – foi o sequestro da princesa Helena da Noruega e a posterior recusa, da parte do príncipe, em tomá-la como esposa. Depois o casamento com Gretchen Krass, uma garota suíça de beleza inigualável. Em seguida deu-se o galante resgate, quase que ao custo da própria vida, de três alfaiates cujo barco afundara próximo a Heligoland. Por isso e pela vitória que obteve

---

3   Graf von Moltke (1800–1891), marechal de campo que liderou o Exército prussiano na Guerra Franco-Prussiana.

sobre o iate americano *Defender*, o imperador desculpou as extravagâncias do príncipe e o colocou no controle do novo braço aeronáutico nas forças armadas da Alemanha. Esse novo braço foi desenvolvido vigorosa e habilidosamente pelo príncipe, uma vez que estava decidido, como ele mesmo dizia, a tornar domínios germânicos a terra, o mar e o céu. A paixão nacional pela violência encontrou nele seu supremo expoente, o artífice da realização máxima que seria essa impressionante guerra. Mas o fascínio despertado pelo nobre germânico não era apenas nacional: em todo o mundo, seu já conhecido e impiedoso vigor dominava as mentes como a lenda napoleônica fizera antes. Os ingleses dobraram-se com desgosto a essa figura poderosa e ativa, abandonando os lentos, complexos e civilizados métodos da política local. Os franceses também acreditavam nele. Poetas americanos escreveram versos em sua homenagem.

Ele fez a guerra.

Praticamente do mesmo modo que o restante do mundo, a população alemã foi pega de surpresa pelo vigor decidido de seu governo imperial. Contudo, uma considerável literatura antecipatória focada em realizações militares, cujo início se situa em 1906 com Rudolf Martin – autor não apenas de um brilhante livro de previsões, mas do provérbio "O futuro da Alemanha está no ar" –, preparou, ao menos parcialmente, a imaginação do país para semelhante empreitada.

2

Todas essas forças e desígnios gigantescos eram desconhecidos de Bert Smallways, pelo menos até ele se encontrar no centro de tudo isso, ao contemplar o espetáculo inacreditável daquele enorme rebanho de aeronaves. Cada uma delas parecia ter o comprimento da Strand[4] e a largura da Trafalgar Square. Algumas deviam ter cerca de um terço de milha de extensão. Bert nunca havia visto algo tão vasto e disciplinado como aquele tremendo parque aéreo. Pela primeira vez na vida sentia uma intimação das coisas extraordinárias e importantíssimas pelas quais muitos de seus contemporâneos podiam passar batido. Sempre se aferrara à ilusão de

4   Uma das ruas mais extensas de Londres.

que os alemães eram homens balofos e absurdos, que fumavam cachimbos de porcelana e apreciavam o conhecimento, a carne de cavalo, o chucrute e tudo o que costuma ser categorizado como indigesto.

O privilégio de sua visão de pássaro foi transitório. Abaixou-se ao primeiro tiro. Imediatamente, o balão começou a cair enquanto sua mente turbilhonava de ideias sobre como poderia explicar como chegara até ali, ou se fingiria ser Butteridge. "Ai, meu Deus", ele grunhiu, em meio às agonias da indecisão. Foi quando seus olhos pousaram nas sandálias que ainda usava e ele sentiu um espasmo de repulsa. "Vão pensar que eu sou um perfeito idiota", disse, antes de se dedicar à tarefa de arremessar mais balastros, tomado pelo desespero, e ocasionando a segunda e a terceira saraivadas de disparos.

Enquanto buscava proteção no fundo da cabine, passou como um raio pela mente de Bert o que talvez fosse uma saída: poderia evitar explicações desagradáveis e complicadas apenas fingindo-se de louco.

Foi seu último pensamento antes que os dirigíveis, que pareciam mais e mais próximos, praticamente corressem na direção dele para devorá-lo. A cabine atingiu o solo, quicando e arremessando Bert de cabeça no chão...

Quando despertou, descobriu-se célebre, a ouvir uma voz gritando: "*Booteraidge! Ja! Ja! Herr Booteraidge! Selbst!*"[5].

Bert estava deitado em um pequeno trecho gramado ao lado de uma das principais avenidas do parque aeronáutico. O horizonte das aeronaves se perdia de vista em uma imensa perspectiva. A proa imponente de cada uma delas surgia adornada com uma águia negra de uns 100 pés de largura. Havia, do outro lado da avenida, uma série de geradores de gás e grandes mangueiras entre cada um deles. Bem próximo, estava seu balão. Praticamente vazio, ele e a cabine pareciam menores, um mero brinquedo quebrado, uma bolha arruinada, em comparação com o porte imponente da aeronave mais próxima. Bert viu tudo isso de relance, enquanto se levantava e tentava permanecer em pé como um penhasco instável, quase desabando sobre um camarada que estava imediatamente à sua frente, como se quisesse eliminar a distância entre ambos. Havia uma multidão de indivíduos excitados cercando-o, sobretudo sujeitos parrudos em uniformes apertados. Todos falavam,

---

5   "Butteridge! Sim! Sim! Senhor Butteridge! O próprio!"

alguns até gritavam, em alemão; identificou o idioma pois os sujeitos cuspiam e aspiravam os sons que pronunciavam, como se tivessem gatos assustados dentro da goela.

Apenas uma frase era repetida constantemente, facilitando seu reconhecimento – o nome "*Herr* Booteraidge".

"Puxa!", pensou Bert. "Já reconheceram."

— *Besser*[6] – disse alguém, e depois mais palavras velozes em alemão.

Um telefone de campanha apareceu ao alcance da mão de Bert e um oficial alto, de azul, parecia utilizar esse dispositivo para falar dele. Outro sujeito com aparência de oficial estava igualmente próximo, segurando os desenhos e as fotografias. Todos olhavam para ele.

— Você fala alemão, *Herr* Booteraidge?"

Bert decidiu que era melhor fingir tontura. Fez o melhor que pôde para parecer atordoado.

— Onde é que eu estou? – perguntou.

A fluência idiomática prevaleceu. "*Der Prinz*"[7] foi mencionado. Uma trombeta soou, ao longe, depois mais próxima e, então, quase na orelha de Bert. Esse trombetear aparentemente aumentou a excitação de todos por ali. Um veículo de monotrilho surgiu e passou. O telefone tocou colericamente, e o oficial alto se envolveu em uma furiosa discussão. Logo, ele se aproximou do grupo ao redor de Bert, falando algo a respeito de "*mitbringen*"[8].

Um sujeito emaciado, de aparência diligente e bigode branco, se dirigiu a Bert.

— *Herr* Booteraidge, senhor, nós estamos de partida!

— Onde é que eu estou? – Bert repetiu.

Sacudido pelo ombro, ouviu a pergunta:

— Você é *Herr* Booteraidge?

— *Herr* Booteraidge, nós estamos de partida! – repetiu o tipo de bigode branco, em desespero. — O que está acontecendo? O que podemos fazer?

O oficial que estava com o telefone repetiu a frase sobre "*der Prinz*" e "*mitbringen*". O homem de bigode permaneceu, por um momento, com o olhar perdido, captando alguma ideia antes de ficar violentamente ativo, levantando-se e berrando orientações para pessoas invisíveis. Perguntas

6   Melhor.
7   O príncipe.
8   Trazer.

foram feitas e o médico que estava do lado de Bert respondeu "*Ja! Ja!*" muitas vezes. Também disse algo como "*Kopf*"[9]. Com certa urgência, pôs Bert de pé muito a contragosto. Dois enormes soldados de cinza avançaram para cima de Bert e o seguraram.

— Opa! – disse Bert, assustado. — Que que há?

— Está tudo bem – explicou o médico. — Eles vão carregar você.

— Para onde? – Bert perguntou, não obtendo resposta.

— Coloque seus braços ao redor dos... *Hals*...[10] ao redor deles!

— Tá bem! Mas para onde vamos?

— Segure firme!

Antes que Bert conseguisse dizer mais alguma coisa, foi levado pelos dois soldados, que uniram as mãos para que ele fosse conduzido sentado, com os braços rodeando seus pescoços. "*Vorwärts!*"[11] Algum outro soldado corria logo atrás, carregando a pasta com os projetos. O grupo transportou sua carga rapidamente ao longo da ampla avenida, entre os geradores de gás e as aeronaves, com eficiência e suavidade, exceto pelo fato de que os carregadores tropeçaram uma ou duas vezes nas mangueiras e quase deixaram Bert cair.

Bert trajava o boné alpino do sr. Butteridge e cobria seus ombros estreitos com seu sobretudo de pele, e respondia quando era chamado por seu nome. As sandálias pendiam impiedosamente. Caramba! Todo mundo parecia estar com uma baita pressa. Por quê? Era carregado aos chacoalhões e tropeços através do crepúsculo, maravilhado além da conta.

O sistemático arranjo de espaços amplos, convenientes, a enorme quantidade de soldados mais parecidos com homens de negócios, algumas pilhas de material cuidadosamente organizadas, as onipresentes linhas de monotrilho e os imponentes cascos de aeronaves traziam à mente de Bert lembranças de quando ele era um garoto em visita ao estaleiro Woolwich. O campo inteiro refletia o poder colossal da ciência moderna que o criara. Uma estranheza peculiar era sugerida pela iluminação elétrica postada em uma altura mais baixa que a usual, no nível do solo, traçando sombras de baixo para cima e transformando o falso Butteridge e seus carregadores em figuras grotescas ao lado das aeronaves, fundindo

9   Cabeça.
10   Pescoço.
11   Adiante!

todos eles em um monstruoso animal de pernas finas e corpo deformado por imensa corcova em forma de leque. As luzes situavam-se nesse local porque quase todos os postes e a fiação suspensa haviam sido abolidos para evitar complicações na ascensão das aeronaves.

O entardecer se aprofundara em um céu noturno azulado. Havia uma infinidade de complicadas sombras, projeções da luz que vinha do chão nas massas escuras e altas que pareciam translúcidas. Dentro das cavidades das aeronaves brilhavam pequenos focos de luz das lanternas de inspeção como um céu estrelado parcialmente encoberto por nuvens, um efeito maravilhosamente imaterial. Cada aeronave trazia seu nome de batismo, em letras negras sobre fundo branco, dos dois lados. Na dianteira, a águia imperial de asas abertas, um pássaro avassalador na penumbra. Cornetas soavam, carros de monotrilho cheios de soldados silenciosos deslizavam emitindo um som fervilhante. As cabines abaixo da cabeça de cada aeronave estavam iluminadas, revelando passagens almofadadas. De vez em quando uma voz dava ordens aos trabalhadores, meras formas indistintas.

Vieram guaritas, passadiços, um longo e estreito corredor, e uma breve luta com bagagens em desordem. Logo depois, Bert foi colocado novamente no chão: estava diante da entrada de um espaçoso compartimento, de talvez uns 10 pés quadrados de área por 8 de altura, revestido com estofamento carmesim e de alumínio. Um homem jovem e alto, cujas feições lembravam um pássaro, de nariz comprido e cabelos muito descorados, as mãos carregadas de coisas como amoladores de navalha, escovas de cabelo e itens de toalete, falava algo sobre *Gott*[12], trovão e *Dummer*[13] Booteraidge, no exato momento em que Bert fazia sua entrada. Aparentemente, tratava-se do ocupante que o recém-chegado acabara de despejar. Mas ele desapareceu em seguida, e Bert aproveitou para se deitar em um sofá no canto, com o travesseiro debaixo da cabeça, a porta da cabine fechada. Estava sozinho. Tudo do lado de fora era dominado por uma extraordinária correria.

"Puxa!", exclamou Bert. "E agora?"

Passeou com os olhos pelo quarto.

"Butteridge! Tento manter a história ou não?"

---

12   Deus.
13   Estúpido.

O quarto o intrigava. "Isso aqui não chega a ser uma prisão nem é um tipo de escritório..." Então, o velho problema veio à tona. "Como eu queria não estar com essa droga de sandália", queixou-se copiosamente ao universo. "Ela estragou tudo."

3

A porta de seu quarto se escancarou de repente. Um jovem compacto, em uniforme, surgiu carregando a pasta do sr. Butteridge, além da mochila e do espelho que ele usava para se barbear.

— Ora, ora – disse em inglês perfeito e sem sotaque. O rosto era radiante, encimado por um cabelo loiro em tons rosados. — Imagine só, o sr. Butteridge em pessoa!

Pôs a minguada bagagem de Bert no chão.

— Mais meia hora – disse o jovem –, e teríamos zarpado! Por pouco o senhor não chegou a tempo!

Perscrutou Bert com curiosidade. Seu olhar pousou nas sandálias por uma fração de segundo.

— Deveria ter vindo em sua máquina voadora, sr. Butteridge.

Não esperou pela resposta.

— O príncipe pediu que eu acompanhasse o senhor. Naturalmente, ele não o verá de imediato, mas acredita que sua vinda tenha sido providencial. O último sinal dos céus. Um presságio, de fato. Olá?

Bert permaneceu parado, ouvindo.

Do lado de fora, havia som de pessoas indo e vindo, de trombetas distantes que de repente pareciam ecoar bem próximas, homens clamando aos gritos, usando palavras curtas que pareciam denotar coisas essenciais, com respostas mais distantes. Soou um sino, com uma resposta imediata na forma de pés descendo um corredor. Em seguida, um silêncio mais perturbador que qualquer barulho e um grande murmúrio que lembrava água correndo. As sobrancelhas do jovem se levantaram. Ele hesitou, mas logo disparou para fora do quarto. Depois disso, ouviu-se um estrondo pavoroso, composto de vários ruídos, e então saudações e aplausos distantes. Nesse momento, o jovem reapareceu.

— Já estão retirando a água do balonete.

— Que água? – perguntou Bert.

— A água que nos serve de âncora. Não é engenhoso?

Bert tentava compreender.

— Claro! – disse o jovem compacto. — Você não está entendendo.

Um estremecimento atravessou a percepção de Bert.

— É como funciona o motor – disse o jovem compacto, assentindo com a cabeça. — Agora, o tempo urge.

Passaram outro longo período ouvindo os ruídos exteriores.

Então, a cabine balançou.

— Pelos deuses! Nossa missão está começando de verdade – gritava. — Agora, partimos.

— Partimos! – exclamou Bert, sentando-se. — Mas pra onde?

O jovem, contudo, já tinha saído do quarto novamente. Havia ruídos e vozes em alemão nos corredores, além de outros ruídos capazes de abalar os nervos.

O balanço aumentou. O jovem reapareceu.

— Estamos saindo neste exato momento!

— Alto lá! – disse Bert. — Como assim estamos saindo? Gostaria que você me explicasse. Que lugar é este? Não entendo nada.

— O quê! – gritou o jovem. — Você não entendeu?

— Não. Ainda estou meio tonto depois daqueles disparos que quase me racharam a cabeça. Onde *estamos*? *Para onde* partimos?

— Você não sabe onde está, como assim?

— Não faço ideia! Por que tudo aqui balança? E toda essa correria?

— Essa é boa! – gritou o jovem compacto. — Ora, ora! Essa é muito boa! Então não sabe? Estamos de partida para a América, e você é o único a não saber. Sua chegada nos pegou por pouco. Você está em nossa nau capitânia com o príncipe. Não, não perdeu nada. Para onde formos, pode apostar que o *Vaterland* estará conosco.

— Nós... estamos indo para a América?

— Incontestavelmente!

— Em uma aeronave?

— O que você acha?

— Indo para a América de aeronave! Depois de viajar em um balão! Nossa! Mas alto lá! Não quero ir, não! Gosto de andar com as minhas pernas. Deixe-me sair! Não estou entendendo.

Bert deu então um breve salto em direção à porta.

O jovem compacto o deteve com um gesto, segurou uma alça que permitia subir um dos painéis da parede acolchoada e fez com que surgisse uma janela.

— Veja! – ele disse. Os dois, lado a lado, observavam.

— Por Deus! – disse Bert. — Estamos subindo!

— De fato, estamos! – disse alegremente o jovem compacto. — Bem rápido!

A ascensão era suave e silenciosa e a movimentação da máquina aérea era lenta, ao ritmo de um pulsar, sobrevoando o parque aeronáutico. Abaixo, a escuridão se estendia, geométrica e vaga, recortada em intervalos regulares pelo que pareciam ser lantejoulas fosforescentes de luz. Um vão totalmente negro em uma longa fileira cinzenta marcava a posição na qual o *Vaterland* estava. Ao lado, um segundo monstro ascendia suavemente, solto de seus cabos e amarras, rumando para o ar. Tomando distância exata, perfeita, um terceiro iniciou a subida, depois um quarto.

— Tarde demais, sr. Butteridge! – pontuou o jovem. — Zarpamos! Eu diria que tudo foi bem repentino para você, mas assim são as coisas! O príncipe exigiu que o senhor viesse conosco.

— Olha aqui – disse Bert. — Eu *realmente* estou confuso. Que coisa é esta aqui? Para onde estamos indo?

— Isto, sr. Butteridge – respondeu o jovem, fazendo o possível para ser claro e explícito –, é uma aeronave. A nau capitânia do príncipe Karl Albert. A frota aérea da Alemanha. E estamos indo para a América, para dar àquele espirituoso povo um "porquê". Apenas algo nos deixava inseguros: a sua invenção. Mas agora você está aqui!

— Mas você é alemão? – perguntou Bert.

— Tenente Kurt. Tenente do ar Kurt, a seu dispor.

— Mas você fala inglês!

— Minha mãe era inglesa e fui para a escola na Inglaterra. Depois disso, tive uma bolsa Rhodes[14]. Mas sou alemão, apesar de tudo isso. Agora voltemos ao presente, sr. Butteridge, vou cuidar de você. Ainda está trêmulo devido à queda. Mas está tudo realmente muito bem. Acho que o governo comprará a sua máquina voadora e tudo mais. Sente-se e fique calmo. Em breve, você entenderá a situação.

---

14   Nome da bolsa de estudos para alunos estrangeiros da University of Cambridge.

4

Bert sentou-se em cima do armário, tentando ajustar seus pensamentos, enquanto o jovem falava a respeito da aeronave.

Tratava-se, de fato, de um rapaz cheio de tato, com naturalidade.

— Ouso dizer que tudo isto é novidade para você – disse. — Não é nada parecido com o tipo de máquina aérea com a qual está acostumado. Estes compartimentos não são de todo maus.

Ele se levantou e caminhou apresentando o pequeno apartamento.

— Aqui fica a cama – disse, rebatendo para baixo um sofá da parede e reajustando-o com um clique. — Aqui estão os artigos de higiene – e abriu um pequeno armário cuidadosamente organizado. — Nada que precise enxaguar, pois não temos água, a não ser para beber. Sem banhos ou coisa semelhante até chegarmos em terra, na América. Precisaremos nos esfregar com buchas. Um dedo de água quente apenas para a barba. E isso é tudo. Nesse armário sobre o qual você está sentado estão as mantas e os cobertores. Já, já você precisará deles. Dizem que faz muito frio. Eu, particularmente, não sei. Nunca estive no céu antes. Com exceção de um rápido trabalho que fiz com planadores, que, essencialmente, apenas descem. Três quartos dos meus camaradas na frota também nunca voaram tão alto. Aqui temos uma cadeira dobrável e uma mesa atrás da porta. Tudo bem compacto, não é?

Pegou a cadeira e a balançou com seu dedo mínimo.

— Bem leve, não? Uma liga de alumínio e magnésio, com vácuo por dentro. Todas essas almofadas estão cheias de hidrogênio. Matreiro, hem? A aeronave inteira é assim. E, em toda a frota, apenas o príncipe e mais um ou dois sujeitos pesam mais de 11 pedras[15]. Não poderíamos exigir isso também do príncipe, não é? Mas você vai conhecer a coisa toda amanhã. Estou tremendamente entusiasmado com isso.

Sorriu para Bert.

— Você me parece bem jovem – comentou. — Sempre pensei que você deveria ser um sujeito mais velho, com barba, uma espécie de filósofo. Não entendo por que nós sempre esperamos que as pessoas mais espertas sejam mais velhas. Eu sempre espero.

Bert esquivou-se um pouco desajeitadamente daquele elogio, e então o tenente cismou com o enigmático fato de *Herr* Butteridge não ter

---

15   69 quilos.

aparecido conduzindo a própria máquina voadora.

— É uma longa história – respondeu Bert. — Escute – disse de forma abrupta. — Gostaria que me arrumasse um par de chinelos ou coisa parecida. Eu já estou por aqui com estas sandálias. Elas são horríveis. Ganhei de um amigo.

— É pra já!

O ex-bolsista de Rhodes sumiu do quarto, logo reaparecendo com vasto sortimento de calçados – chinelas, pantufas de banho e um par brilhante adornado com girassóis dourados.

Mas resolveu desistir de oferecer esse último no instante final.

— Nem eu mesmo o uso – disse o tenente. — Apenas o trouxe no afã do momento – riu de modo confidencial. — Foram feitos para mim, em Oxford. Por um amigo. Agora o levo para todos os lugares.

Bert escolheu, então, as chinelas.

O tenente caiu em divertida gargalhada.

— Eis-nos aqui experimentando chinelas – disse –, enquanto o mundo se desdobra como um panorama lá fora. Essa é boa, não é? Veja!

Bert espiou com ele pela janela, olhando para a imensidão negra a partir do pequeno espaço vermelho e prateado da cabine. A terra situada abaixo da aeronave, exceto por um lago, era negra e sem traços distinguíveis, e as outras aeronaves estavam escondidas.

— Dá pra ver melhor do lado de fora – disse o tenente. — Vamos lá! Há uma espécie de pequena galeria.

O tenente conduziu Bert por um longo corredor que estava iluminado por uma única lâmpada elétrica. Passaram por avisos em alemão até alcançar uma varanda aberta que terminava em uma escada leve e discreta – que, por sua vez, conduzia até a galeria de metal, espécie de treliça que pendia no espaço vazio. Bert seguiu seu líder lenta e cautelosamente através da galeria. Do local onde estavam, era possível assistir ao maravilhoso espetáculo da primeira frota aérea cruzando os céus noturnos. Voavam em uma formação que lembrava uma cunha, o *Vaterland* liderando em altitude mais elevada, as extremidades do conjunto perdendo-se pelos cantos do céu. O voo se dava através de prolongadas e regulares ondulações dessas grandes formas, feito peixes no ar. As aeronaves eram escassamente iluminadas, mas os propulsores produziam um ruído constante bastante audível, uma pulsação de tum-tum que se podia ouvir da galeria. Estavam a uma altitude de aproximadamente 5 ou 6 mil pés, e subindo constantemente. Lá embaixo, predominava o silêncio, uma escuridão clara com pontos, linhas, conjuntos de chaminés e ruas iluminadas em um agrupamento de cidades maiores. O mundo parecia todo ele contido em uma tigela. O gigantismo da aeronave que flutuava pelos ares só não escondia as camadas mais baixas do céu.

Observaram a paisagem por algum tempo.

— Deve ser uma imensa alegria inventar coisas – disse o tenente repentinamente. — Como você chegou a pensar em sua máquina pela primeira vez?

— Foi na base do trabalho – disse Bert, após uma pausa. — Só fui aperfeiçoando o negócio.

— Nosso pessoal está assustadoramente interessado em você. Achavam que você, no fim das contas, ficaria com os britânicos. Eles não estavam interessados?

— De certa forma – respondeu Bert. — Ainda assim, a história é longa.

— Eu acredito que seja algo grandioso, isso de fazer invenções. Eu não poderia inventar nada, mesmo que fosse para salvar a minha vida.

Ambos optaram pelo silêncio, observando o mundo escurecido e seguindo seus pensamentos, até ouvirem uma corneta convocando todos para um jantar tardio. Bert ficou alarmado.

— Não tenho que me vestir de algum jeito especial? – perguntou. — Eu sempre estive muito mergulhado na ciência e essas coisas para frequentar a sociedade e tudo o mais.

— Não se preocupe – respondeu Kurt. — Ninguém trouxe nada além das roupas do corpo. Precisamos viajar com o mínimo de peso possível. Talvez você possa tirar seu sobretudo. Há um aquecedor elétrico em cada cômodo.

De modo que Bert se viu comendo na presença do "Alexandre germânico" – o grande e poderoso príncipe Karl Albert, o senhor da guerra, o herói dos dois hemisférios. Ele era um belo exemplar masculino, loiro, olhos profundos, nariz arrebitado, bigode apontando para cima e mãos brancas e compridas. Sentava-se em uma posição mais elevada que os demais, logo abaixo de uma águia negra de asas abertas e das bandeiras imperiais da Alemanha. Ou seja, mesmo ali, o homem estava entronizado – mas o que mais chocava Bert era o fato de ele comer sem olhar para ninguém, acima da cabeça de todos, como alguém que tem visões. Vinte oficiais de graduação variada estavam à mesa – além de Bert. Todos pareciam muito curiosos diante do famoso Butteridge, e o espanto da tripulação diante da aparência bizarra do suposto inventor não foi dissimulada. O príncipe recebeu o tripulante extra com uma saudação extremamente digna, que foi respondida, graças a uma súbita inspiração, com uma mesura. Ao lado do príncipe postava-se um sujeito de rosto moreno enrugado, com óculos de prata e costeletas macias, cinzentas, que observava Bert atentamente, de uma forma peculiar e desconcertante. A tripulação sujeitou-se a cerimônias que Bert não conseguiu entender. Do outro lado da mesa estava o oficial com cara de pássaro despejado por Bert, aparentemente guardando mágoa e fazendo comentários a respeito dele para o vizinho. Dois soldados guardavam a sala. O jantar era frugal – sopa, carneiro fresco e queijo – e não se conversava muito à mesa.

O fato é que uma curiosa solenidade pairava sobre todos. Parte dessa atmosfera era uma forma de reação ao trabalho imenso e à contida emoção diante do evento da partida. A outra parte provinha da esmagadora percepção de estranheza derivada das novas experiências, da prodigiosa aventura. O príncipe estava perdido em seus pensamentos. Levantou-se, então, para fazer um brinde ao imperador com champanhe. A tripulação gritou "*Hoch!*"[16], como as respostas repetidas em uma igreja.

Fumar não era permitido, mas alguns oficiais desceram até a pequena galeria para mascar tabaco. Isqueiros, fósforos e coisas do tipo estavam proibidos naquele enorme saco de elementos inflamáveis. Subitamente, Bert sentiu sono e frio. Estava aniquilado pela sensação de insignificância diante dos enormes monstros aéreos. Pensava que aquilo tudo era muito grande para ele, muito mais do que poderia suportar.

Disse alguma coisa para Kurt sobre o peso que sentia na cabeça, subiu a escada da pequena e baloiçante galeria de volta para a aeronave. Buscou refúgio na cama.

16   Brinde alemão dirigido à nobreza.

5

Bert dormiu por algum tempo, mas seu sono foi entrecortado por sonhos nos quais, em geral, fugia de disformes ameaças voadoras por intermináveis corredores em uma aeronave. Os corredores eram pavimentados com alçapões vorazes, e depois com uma lona cuidadosamente perfurada.

"Por Deus", disse Bert, mudando de posição após sua sétima queda pelo espaço infinito da noite.

Sentou-se na escuridão e acarinhou os joelhos. O avanço da aeronave não era tão suave quanto o do balão. Era possível sentir um balanço regular, para cima por certo tempo e depois, subitamente, para baixo, mais para baixo, um ciclo constante marcado ainda pela pulsação e pelo tremor provocados pelos propulsores.

Sua mente começou a se encher de memórias – em quantidades cada vez maiores.

No meio delas, feito um nadador em luta com águas turbulentas, surgiu uma questão perplexa: o que farei amanhã? Amanhã, Kurt lhe dissera, o secretário do príncipe, Graf von Winterfeld, viria discutir sua máquina voadora, antecipando o encontro subsequente com o próprio príncipe. Ele precisaria se manter no papel atual, de Butteridge, e tentar vender sua invenção. Mas e se descobrissem a farsa? Teve uma visão de muitos Butteridges furiosos... Mas como, no fim das contas, conseguiria tapear todo mundo? Deveria fingir algum tipo de mal-entendido? Começou a armar esquemas para vender o segredo que carregava e tirar vantagem de Butteridge.

O que ele deveria pedir pela geringonça voadora? Com certeza algo em torno de 20 mil libras, pensava.

Caiu vítima do característico desânimo de quando se espera a passagem rápida da madrugada. Que enorme responsabilidade ele assumira – uma enorme responsabilidade...

As memórias atolavam os seus planos.

"Onde é que eu estava a essa hora na noite passada?"

Recapitulou as noites anteriores, tediosa e vagarosamente. Na noite passada estivera acima das nuvens, voando com o balão de Butteridge. Pensava no momento em que perdeu altitude, sendo possível ver o mar gelado ao crepúsculo, incrivelmente próximo. O desagradável incidente estava marcado em sua memória com a vivacidade de um pesadelo. Na noite anterior a essa, ele e Grubb estavam procurando pensões baratas próximo às praias de Littlestone, em Kent. Quão remoto tudo isso parecia agora! Poderia ter acontecido anos antes. Pela primeira vez pensou em seu parceiro, o outro Dervixe do Deserto, deixado para trás com as duas bicicletas pintadas de vermelho nas areias de Dymchurch. "Ele não vai dar conta do show sozinho, sem mim. De qualquer maneira, os nossos trocados – os poucos que ganhávamos – era ele quem guardava no bolso..." Na noite antes daquela, fora o feriado, e ele sentara para discutir com Grubb os planos para a empreitada ao estilo dos trovadores, com a elaboração do repertório e o ensaio de algumas danças. Na noite ainda mais remota, foi o Domingo de Pentecostes.

"Meu Senhor!", gritou Bert. "Olha o que aquela droga de bicicleta motorizada me rendeu!" Relembrou o som vazio das batidas da almofada eviscerada usada para apagar o fogo, a sensação de impotência diante das chamas que aumentavam.

Em meio às lembranças confusas daquela trágica labareda, emergia uma pequena figura, luminosa e incrivelmente doce: era Edna, chorando e gritando relutante de dentro do carro motorizado: "Te vejo amanhã, Bert?".

Outras memórias de Edna aglomeraram-se em torno dessa visão e gradativamente conduziram a mente de Bert a um estado de tamanha brandura que ele a articulou em uma frase: "Se ela não tomar cuidado, eu me caso com ela!". Um clarão trouxe à sua mente a ideia de que a venda do segredo de Butteridge facilitaria tremendamente uma proposta de casamento! Suponhamos que, afinal de contas, ele conseguisse umas 20 mil libras; somas desse vulto já haviam sido pagas anteriormente! Com elas, poderia comprar uma casa com jardim, incontáveis roupas novas, um carro motorizado, viagens, enfim, cada delícia do que se conhecia como vida civilizada, tudo isso para ele mesmo e Edna. Claro, riscos sempre estariam envolvidos. "O velho Butteridge vai ficar na minha cola, com certeza!"

Bert meditava sobre disso. Foi dominado novamente pela melancolia. Por ora, percebia-se apenas no início da aventura. Ainda precisava entregar as mercadorias e embolsar a grana. Antes disso, no pé em que estavam as coisas naquele momento, era impossível voltar para casa. Estava viajando para a América, para lutar. "Não sou muito de briga, não", ponderou. "Acho que o melhor é cada um ficar na sua." Contudo, se um morteiro chegasse a atingir o *Vaterland* na parte inferior...

"É, vou precisar de um testamento."

Permaneceu deitado por um bom tempo, elaborando testamentos – geralmente, em favor de Edna. Estava definido que a venda deveria envolver o valor de 20 mil libras. No testamento imaginário que elaborava, deixava algumas heranças menores. Cada versão que montava parecia mais complicada e extravagante que a anterior...

Acordou na oitava repetição do pesadelo no qual caía através do espaço. "Essa história de voar me dá nos nervos", disse.

Sentia que a aeronave descia, descia, descia, depois aos poucos começava a subir, subir, subir. Tum, tum, tum, tum, essa era a cantilena do propulsor.

Optou por se levantar de vez, enrolando-se no sobretudo do sr. Butteridge e em todos os cobertores disponíveis, pois o ar frio naquela altitude era penetrante. Deu uma espiada pela janela, o amanhecer cinzento começava a quebrar a barreira das nuvens. Acendeu, então, as luzes e trancou a porta de sua cabine, sentou-se diante da mesa e retirou seu protetor de peito.

Alisou com as mãos os projetos amarrotados ao mesmo tempo que os contemplava. Consultou os outros desenhos na pasta. Vinte mil libras. Se ele trabalhasse bem, teria esse montante! Valeria a pena tentar, ao menos.

Logo abriu a gaveta na qual Kurt havia guardado papel e materiais de escrita.

Bert Smallways não era, de forma alguma, um indivíduo estúpido e, tendo em vista suas muitas deficiências, não deixava de ser um sujeito com razoável formação. Na escola, aprendera a fazer esboços dentro de certas limitações. Também o ensinaram a calcular e compreender especificações técnicas. Se nesse ponto de sua carreira escolar o Estado dera como finalizada sua tarefa e lançara no mundo o incompleto Bert para que lutasse pela sua sobrevivência em uma atmosfera de anúncios e de iniciativa individual, não era culpa dele. Ele era fruto do Estado que o criara. E o leitor não deve pensar que, pelo fato de ele ser um bronco de um *cockney*[17], ele fosse absolutamente incapaz de captar o conceito da máquina aérea de Butteridge. Mas ele achou difícil e desconcertante. A bicicleta motorizada que montara, os experimentos de Grubb e as aulas de desenho geométrico do quinto ano ajudaram

---

17   Na origem, o habitante do East End londrino. À época de Wells, denominava uma ampla classe social suburbana.

um pouco; além disso, o autor desses projetos, quem quer que fosse, desejava ardentemente que eles fossem simples e diretos. Bert copiou os desenhos, fez algumas anotações e até uma reprodução bastante razoável da parte essencial dos projetos e esboços alheios. E logo estava meditando sobre eles.

Por fim, levantou-se suspirando, dobrou os originais que estavam anteriormente em seu protetor de peito e enfiou todos eles no bolso interno de seu casaco. Depois, muito cuidadosamente, depositou as cópias que fizera no lugar dos originais. Não tinha nenhum plano muito claro, exceto o fato de detestar a ideia de ser obrigado a partilhar o segredo. Por um longo tempo continuou a meditar profundamente – balançando a cabeça. Depois desligou as luzes e foi para a cama novamente, planejando dormir.

6

O *Hochgeboren*[18] Graf von Winterfeld também dormiu mal naquela noite, mas a diferença é que ele era o tipo de sujeito que, quando sofre uma crise de insônia, passa o tempo resolvendo problemas de xadrez mentalmente – e durante aquela noite um problema particularmente difícil se colocava diante dele.

Chegou à cabine de Bert enquanto este ainda estava na cama, com o brilho do sol refletindo no Mar do Norte, consumindo pão doce e café que outro soldado trouxera. Von Winterfeld trazia uma pasta debaixo do braço. Na límpida luz da manhã, seu cabelo cinzento e seus óculos de armações pesadas, de prata, faziam-no parecer quase benevolente. Falava inglês fluentemente, mas com forte sotaque germânico, saindo-se particularmente mal com seus "b", e seus "th" suavizavam até virar fracos "zd". Chamou Bert de forma explosiva:

— Pooterage – começou, com cumprimentos indistintos, curvando--se, pegando a mesa dobrável e a cadeira atrás da porta, posicionando a primeira entre ele e Bert, sentando-se na segunda, tossindo secamente e abrindo a pasta que carregava. Apoiou, então, os cotovelos em cima da mesa, apertou o lábio inferior com os dedos indicadores e fixou Bert, de

18   "Nobre" ou "bem-nascido".

modo desconcertante, com seus olhos arregalados. — Você veio até nós, *Herr* Pooterage, contra a sua vontade – disse afinal.

— Como concluiu uma coisa dessas? – perguntou Bert, após uma pausa de espanto.

— A partir dos mapas em sua cabine. Todos em inglês. E de suas provisões. Todas para piquenique. As cordas do balão estavam embaraçadas. Você deu puxões, mas sem sucesso. Não conseguiu controlar o balão, e outra força o trouxe até nós. Não foi assim?

Bert pensou.

— Além disso, onde está a sua senhora?

— Opa! Que senhora?

— Você levantou voo com uma senhora. É evidente. Zarpou para um passeio à tarde. Um piquenique. Um sujeito com seu temperamento... ele levaria junto uma senhora. Ela não estava com você no balão quando caiu em Dornhof. Não! Apenas o casaco dela! Não é da minha conta. Mas mesmo assim, estou curioso.

Bert refletiu.

— Como você sabe de tudo isso?

— Pela natureza das suas várias provisões. Não sei explicar o que fez com sua senhora, sr. Pooterage. Também não sei por que está usando essas sandálias estranhas, nem por que veste roupas azuis tão baratas. Tudo isto está além de minha alçada. Ninharias, talvez. Oficialmente, devem ser ignoradas. Senhoras vêm e vão, sou um homem do mundo. Já conheci homens sábios em sandálias e mesmo praticando o vegetarianismo. Conheci muitos sujeitos, ou pelo menos conheci químicos, que não fumavam. Você sem dúvida deixou a senhora em algum lugar. Mas, agora, vamos aos negócios. Uma força maior – e neste momento a voz de Winterfeld sofreu uma alteração na qualidade emocional, seus olhos ampliados pareciam ainda mais dilatados – trouxe você e seu segredo até nós. Então – curvou a cabeça –, que assim seja. Esse é o destino da Alemanha e do meu príncipe. Posso entender que sempre carregue seu segredo consigo. Teme os ladrões e os espiões. Deve, portanto, estar com você, que o trouxe até nós. Senhor Pooterage, a Alemanha o comprará.

— Vai comprar mesmo?

— Vai, sim – respondeu o secretário, lançando um olhar duro na direção das sandálias de Bert, abandonadas no canto do armário. Levantou-se, consultou um papel com algumas anotações por um instante. Bert

103   IV. A FROTA AÉREA ALEMÃ

contemplava aquele rosto moreno e enrugado com expectativa e terror.

— A Alemanha, posso afirmar – começou o secretário, com os olhos cravados na mesa onde suas anotações se espalhavam –, sempre esteve interessada em comprar seu segredo. Estivemos, na verdade, ansiosos para comprá-lo, bastante ansiosos. Foi apenas o medo de que pudesse, por algum escrúpulo patriótico, atuar em aliança com o Departamento de Guerra britânico que nos levou à prudência de fazer uma oferta para seu maravilhoso invento através de intermediários. Não temos nenhuma hesitação agora. Estou instruído a aceitar sua proposta de 100 mil libras.

— Caramba! – exclamou Bert, impressionado.

— Perdão?

— Foi só uma pontadinha aqui – disse Bert, levantando a mão para indicar a cabeça enfaixada.

— Ah! Também estou instruído a dizer que a nobre e injustamente acusada senhora pela qual o senhor lutou com a coragem de um autêntico cavalheiro, enfrentando a hipocrisia e a frieza britânicas, o senhor e ela terão excelente acolhida na Alemanha.

— Senhora? – Bert disse fracamente, mas logo se lembrou da grande história de amor de Butteridge. Será que aquele camarada tinha lido as cartas? Se o fez, devia achar Bert bem picante. — Tá certo, então! Sobre a dona, não tenho dúvidas de que...

Bert se deteve. O secretário o encarava do modo mais apavorante. Uma eternidade pareceu se passar antes que ele baixasse os olhos.

— Bem, como quiser. Ela é um assunto particular seu. Apenas cumpri minhas instruções. Além disso, podemos conceder-lhe o título de barão. Tudo pode ser conseguido, *Herr* Pooterage.

Ele tamborilou por mais ou menos um segundo sobre a mesa e prosseguiu.

— Preciso dizer algo ao senhor. Sua chegada aconteceu justo em um período de crise na... *Welt-Politik*. Creio que não haverá problema em colocar na mesa nossos planos. Antes de você deixar esta aeronave, eles serão revelados para todo o mundo. Uma guerra, talvez já declarada, está a caminho. É por isso que estamos nos dirigindo à América. Nossa frota descerá dos ares sobre os Estados Unidos, uma nação bastante despreparada para uma guerra total, de fato. Eles sempre confiaram na barreira do Atlântico e na Marinha deles. Selecionamos um certo ponto – no momento, o maior segredo de nossos comandantes –, o qual poderemos tomar e depois estabelecer como entreposto, nosso Gibraltar americano. Será como... será como o ninho da águia. Lá, nossas aeronaves poderão ir e vir, além de receber reparos, de modo que voaremos por todos os Estados Unidos, aterrorizando cidades, dominando Washington, estabelecendo nossas leis e tributos, até que nossos termos sejam totalmente aceitos. Consegue acompanhar meu raciocínio?

— Prossiga! – respondeu Bert.

— Cumpriremos essas tarefas com nossos *Luftschiffe*[19] e *Drachenflieger*, mas o acesso aos projetos de sua máquina voadora tornou nossos planos mais completos. Não apenas obteremos melhores *Drachenflieger* como eliminaremos nossas últimas preocupações com a Grã-Bretanha. Essa terra que o senhor tanto amou, mas que o tratou tão mal, essa terra de fariseus e répteis não poderá fazer nada, nada sem você, senhor! Observe que estou sendo totalmente honesto com você. Fui instruído a deixar bem claro que a Alemanha reconhece tudo isso. Gostaríamos que você ficasse à nossa disposição. Gostaríamos que se tornasse engenheiro--chefe de nossa frota aérea. Gostaríamos que trabalhasse com sua capacidade inventiva, que produzisse e equipasse todo um enxame de vespas mecânicas. Gostaríamos que supervisionasse essa armada. E é em nosso entreposto americano que mais precisaremos de você. Assim, acatamos, sem mais delongas, todos os termos que o senhor solicitou duas semanas atrás. Cem mil libras em dinheiro, um salário de 3 mil libras ao ano, somado a uma pensão anual de mil libras, além do título de barão, como requisitou. Foram essas as minhas instruções.

Voltou a examinar o rosto de Bert.

— Bom, por mim tá tudo certo – disse Bert, um pouco sem fôlego, mas também resoluto e calmo. Parecia que aquele era o momento de lançar mão do estratagema planejado durante a noite.

O secretário contemplava o colarinho de Bert com reforçada atenção. Apenas por um breve momento voltou-se rapidamente às sandálias do inventor.

— Deixa eu ver, vamos pensar – disse Bert, que sentia o olhar do secretário consumindo suas forças. — Olha só – disse, por fim, com ar de grande franqueza –, eu *tenho* o segredo aqui comigo.

— Sim.

---

19   Dirigíveis.

IV.   A FROTA AÉREA ALEMÃ

— Mas não quero que o nome Butteridge apareça por aí, sabe? Andei pensando melhor sobre isso.

— Uma pequena modéstia?

— É isso aí. Você o compra, melhor dizendo, eu lhe dou o segredo, de um "portador", entende?

A voz de Bert falhou um pouco, pois o olhar fixo persistia.

— Quero ficar no anonimato, entende?

O olhar não deu sinal de trégua. Bert vagava como um nadador pego pela correnteza.

— Pois é, eu vou adotar um novo nome: Smallways. Não quero saber de título de barão, mudei de ideia. Só quero mesmo é o dinheiro, sem muito alarde. Quero as 100 mil libras depositadas em contas bancárias: 30 mil na filial do London and County em Bun Hill, Kent, assim que eu entregar os planos. Mais 20 mil no Banco da Inglaterra, parte do restante em um banco francês dos bons e o restinho num banco alemão. Entende? Quero a grana nesses bancos imediatamente. Mas não quero nada no nome de Butteridge. Quero que coloque no nome de Albert Peter Smallways. Esse é o nome que vou adotar agora. Essa é a primeira condição.

— Prossiga! – disse o secretário.

— A segunda condição é a seguinte – começou Bert –, que eu não quero saber de perguntas a respeito da papelada. Do jeito que os senhores ingleses fazem quando vendem ou arrendam terras. Você não pergunta como eu consegui as coisas. Certo? Sou o portador, te entrego a mercadoria e pronto. Terão o desplante de dizer que essa invenção não é minha, entende? E é, claro, está tudo bem, mas é um baita incômodo. E quero que tudo isso seja aceito preto no branco. Entende?

O último "Entende?" caiu em um profundo silêncio.

O secretário então suspirou, recostou-se na cadeira e arrumou um palito de dente, que o auxiliou a meditar sobre o caso de Bert.

— Como é mesmo o nome? – perguntou por fim, jogando fora o palito de dente. — Preciso anotar.

— Albert Peter Smallways – respondeu Bert a meia-voz.

O secretário tomou nota, após alguma dificuldade devido ao fato de a pronúncia das letras do alfabeto variar nos dois idiomas.

— Agora, caro Schmallvays – falou o secretário, retomando seu olhar perscrutador –, diga-me: como você se apossou do balão de *Herr* Pooterage?

7

Quando finalmente Graf von Winterfeld deixou Bert Smallways, este estava extremamente aliviado, quase esvaziado, uma vez que tivera de contar toda a sua breve história.

Como dizem, ele abriu seu coração. O secretário perseguia os detalhes. Teve de explicar o casaco azul, as sandálias, os Dervixes do Deserto – tudo. Por um tempo, o zelo científico consumiu o secretário. Por outro lado, a questão dos projetos permaneceu em suspense. Von Winterfeld especulou até sobre os ocupantes anteriores do balão. "Suponho", ele disse, "que a senhora *era* a senhora sempre mencionada. Mas isso não nos diz respeito".

— É tudo muito curioso e divertido, de fato. Mas eu temo que o príncipe possa ficar aborrecido. Ele deverá agir com sua usual determinação, ele sempre age com determinação admirável. Como Napoleão. Assim que soube de sua queda no campo de Dornhof, ele disse: "Tragam-no! Tragam-no! Ele será minha estrela!". A estrela do destino! Compreende? Ficará frustrado. Ele o tratou como *Herr* Pooterage, o que não é verdade. É claro que você tentou se passar pelo outro, mas foi uma tentativa medíocre. Os julgamentos de Sua Majestade a respeito dos homens são sempre muito justos e corretos, e é melhor que os homens lhe façam jus absolutamente. Especialmente agora. Particularmente agora.

Depois desse discurso, o secretário voltou à sua posição habitual, com seu lábio inferior comprimido entre os dedos indicadores. Passou a falar de modo quase confidencial.

— Será embaraçoso. Tentei insinuar alguma dúvida, mas minhas opiniões foram rejeitadas. O príncipe não é do tipo que escuta. Ele fica impaciente em altitudes elevadas. Ele poderá pensar que a pessoa que considerava uma estrela o fez de idiota. Talvez ele pense que *eu* o fiz de idiota.

Dito isso, franziu a testa e depois repuxou o canto da boca.

— Eu tenho os projetos – disse Bert.

— Sim. De fato, sim! Mas perceba que o príncipe estava interessado em *Herr* Pooterage por causa de seu lado romântico. O verdadeiro *Herr* Pooterage estaria bem mais... ah, bem mais a par da situação. Temo que você não será capaz de administrar o departamento responsável pelas máquinas voadoras do nosso parque aéreo, como o príncipe gostaria. Ele tinha dado a palavra dele de que o faria...

— Além disso, há o fator prestígio: o prestígio mundial de Pooterage que estaria do nosso lado... Bem, teremos de estudar o que fazer. – Estendeu a mão. — Dê-me os projetos.

Um calafrio terrível atravessou todo o corpo de Bert Smallways. Até o fim de sua existênca ele não conseguiu discernir se chorou ou não, mas certamente havia algo de choroso em sua voz.

— Opa, alto lá! – protestou. — Vou dar esses papéis sem ganhar nada em troca?

O secretário o contemplava com olhos benevolentes.

— Você não merece nada! – foi a resposta.

— Eu devia picar essa papelada em pedacinhos.

— Ela não é sua!

— Também parece que não era do Butteridge!

— Não precisamos pagar nada.

Bert parecia bastante pressionado, optando por medidas drásticas.

— Deus! – disse, agarrando seu casaco. — *Não* mesmo?

— Acalme-se – disse o secretário. — Escute! Você vai ter 500 libras. Isso eu posso prometer. Farei isso por você, e é tudo o que está ao meu alcance. Aceite minha oferta. Dê-me o nome do banco. Escreva-o, por favor. Isso! Digo-lhe que o príncipe não é pessoa que engula qualquer coisa. Penso que ele não aprovou sua presença na noite passada. De forma alguma! Assim, não posso responder por ele. O príncipe queria Pooterage e você estragou tudo. O príncipe, ele... Eu não sei por quê, mas ele está em um estado diferente do usual. Foi a emoção de nossa partida, esta grande jornada pelos ares. Não consigo prever as ações do príncipe. Mas, se tudo sair bem, vou providenciar isso, você terá suas 500 libras. Que me diz? Agora, os projetos.

"Velho safado!", disse Bert, depois de o secretário fechar a porta. "Deus! Que velho safado! *Esperto*!"

Sentou-se na cadeira dobrável e assobiou, sem produzir nenhum som, por algum tempo.

"Que belo golpe seria se eu rasgasse tudo! Podia ter feito isso."

Coçou a ponta do nariz, perdido em seus pensamentos. "Tive de entregar todo o negócio. Se eu tivesse fechado o bico e esquecido a história de manter o anonimato... Droga! Você se adiantou demais, velho Bert – se adiantou e se precipitou demais. Queria dar um belo chute no meu traseiro agora.

"Eu não teria conseguido manter a farsa.

"No fim das contas, as coisas não ficaram assim tão ruins", disse consigo mesmo.

"No fim das contas, são 500 pratas... Por vender um segredo que nem era *meu*. Por um troço que catei no meio do caminho. Quinhentas libras.

"Mas como será que faço pra voltar da América pra casa?"

8

Mais tarde, ainda naquele dia, um Bert aniquilado e maltrapilho estava na presença do príncipe Karl Albert.

Os procedimentos todos se deram em alemão. O príncipe estava em sua cabine, o último cômodo da aeronave, um charmoso apartamento decorado com arabescos de vime. Uma janela alongada atravessava toda a sua extensão, com vista frontal. Estava sentado diante de uma mesa dobrável de tecido verde, com Von Winterfeld e dois oficiais sentados ao lado. Abertos, na mesa, havia certo número de mapas da América, além de cartas, uma pasta – pertencentes ao sr. Butteridge – e papéis soltos. Não foi solicitado a Bert que se sentasse e ele permaneceu de pé durante toda a entrevista. Von Winterfeld contou sua história e de vez em quando as palavras "balão" e "Pooterage" atingiam em cheio os ouvidos de Bert. O rosto do príncipe permaneceu impassível e ameaçador. Os outros dois oficiais olhavam para seu chefe cautelosamente ou então contemplavam Bert. Havia algo de estranho na maneira como esses militares analisavam seu príncipe – com curiosidade, com apreensão. Logo o soberano aparentemente foi dominado por uma ideia e eles começaram a discutir os projetos. O príncipe se dirigiu abruptamente a Bert, em inglês:

— Você viu essa coisa voar alguma vez?

Bert saltou de susto.

— Eu vi lá pelas bandas de Bun Hill, Sua Alteza Real.

Von Winterfeld deu alguma explicação.

— Qual velocidade?

— Não sei dizer bem, Sua Alteza Real. Nos jornais, no *Daily Courier* ao menos, disseram que eram 80 milhas por hora.

Eles discutiram em alemão por um tempo.

— Mas ele consegue estabilidade? Nos ares? É isso que me interessa saber.

— Consegue sim, Sua Alteza Real. Igualzinho a uma vespa – respondeu Bert.

— *Viel besser, nicht wahr?*[20] – foi o comentário do príncipe para Von Winterfeld. A conversa entre eles prosseguiu em alemão por alguns instantes.

Logo terminaram e os dois oficiais olharam para Bert. Um deles soou uma sineta e a pasta foi entregue para um auxiliar, que a levou embora.

Em seguida voltaram para o caso de Bert. Era evidente que o príncipe estava inclinado a ser bastante duro com o falso inventor. Von Winterfeld protestou. Questões que pareciam ser de natureza teológica surgiram, pois houve muitas menções a "*Gott!*". Algum tipo de conclusão emergiu, pois ficou claro que instruíam Von Winterfeld a transmitir o tal veredito a Bert.

— O sr. Schmallvays obteve acesso a esta aeronave – começou o secretário –, por meio de uma mentira vergonhosa e sistemática.

— Acho que não foi sistemática, não – disse Bert. — Eu...

O príncipe o silenciou com um gesto.

— E está dentro dos poderes de Sua Alteza executá-lo como espião.

— Alto lá! Eu só queria ven...

— Sshhh! – fez um dos oficiais.

— Contudo, levando em consideração o feliz acaso que fez de sua infeliz pessoa o instrumento de *Gott* para a aquisição da máquina voadora de Pooterage, Sua Alteza perdoará seu crime. Sim, você foi portador de boas notícias. Sua presença nesta aeronave será permitida até que possamos, de modo conveniente, descartá-lo. Entendeu bem?

— Nós vamos utilizá-lo – disse o príncipe, finalizando a sentença com um olhar tenebroso –, *als Ballast*.

— Você será usado – frisou Winterfeld –, como balastro. Compreendeu?

Bert chegou a abrir a boca para perguntar a respeito daquelas 500 libras, mas um breve brilho de sabedoria o silenciou no ato. Conseguiu olhar nos olhos de Von Winterfeld, e o secretário pareceu assentir discretamente.

— Vá! – disse o príncipe, movimentando o braço e a mão enormes na direção da porta. Bert saiu como uma folha antes de um vendaval.

20   "Muito melhor, não é?"

9

No intervalo entre a conversa com Graf von Winterfeld e a apavorante conferência com o príncipe, Bert encontrou tempo para explorar o *Vaterland* de cabo a rabo. Achou-o interessante, a despeito das desesperadoras preocupações que sentia. Kurt, assim como boa parte dos membros da frota aérea alemã, pouco conhecia de aeronáutica antes de ser convocado como tripulante das novas aeronaves. Mas ele estava extremamente informado sobre tudo a respeito dessa nova arma maravilhosa que a Alemanha punha em ação de forma tão repentina e dramática. Mostrou inúmeros detalhes do artefato a Bert com o entusiasmo e o apreço de uma criança deslumbrada. Exibia aquelas coisas muitas e muitas vezes, talvez para si mesmo, como um brinquedo novo nas mãos de uma criança. "Vamos dar uma boa olhada em toda a aeronave", disse o tenente com prazer. Estava fascinado com a leveza de tudo, o uso de alumínio nas tubulações, os colchões elásticos inflados com hidrogênio comprimido, os compartimentos nos quais as bolsas de hidrogênio eram cobertas com uma imitação leve de couro, e até mesmo a louça de porcelana cozida, envernizada em processo a vácuo, praticamente nada pesava. Quando alguma robustez era exigida, utilizava-se a nova liga Charlottenburg, ou metal alemão, como costumava ser chamada, a liga metálica mais dura e resistente do mundo.

Não faltava espaço. Espaço não era problema, contanto que o peso não aumentasse. A parte habitável da nave tinha 250 pés de comprimento, os cômodos distribuídos em dois níveis; qualquer um poderia ascender para acima desse espaço utilizando notáveis torrezinhas de metal branco, com janelas enormes e portas duplas fechadas hermeticamente, permitindo a inspeção da vasta cavidade das câmaras de gás. Essa visão interna impressionou vivamente Bert. Nunca imaginou que um dirigível fosse algo mais que um contínuo saco de ar contendo nada além de algum gás. Agora, estava diante de um enorme aparato semelhante a uma espinha dorsal, com suas grandes costelas, "como os sistemas neural e hemal", afirmou Kurt, um aficionado de biologia.

— Deveras! – disse Bert, aprovando o comentário, embora não tivesse a menor ideia do que aquelas palavras significavam.

Pequenas luzes elétricas podiam ser acesas naquele local se algo desse errado durante a noite. Havia até escadas cruzando o espaço.

— Mas não se pode caminhar no gás – protestou Bert. — Não se pode respirá-lo.

O tenente abriu a porta de um armário e exibiu um traje de mergulhador, só que feito de seda oleada, e tanto o capacete quanto a mochila de ar comprimido eram compostos de uma liga de alumínio e algum outro metal leve.

— Podemos andar por toda a estrutura interna e reparar buracos de bala ou vazamentos – explicou o tenente. — Há um sistema de redes dentro e fora. A parte interior do casco está coberta por uma enorme escada de cordas, por assim dizer.

Na parte inferior da região habitável estavam a munição e os explosivos, cobrindo metade da extensão da aeronave. Eram bombas de vários tipos, em geral feitas de vidro – nenhuma das aeronaves alemãs carregava qualquer tipo de arma de fogo, com exceção de compactos dispositivos que disparavam balas dundum (para usar o velho apelido britânico para esse tipo de munição, surgido durante a Guerra dos Bôeres), que ficavam no final da galeria, protegidos em um compartimento blindado bem no coração da águia. Desse arsenal no meio da nave, uma tela protetora cobria a galeria com tramas de alumínio em seu assoalho, além de uma corda, que corria por baixo da câmara de gás até a sala das máquinas, no limite da cauda. Mas Bert optou por não seguir essa corda, de modo que não chegou a conhecer os propulsores. Subiu uma escada que ficava próxima a um duto de ventilação – ela era encerrada por um tipo de proteção contra fogo provocado por gás – e correu através da grande entrada da câmara de ar até a pequena e isolada galeria com instrumentos de comunicação, que abrigava as leves armas dundum de aço alemão e suas munições. Essa galeria era inteiramente feita de uma liga de magnésio e alumínio na estreita parte dianteira da aeronave, que inchava como um penhasco para cima e para baixo. A águia negra que abria as asas se espalhava esmagadora e gigantesca, as extremidades escondidas pela protuberância da armazenagem central de gás.

Distante das águias que voavam, estava a Inglaterra. Talvez uns 4 mil pés abaixo, parecendo muito pequena e indefesa, de fato, com os raios de sol da manhã.

Ao perceber que o território sobrevoado era a Inglaterra, Bert teve súbitos e inesperados escrúpulos de remorso patriótico. Atingiu-o uma nova ideia: no fim das contas, poderia ter rasgado aqueles projetos e os jogado fora. Aquela gente não poderia fazer nada de muito grave com ele. E mesmo que tivesse feito, não seria o dever de todo inglês se sacrificar por seu país? Era um conceito que, até aquele momento, fora suavizado pelos cuidados de uma civilização competitiva. Bert ficou, então, violentamente deprimido. Ele deveria, pensava, ter visto as coisas dessa forma antes. Por que não vira as coisas dessa forma antes?

Isso não fazia dele um tipo de traidor?...

Imaginava como a frota aérea pareceria ao observador no solo. Tremenda, sem dúvida, deixando qualquer prédio na sombra.

Estavam sobrevoando Manchester e Liverpool, foi o que Kurt tinha dito. A margem brilhante que atravessava a perspectiva era o canal navegável; uma vala alagada para navegação mais afastada do estuário de Mersey. Bert era um sulista – nunca estivera no norte das cidades centrais. A multidão de fábricas e chaminés (estas últimas em grande parte agora obsoletas e abandonadas, superadas por enormes estações com geradores elétricos que consumiam o próprio vapor), os velhos viadutos ferroviários, as densas malhas de monotrilhos e pátios de cargas, e as vastas áreas povoadas por casas sombrias ligadas por ruas estreitas que se alastravam a esmo atingiram Bert em cheio, como se Camberwell e Rotherhithe já não fossem bons lugares para viver. Aqui e ali, como se capturados por uma rede, estavam os campos e os fragmentos de agricultura. Era uma dispersão populacional indistinta. Sem dúvida deveria haver museus, prefeituras, talvez até mesmo catedrais assinalando hipotéticos centros de organização municipal e religiosa em toda aquela confusão. Mas Bert não conseguia enxergar esse tipo de edifício, ele não se destacava no meio daquela desordem de casas sobrepostas, de trabalhadores e de locais de trabalho, escritórios e talvez pequenas capelas e igrejas. No centro dessa paisagem típica de uma civilização industrializada, as sombras das aeronaves alemãs rondavam como um rápido e voraz cardume...

Kurt e Bert acabaram por conversar longamente a respeito de táticas aéreas. Desceram até a galeria inferior para que Bert conhecesse o *Drachenflieger* que as aeronaves da ala direita tinham trazido durante a noite e que estavam pousados. Cada aeronave rebocava três ou quatro exemplares daquela pequena máquina. Pareciam grandes papagaios de papel de formato esquisito, com uma elevação nas extremidades puxadas por cordas invisíveis. Tinham longa cabeça quadrangular e cauda achatada, com propulsores laterais.

— É preciso ser habilidoso com este aqui, muito habilidoso mesmo.

— Deveras!

Pausa.

— Sua máquina é diferente desta, sr. Butteridge?

— Bem diferente – respondeu Bert. — Parece antes um inseto que um pássaro. E ela faz um zumbido e é até fácil de conduzir. O que um negócio desses faz?

Kurt não estava muito seguro a respeito do tópico levantado. Enquanto explicava a Bert o funcionamento da máquina, ele foi chamado para a conferência com o príncipe, que já reportamos...

Depois de tudo isso acabado, os últimos traços de Butteridge que havia em Bert despencaram como uma roupa esgarçada e ele se transformou em Smallways para todos a bordo. Os soldados pararam de saudá-lo e os oficiais deixaram de perceber que ele existia, com exceção do tenente Kurt. Bert foi despejado de sua excelente cabine e alojado, com seus pertences, junto ao tenente Kurt (que por sorte ainda era um aprendiz), e o oficial com cara de pássaro, que ainda praguejava constantemente, conseguiu reaver seu antigo alojamento, trazendo nas mãos amoladores de navalha, formas de calçados, escovas de cabelo leves, espelhinhos de mão e pomadas. Bert foi alojado com Kurt simplesmente porque em uma aeronave na qual cada espaço e peso eram calculados não havia outro local onde ele pudesse repousar aquela cabeça enfaixada. Ele teria de se virar, foi-lhe dito, com a tripulação.

Kurt veio até ele, permanecendo de pé com as pernas bem abertas, observando por um momento enquanto Bert se instalava, desanimado, em seu novo aposento.

— Qual é o seu nome verdadeiro? – perguntou Kurt, que foi informado de modo imperfeito sobre o novo estado das coisas.

— Smallways.

— Imaginei que você fosse uma fraude quando ainda usava o nome do tal Butteridge. Foi muita sorte o príncipe julgar seu caso de maneira mais leniente que o usual. Ele é bem radical nos dias em que está de mau humor. O príncipe não pensaria duas vezes em jogar um sujeito como você para fora da aeronave se achasse isso conveniente. Não!... Eles te puseram aqui comigo, mas esta cabine é minha, não se esqueça.

— Não vou me esquecer – disse Bert.

Kurt o deixou. Quando Bert olhou ao redor de si, no novo compartimento, a primeira coisa que lhe chamou atenção foi a reprodução, colada na parede acolchoada, da grande pintura de Siegfried Schmalz, *O deus da guerra*. Era uma figura terrível, ameaçadora, com capacete viking e manto vermelho, vagando em meio às ruínas de espada na mão, incrivelmente semelhante a Karl Albert. Pois a tela fora pintada como um agrado para o príncipe.

A GUERRA NO AR

V.
A BATALHA DO ATLÂNTICO NORTE

1

O príncipe Karl Albert marcara Bert de maneira profunda. Era, provavelmente, a pessoa mais terrível que já encontrara. Ele encheu a alma de Bert de angústia e antipatia. Por um longo tempo, Bert permaneceu sentado, sozinho, na cabine de Kurt, evitando fazer qualquer coisa, até mesmo abrir a porta, pois temia que o acaso o colocasse na presença devastadora do príncipe.

Assim, Smallways foi provavelmente a última pessoa a bordo que soube das novidades trazidas pelo telégrafo sem fio. Era uma história, feita de pedaços e fragmentos, a respeito de uma grande batalha que se desenrolava no meio do Atlântico.

Por fim, Kurt contou a ele.

Aparentemente, Kurt pretendia ignorar Bert, mas apesar dessa resolução conversava consigo mesmo em inglês.

— Estupendo! – Bert ouviu o companheiro exclamar. — Você aí! – ele prosseguiu –, saia de cima desse armário.

O tenente, então, dali pegou dois livros e uma pasta de mapas. Espalhou todo o material em cima da mesa dobrável e debruçou-se sobre ele. Por algum tempo, sua disciplina germânica lutou contra sua informalidade inglesa e a bondade e a loquacidade que lhe eram naturais e, por fim, perdeu.

— Eles já mergulharam nisso, Smallways – ele disse.

— No quê, senhor? – perguntou Bert, alquebrado e respeitoso.

— Na guerra! O esquadrão norte-americano do Atlântico Norte e praticamente toda a nossa frota. Nosso *Eiserne Kreuz* foi duramente castigado e está afundando. Mas o *Miles Standish* do inimigo, um dos maiores barcos dele, também foi para o fundo do mar. Acho que os torpedos fizeram o serviço. Era um barco ainda maior que o *Karl der Grosse*, mas um pouco mais antigo, uns cinco ou seis anos. Pelos deuses! Gostaria que pudéssemos ver isso, Smallways. Uma luta franca, no meio do mar azul, armas contra armas e a fumaça do vapor circulando pelo céu!

Ele abriu os mapas e começou a falar o que para Bert se transformou em uma verdadeira aula sobre a situação naval.

— Aqui está – disse o tenente –, latitude 30° 50' N, longitude 30° 50' O. Está a quase um dia de distância de nós, e de qualquer forma estão todos indo para sudoeste pelo sul na velocidade mais rápida possível. Não vamos chegar a tempo da batalha, que má sorte! Não vamos sentir nem cheiro dela!

2

A situação naval do Atlântico Norte naquele momento era bastante peculiar. Os Estados Unidos eram, de longe, a potência mais poderosa dos mares, mas o grosso da armada americana ainda estava no Pacífico. Era no sentido do Oriente, na Ásia, que a guerra costumava ser temida, uma vez que a tensão entre os brancos e os asiáticos se tornava gradativamente mais violenta e perigosa, com o governo japonês mostrando-se bastante difícil de lidar. Assim, quando do ataque alemão, metade do poderio americano estava estacionado em Manila, enquanto a chamada segunda frota se lançava na travessia do Pacífico, mantendo contato via telégrafo sem fio tanto com as bases na Ásia quanto com San Francisco. O esquadrão do Atlântico Norte era a única força dos Estados Unidos na margem ocidental. Retornava de uma visita amigável à França e à Espanha e estava em processo de reabastecimento no meio do Atlântico – pois a maioria desses navios eram movidos a vapor – quando a situação internacional se tornou irreversivelmente ruim. Essa armada era composta de quatro encouraçados e cinco cruzadores blindados, da mesma categoria dos encouraçados, todos fabricados antes de 1913. Os americanos estavam tão acostumados à ideia de que a Grã-Bretanha sempre seria um potencial e confiável aliado, o que manteria certa paz no Atlântico, que um ataque vindo da costa leste os pegou completa e inimaginavelmente desprevenidos. Mas bem antes da declaração de guerra, ocorrida na Segunda-Feira de Pentecostes, toda a frota alemã – que congregava dezoito encouraçados, uma flotilha de reabastecimento, além de transatlânticos convertidos em cargueiros para o transporte de mantimentos para a armada aérea – já havia ultrapassado o estreito de Dover e rumava a toda velocidade para Nova York. Os encouraçados alemães não apenas superavam os americanos em número, na média de dois para um, como também eram mais pesadamente armados e de construção mais moderna: ao menos sete desses navios de guerra possuíam engenhos altamente explosivos feitos de aço Charlottenburg, e todos eles carregavam armas forjadas no mesmo material.

As duas frotas se encontraram na quarta-feira anterior à declaração de guerra. Os americanos se postaram, dentro dos ditames modernos da guerra naval, a uma distância de mais ou menos 30 milhas, dando o máximo de seus motores para se posicionar entre os alemães e os Estados da costa leste, mas tendo como foco o Panamá, porque embora fosse vital a defesa das cidades costeiras de seu território, notadamente de Nova York, era ainda mais vital salvar o canal de qualquer ataque que pudesse evitar o retorno da frota principal, ainda no Pacífico. Não havia dúvidas, dizia Kurt, de que a frota americana batia recordes de velocidade na travessia oceânica, "a não ser que os japoneses tenham tido a mesma ideia que os alemães". Estava acima de tudo o que fosse humanamente possível que a frota americana do Atlântico Norte enfrentasse e derrotasse a frota alemã. Mas, por outro lado, com alguma sorte poderia lutar e atrasar o inimigo, infligindo danos que pudessem enfraquecer o ataque contra as defesas costeiras do país. O dever deles, portanto, não era a vitória, mas o sacrifício – uma tarefa de gravidade terrível e absoluta. Nesse meio-tempo, as defesas submarinas em Nova York, no Panamá e em outros pontos vitais poderiam ser mais bem arranjadas.

Essa era a situação naval da guerra. Até a quarta-feira da semana de Pentecostes, era a situação que apenas os americanos conheciam. Pois foi na quarta-feira que ouviram falar pela primeira vez das dimensões do parque aeronáutico de Dornhof e da possibilidade de um ataque vindo não apenas do mar, mas dos ares. Contudo, era curioso como os jornais sofriam intenso descrédito nessa época, de modo que a maioria dos nova-iorquinos, à guisa de exemplo, não acreditou nos relatos detalhados e circunstanciais da frota aérea alemã até antes de avistarem, de fato, as aeronaves se aproximando de Nova York.

O discurso de Kurt, em vários momentos, assumia ares de solilóquio. Permanecia com o mapa aberto com a projeção de Mercator bem diante dos olhos, balançando-se ao ritmo do dirigível, falando de armamento e de tonelagem, de barcos, de como eles eram feitos, do poderio e da velocidade de cada um deles, de pontos estratégicos e de bases e operações. Aquela timidez que o reduzia à posição de ouvinte na mesa dos oficiais não o silenciava diante de seu novo companheiro.

Bert, por sua vez, falava bem pouco, pois assistia à dança dos dedos de Kurt sobre o mapa.

— Eles vêm falando desse tipo de coisa há muito tempo nos jornais – observou. — Incrível que tenha virado realidade.

Kurt conhecia profundamente o navio americano *Miles Standish*.

— Ele sempre foi um navio de artilharia de primeira classe. Realmente, um peso-pesado. Fico imaginando como foi que acabamos com ele. Será que usamos a artilharia? Como será que foi? Gostaria muito de ter assistido a isso. Qual dos nossos barcos derrotou o veterano dos americanos? Talvez tenha sido atingido por um petardo bem na sala de máquinas. Nossa, deve ter sido uma luta e tanto! O que será que o nosso bom *Barbarossa* está fazendo? – ele prosseguiu. — O *Barbarossa* é o meu antigo navio. Servi nele. Não é de primeira linha, mas ainda assim é um equipamento excelente. Aposto que acertaria uns bons disparos se o velho Schneider estivesse em forma. Imagine só! Os barcos atacando-se furiosamente, grandes canhões funcionando sem parar, petardos e bombas explodindo, salas de armas indo pelos ares, pedaços de metal voando como folhas em uma tempestade. Tudo o que nós sonhamos por anos! Suponho que voaremos direto para Nova York, assim como quem não quer nada. Suponho que não deveríamos esperar alguma participação lá embaixo. Da nossa parte, não é nada além de um voo de cobertura. Todos esses navios de abastecimento e de mantimentos do nosso lado estão indo do sudoeste para o oeste, para Nova York, para formar um depósito flutuante para as aeronaves. Entende? – Tocou com o dedo indicador no mapa. — Nós estamos aqui. Nossa carga, mais ou menos por aqui, nossos encouraçados em franca batalha com os dos americanos mais para cá.

Quando Bert desceu até o refeitório da tripulação para pegar sua ração noturna, praticamente ninguém o notou, exceto quando alguém o apontava brevemente. Todos falavam da batalha, sugerindo, debatendo – em alguns momentos, quando os oficiais de baixa patente se envolviam, a coisa parecia prestes a desandar em grossa balbúrdia. Chegou um novo boletim com novidades, mas seu conteúdo era impenetrável para Bert, embora fosse possível perceber que se tratava do *Barbarossa*. Alguns homens o olharam, o nome "Booteraidge" pôde ser ouvido muitas vezes, mas ninguém o importunou. Não houve, contudo, dificuldade em obter sopa e pão quando chegou sua vez, no final da fila. Temia que não houvesse comida para ele: se algo assim ocorresse, não sabia o que era capaz de fazer.

Depois disso, Bert se aventurou pela pequena galeria suspensa, junto da sentinela solitária. O tempo estava bom, mas o vento ficava cada vez mais intenso, o que aumentava o balanço da aeronave. Isso o levou a se agarrar com o máximo de força à barra de proteção, pois pressentia a vertigem. Já não havia sinal de terra, a massa azul do oceano subia e descia. Um velho e sujo bergantim com a bandeira britânica atravessava as ondas azuladas seguindo o mesmo balanço – o único barco à vista.

3

Durante a noite, o vento começou a soprar com mais força, fazendo a aeronave balançar como um golfinho ao cruzar os céus. Kurt havia dito que muitos homens da tripulação estavam bastante mareados, mas o movimento do veículo não incomodava Bert, cuja sorte residia nessa misteriosa disposição gástrica característica de um bom marinheiro. Dormia bem, mas nas primeiras horas da manhã a luz o acordou. Viu que Kurt já estava de pé, procurando alguma coisa. Por fim encontrou o que buscava no armário, segurando-a de forma vacilante. Era uma bússola. Logo estava confrontando seu mapa.

"Mudamos a direção da nossa rota", refletiu em voz alta, "para acompanhar o vento. Não tinha percebido isso antes. Nós demos as costas para Nova York e seguimos para o sul. É quase como se estivéssemos nos dirigindo para..." Continuou falando sozinho mais algum tempo.

O dia chegou, úmido e batido pelo vento. A janela estava orvalhada do lado de fora, de forma que não puderam ver nada através dela. Também estava muito frio e Bert decidiu ficar enrolado em seus cobertores, em sua cama-armário, até que a corneta soasse chamando para a ração matinal. Depois de consumi-la, encaminhou-se para a pequena galeria. Mas a visibilidade era nula devido ao turbilhão de nuvens que atravessavam e às formas obscuras das outras aeronaves próximas. Apenas em raros intervalos uma pequena fresta de mar cinzento surgia através do fluxo de nuvens.

Mais tarde, ainda durante a manhã, o *Vaterland* ganhou altitude, subindo até um ponto mais alto e claro do céu. Segundo Kurt, atingia naquele momento perto de 13 mil pés de altura.

Bert estava em sua cabine e teve a chance de ver o orvalho desaparecer da janela, substituído pelo brilho da luz exterior. Olhou para fora e viu mais uma vez o sol atravessando a muralha de nuvens, algo que vira pela primeira vez no balão, e as aeronaves da frota aérea germânica surgindo, uma por uma, da vastidão branca, como peixes quando se tornam visíveis na superfície vindos das águas profundas. Contemplou por algum tempo a cena, mas logo correu para a pequena galeria para ver melhor. Abaixo dele, o chão de nuvens era uma deriva tempestuosa, com ventos de tempestade soprando na direção nordeste. A porção de céu próxima à aeronave de Bert era clara, gélida, serena, com exceção de uma brisa suave, que trazia alguns poucos flocos de neve, quase sem vento. Tum, tum, tum, tum. As máquinas nunca paravam de rosnar cortando toda a possível quietude. O enorme rebanho de imensas aeronaves ascendendo uma após a outra produzia um efeito quase sobrenatural, como monstros prodigiosos que surgiam em um mundo pouco familiar...

Ou não houve novidades a respeito da batalha naval aquela manhã, ou, talvez, o príncipe tivesse retido todas as notícias consigo até depois do meio-dia. Então, os boletins chegaram aos montes, informes que deixaram o tenente Kurt tomado por um entusiasmo que se aproximava do frenesi.

— O *Barbarossa* foi atingido e está afundando – ele gritou. — *Gott im Himmel! Der alte* Barbarossa! *Aber welch ein braver Krieger!*"[1]

Kurt andava de um lado para o outro do compartimento, e por esse momento ele foi alemão por inteiro.

Depois voltou a ser um pouco inglês.

— Pense nisso, Smallways! Nós mantínhamos o velho barco o mais limpo e arrumado possível! E, no fim das contas, ele foi destruído: metal voando aos pedaços, os camaradas que eu conhecia idem.

---

1   "Deus do céu! O velho *Barbarossa*! Mas que magnífico guerreiro!"

Gott! Jorros de água escaldante, fogo, armas crepitando e troando! Elas destroçam o que estiver pelo caminho! Tudo voando, aos pedaços! Nenhuma proteção para impedir, nada! E eu aqui em cima, tão perto e tão longe! *Der alte* Barbarossa!

— E os outros barcos? – perguntou Smallways em seguida.

— *Gott!* Sim! Perdemos o *Karl der Grosse*, nosso melhor e maior. Foi posto a pique, pela noite, por um transatlântico britânico que se perdeu no meio da batalha e tentava encontrar uma rota de fuga. A luta ocorreu durante uma tempestade. O transatlântico conseguiu flutuar com a proa estraçalhada, afundando lentamente! Nunca houve uma batalha como essa! Nunca! Ótimos navios e homens valentes dos dois lados, uma tempestade durante a noite e na madrugada, bem no meio do oceano, a todo vapor! Sem arremetidas! Sem submarinos! Armas e pontaria! Perdemos contato com metade de nossos navios, porque os mastros foram abatidos. Latitude, 30° 38' N, longitude, 40° 31' O. Onde será isso?

Voltou a consultar seus mapas, observando atentamente com olhos ausentes.

— *Der alte* Barbarossa! Não consigo tirá-lo da minha mente, a sala de máquinas atingida pelas bombas, as chamas consumindo as caldeiras, os foguistas e maquinistas afundados na água fervente, mortos. Eram camaradas que conviveram comigo, Smallways, sujeitos com os quais tive muitas conversas! Encontraram seu dia, afinal! E não foi um dia de sorte para a maioria!

— Atingido e afundando! Suponho que nem todo mundo é afortunado na batalha. Coitado do velho Schneider! Aposto que ele conseguiu revidar!

De forma que essas e outras notícias a respeito da batalha foram chegando durante toda a manhã. Os americanos perderam um segundo navio, de nome desconhecido; o *Hermann* fora danificado ao tentar resguardar o *Barbarossa*... Kurt era dominado pela ansiedade que costumamos testemunhar em animais aprisionados. Correndo pela aeronave, em um momento subia até a galeria dianteira abaixo da águia; em outro, estava na galeria suspensa e, depois, de novo mergulhado em seus mapas. Ele contaminou Smallways com o sentido de iminência daquela batalha que ocorria próximo à curvatura do planeta. Mas, quando Bert desceu até a galeria, o mundo estava de novo vazio e quieto, com seu límpido céu azul, como uma pintura, cobrindo o limite do que era possível ver do alto. Cirros parados, atravessados por finos raios de sol, permaneciam abaixo da aeronave, e através dessas nuvens anteviam-se as massas de chuva que corriam velozes, mas nem sinal do oceano. Tum, tum, tum, tum, mugiam os propulsores. A ampla e ondulante cunha de aeronaves continuava seu caminho atrás da capitânia como um bando de cisnes que seguiam seu líder. Com exceção do crepitar dos propulsores, estava-se diante de um sonho silencioso. Lá embaixo, em algum lugar no meio da tempestade, armas rosnavam, explosivos eram detonados e, seguindo a velha tradição da guerra, homens lutavam e morriam.

4

À medida que a tarde avançava, o tempo se abriu e o mar tornou-se visível de forma intermitente. A frota aérea baixou lentamente até alcançar uma altitude média. Próximo do pôr do sol, foi possível um vislumbre do destruído *Barbarossa*, ao longe, a leste. Smallways ouviu homens correndo ao longo dos corredores e se dirigiu para a galeria, onde uma dúzia de oficiais já estavam reunidos, examinando com binóculos os destroços do navio de guerra. Havia dois barcos ao lado dos escombros, um exaurido reservatório de combustível – parcialmente projetado fora da água – e um transatlântico convertido em transportador de mantimentos. Kurt estava no final da galeria, distante dos outros.

— *Gott!* – ele disse, por fim, baixando seu binóculo. — É como ver um velho amigo com seu nariz cortado fora, esperando pelo tiro de misericórdia. *Der* Barbarossa*!*

Dominado por um impulso repentino, Kurt passou seu binóculo para Bert, que espiou como pôde, ignorado por todos. O que conseguiu distinguir dos três barcos foi, basicamente, linhas escuras em tons de marrom no mar.

Nunca Bert vira algo parecido com a imagem ampliada levemente borrada que tinha diante dos olhos. Não era apenas um encouraçado irreparavelmente destruído que afundava. Mas sim um encouraçado que passara por um processo de mutilação. Era uma proeza continuar flutuando. Seus poderosos motores foram a sua ruína. Na longa caçada noturna, o *Barbarossa* se perdeu de seus parceiros e acabou esmagado pelos navios de guerra americanos *Susquehanna* e *Kansas City*. Percebendo a proximidade do encouraçado inimigo, estes recuaram até que ele estivesse bem próximo do costado do primeiro deles e enviaram sinalização para o *Theodore Roosevelt*, que veio junto com o pequeno *Monitor*. Ao raiar do novo dia, o *Barbarossa* viu-se anfitrião de um círculo de fogo. A luta durou apenas cinco minutos antes de o *Hermann* surgir, a leste, logo seguido do *Fürst Bismarck* a oeste, o que forçou os americanos a abandonar sua presa. Mas tiveram tempo suficiente para reduzi-la a pedaços de aço e ferro retorcidos; nela haviam extravasado as tensões acumuladas de seu difícil dia de retirada. Quando Bert viu o *Barbarossa*, ele mais parecia um ornamento fantástico de metal derretido. Foi-lhe impossível distinguir cada fragmento do navio, apenas sua posição.

— *Gott!* – murmurou Kurt, ao tomar de volta seu binóculo. — *Gott! Da waren Albrecht – der gute Albrecht und der alte Zimmermann – und Von Rosen!*[2]

Mesmo depois de o *Barbarossa* ser engolido à distância, ao anoitecer, Kurt permaneceu na galeria observando com seu binóculo. Quando voltou para a cabine, estava anormalmente silencioso e pensativo.

— Trata-se de um jogo terrível, Smallways – disse por fim –, essa guerra é um jogo terrível. Qualquer um enxerga as coisas de modo diferente depois do que aconteceu hoje. Muitos trabalharam para construir o *Barbarossa* e havia homens nele, homens do tipo que não se encontra todos os dias. Albrecht, havia um sujeito chamado Albrecht que tocava e improvisava na cítara; fico imaginando o que aconteceu com ele. Nós éramos bons amigos, no melhor estilo alemão.

5

Smallways acordou na noite seguinte e encontrou o compartimento às escuras, atravessado por uma forte corrente de ar, e Kurt falando sozinho em alemão. Podia vê-lo, uma sombra negra diante da janela, que ele abrira para olhar o mundo lá embaixo. Aquela luz fria, clara, diluída – que é menos luz e mais a chegada da aurora, que lança sombras escuras e muitas vezes anuncia o amanhecer no mundo das altitudes elevadas – coloria seu rosto.

— O que tá acontecendo? – perguntou Bert.

---

2   "Deus! Deus! Albrecht! O bom e velho Albrecht. E o velho Zimmermann, e Von Rosen, todos estavam lá!"

— Cale-se! – respondeu o tenente. — Não consegue ouvir?

Na quietude da noite, vieram os baques surdos e pesados das armas, um, dois, uma pausa, depois três em rápida sucessão.

— Caramba! – disse Bert. — São canhões! – e saltou para o lado do tenente instantaneamente. A aeronave ainda sobrevoava a uma distância bem grande o mar, que era mascarado por um fino véu de nuvens. O vento diminuíra. Bert, seguindo o dedo apontado de Kurt, percebeu vagamente, através do véu incolor, primeiro um fulgor avermelhado, em seguida um clarão, depois, não muito distante, outro. Pareciam lampejos silenciosos, mas, segundos depois, quando se esperava que não acontecesse mais nada, ouviram-se baques tardios – tum, tum. Kurt falava em alemão, muito rápido.

Uma corneta soou por todo o dirigível.

Kurt ficou de pé de imediato, dizendo alguma coisa em um tom extremamente excitado, ainda em alemão. Depois correu para a porta.

— Alto lá! O que tá acontecendo? – gritou Bert. — O que houve?

O tenente parou por um instante diante da porta, uma figura negra contra a passagem de luz.

— Você deve permanecer onde está, Smallways. Fique aqui e não faça nada. Nós vamos entrar em ação – ele explicou antes de desaparecer.

O coração de Bert começou a disparar. Ele sentia que sobrevoava a batalha dos navios de guerra, logo abaixo. Em um instante, desceriam eles próprios para atacar, como falcões caçando um pássaro? "Caramba!", murmurou, por fim, pasmo e assustado.

Tum!... Tum! Descobriu à distância uma segunda série de clarões vermelhos proveniente de armamento em resposta à primeira série. Percebia uma espécie de alteração no *Vaterland*, que ele não conseguia explicar de imediato. Após algum tempo, notou que os propulsores reduziram seu ritmo a uma batida próxima do inaudível. Botou a cabeça para fora da janela e viu no ar gelado do exterior as outras aeronaves efetuando um movimento descendente quase imperceptível.

Uma segunda corneta soou, de aeronave para aeronave. As luzes foram todas desligadas: a frota tornou-se sombria, maciços negros projetados contra o azul intenso do céu que ainda permitia a existência eventual de alguma estrela. Permaneceram nesse movimento por algum tempo, que a Bert pareceu interminável. De repente, surgiu o som de ar sendo bombeado para o balonete. Bem lentamente, o *Vaterland* desceu em direção às nuvens.

Bert esticou o pescoço, mas não conseguiu ver se o resto da frota acompanhava a capitânia; o beiral das câmaras de gás bloqueava sua visão. Algo em tudo aquilo, naquela decida furtiva e silenciosa, atiçava-lhe a imaginação.

A escuridão se adensou, a última estrela do horizonte desapareceu, e ele sentiu a presença fria das nuvens. Subitamente, o brilho do mundo inferior ganhou contornos, transformou-se em chamas, e o *Vaterland* parou de descer e quedou-se na posição de observador ainda não percebido, um pouco abaixo de um estrato de nuvens que se deslocava depressa. Mil pés, talvez, acima da batalha.

Durante a noite, o disperso atacar e recuar entre os navios de guerra passou para uma nova fase. Os americanos conseguiram se agrupar nos limites da linha do horizonte com habilidade e destreza até constituírem uma espécie de coluna, bem ao sul da busca frenética empreendida pelos alemães. Na escuridão que precedia o amanhecer, assim reunidos, dirigiam-se para o norte com o objetivo de cruzar a linha de batalha do inimigo e atacar a flotilha que trazia suprimentos para a frota aérea germânica, cujo destino era Nova York. Muito havia mudado desde o primeiro contato entre as duas frotas navais. Naquele momento, o almirante americano, O'Connor, já completamente ciente da existência das aeronaves, não estava mais tão preocupado com o Panamá, uma vez que uma flotilha de submarinos acabara de chegar na altura do canal vinda de Key West para se juntar ao *Delaware* e ao *Abraham Lincoln*, dois poderosos e moderníssimos navios de guerra, que já estavam em Rio Grande, no lado do canal que dava no Pacífico. Suas manobras, contudo, foram atrasadas por uma explosão nas caldeiras do *Susquehanna*, que estava muito exposto ao amanhecer, o que possibilitou ao *Bremen* e ao *Weimar* partir para um ataque imediato. Só havia duas alternativas: abandonar o *Susquehanna* à própria sorte ou partir para um confronto que envolvesse o restante da frota americana. O'Connor escolheu a segunda opção. Mas isso não significava atirar-se em uma luta sem esperança. Os alemães, embora bem mais numerosos e com maior poder de fogo, estavam em uma linha dispersa que se prolongava por cerca de 45 milhas de uma ponta à outra. As chances eram consideráveis para os sete barcos do lado americano, pois poderiam fazer em pedaços os navios isolados nessa coluna antes que estes conseguissem obter alguma concentração de fogo.

O dia que raiava ainda era escuro e nublado. Assim, o *Bremen* e o *Weimar* não perceberam que teriam de lidar com mais navios inimigos além

127   V. A BATALHA DO ATLÂNTICO NORTE

do *Susquehanna* até que toda a coluna surgiu por trás dele, a uma distância de mais ou menos 1 milha, caindo sobre os navios alemães. Essa era a situação quando o *Vaterland* surgiu no céu. O brilho vermelho que Bert vira através da coluna de nuvens tinha sido produzido pelo malfadado *Susquehanna*. Uma chuva de artilharia o atingiu, queimando-o inteiramente. Mas ele ainda prosseguia lutando com pelo menos dois de seus canhões enquanto se deslocava lentamente para o sul. O *Bremen* e o *Weimar*, ambos atingidos diversas vezes, dirigiam-se para o oeste e para o sul, tentando se afastar. A frota americana, liderada pelo *Theodore Roosevelt*, atravessava por trás dos dois barcos alemães, encurralando-os sucessivamente, posicionando-se entre eles e o modelo maior e mais poderoso, o *Fürst Bismarck*, vindo do oeste. Para Bert, contudo, os nomes de todos esses navios eram desconhecidos, e por tempo considerável confundiu a direção dos movimentos de cada um dos combatentes, imaginando que os alemães eram os americanos e que os americanos eram os alemães. Viu o que parecia ser uma coluna de seis encouraçados perseguindo três outros que ganharam apoio de um quarto, recém-chegado, até que o *Bremen* e o *Weimar* abriram fogo contra o *Susquehanna* e atrapalharam seus cálculos. Assim, por algum tempo, esteve completamente perdido. O barulho dos canhões ajudava a aumentar a confusão, pois eles não pareciam mais caracterizados pelo baque da explosão. Era como uma batida constante, bam, bam, bam. Cada clarão débil fazia seu coração saltar pela boca na antecipação do impacto. Por outro lado, via esses encouraçados não de perfil, como estava acostumado a ver em imagens, mas a partir de um plano geral aéreo, no qual surgiam curiosamente encurtados. A maior parte de tais navios apresentava conveses vazios, embora pontilhados vez ou outra por pequenos nós humanos que se protegiam atrás de amuradas metálicas. O longo e agitado nariz das enormes armas lançava finos clarões transparentes e a atividade nos costados, gerada pelo uso das metralhadoras, chamava bastante atenção de um observador com a visão de um pássaro. Os navios americanos, movidos a vapor, dispunham de duas a quatro chaminés; os alemães, flutuando em um nível mais baixo, estavam equipados com motores de combustão que, por algum motivo, emitiam um insólito rosnado em voz baixa. Por causa da propulsão a vapor, os navios americanos eram maiores e tinham contornos mais graciosos. Bert via todos esses desproporcionais navios navegando e abrindo fogo com seus canhões em alto-mar, varridos por ondas diminutas e iluminados pela luz fria e direta do amanhecer. Todo o espetáculo ondulava lentamente com o ritmo prolongado característico da aeronave.

Inicialmente, apenas o *Vaterland*, de toda a frota aérea, surgiu sobre a cena da batalha. Pairou em altitude razoável, bem acima do *Theodore Roosevelt*, mantendo a mesma velocidade do barco. Do solo, seria possível avistar a aeronave de maneira intermitente, por entre as nuvens. O resto da frota aérea alemã permaneceu acima do dossel de nuvens, a uma altitude de 6 ou 7 mil pés, comunicando-se com a capitânia através de telegrafia sem fio, mas não se expondo ao risco de ser alvo da artilharia terrestre.

Seria difícil determinar o momento em que os infelizes americanos perceberam a presença deste novo elemento na batalha. Nenhum registro sobreviveu a essa experiência. Precisamos tentar imaginar, tanto quanto pudermos, o que ocorreu quando um marinheiro, calejado em batalhas, de repente olhou para os céus e descobriu uma forma imensa e silencio-sa logo acima da sua cabeça, mais vasta que qualquer encouraçado, carregando um gigantesco estandarte germânico. Assim que o céu clareou, mais dessas coisas apareceram no céu azul conforme as nuvens se dissolviam. Pareciam displicentemente livres de armas de fogo e de blindagem, voando velozes para manter o ritmo com os navios em luta no mar.

Do início ao fim do confronto, nenhum canhão foi disparado na direção do *Vaterland*, apenas alguns tiros de rifle. Eram meras tentativas desesperadas que se baseavam no golpe de sorte de acertar algum tripulante a bordo. Tampouco a principal aeronave alemã participou de confrontos diretos. Voava acima da perdida armada americana enquanto o príncipe dirigia os movimentos das outras aeronaves via telégrafo sem fio. Simultaneamente, o *Vogel-stern* e o *Preussen*, cada um deles com meia dúzia de *Drachenflieger* embarcados, avançavam com velocidade máxima e então desciam através das nuvens, umas 5 milhas adiante dos navios americanos. O *Theodore Roosevelt* fez fogo ao menos uma vez com os canhões maiores de sua barbeta dianteira, mas os petardos explodiram muito abaixo do *Vogel-stern*. Logo doze *Drachenflieger* desciam para iniciar seu ataque.

Bert esticava o pescoço como podia através da pequena escotilha para conseguir ver todo o incidente: o primeiro encontro entre aeroplano e encouraçado. Os esquisitos *Drachenflieger* alemães, com suas amplas asas achatadas, a cabeça retangular e o corpo arredondado, conduzidos por um único tripulante – todos eles planavam como uma revoada de pássaros. "Caramba!", exclamou Bert. Um deles, à direita, arremeteu de modo extravagante, fez uma curva acentuada para o alto, explodiu com um estrondo e mergulhou em chamas no mar. Outro, que mergulhou de ponta na direção das águas, aparentemente foi feito em pedaços ao chocar-se com as ondas. Bert viu homenzinhos no convés do *Theodore Roosevelt*, reduzidos a meras cabeças e pés, correndo de um lado para o outro para efetuar disparos. Nesse momento, a principal máquina voadora passava célere entre Bert e o convés do navio americano. Depois se ouviu o trovejante bum! de uma explosão. A bomba voara do aeroplano até a barbeta dianteira. Apenas um pequeno filete de disparos feitos por rifles conseguiu responder a esse ataque. As baterias das metralhadoras americanas começaram sua cantilena de trá, trá, trá. Uma explosão surgiu como resposta do *Fürst Bismarck*. Mais duas máquinas voadoras atravessaram o campo de visão de Bert, lançando bombas contra o encouraçado, e uma quarta teve seu condutor atingido, perdeu altitude e acabou explodindo entre as chaminés do navio inimigo, mandando-as pelos ares. Por um breve momento, Bert teve uma visão momentânea de uma criaturinha enegrecida saltando da máquina voadora que despencava dos ares, apenas para atingir uma das chaminés e desabar igualmente, conduzido instantaneamente para o nada pelas chamas e pelo impacto da explosão.

Cabum! Uma vasta explosão fez desaparecer o setor frontal do principal encouraçado da frota americana. Um enorme pedaço de metal pareceu elevar-se no ar antes de cair novamente nas águas, afundando um bom número de homens e permitindo a um *Drachenflieger* lançar sua bomba incendiária. Então, por um momento, Bert contemplou claramente, diante da impiedosa luz das chamas, inúmeros animálculos queimados que lutavam em meio às espumas formadas em torno do *Theodore Roosevelt*. O que eram aqueles bichos? Não eram homens, com toda a certeza podiam ser tudo, menos homens, não é verdade? Aquelas criaturinhas que se afogavam, mutiladas, rasgavam com suas minúsculas garras a alma de Bert. "Ó, meu Deus!", gritou. "Ó, meu Deus!", quase soluçava. Olhou de novo para baixo e todos desapareceram. O perfil negro do *Andrew Jackson*, um pouco desfigurado pelo último tiro do *Bremen* – que naufragava –, dividia as águas que entravam por seu casco em duas ondas perfeitamente simétricas. Por alguns momentos, um pavor absoluto cegou Bert para a destruição diante de seus olhos.

De repente, com o rugido impetuoso que parecia o voleio de explosões menores, o *Susquehanna*, distante 3 milhas a leste, explodiu e desapareceu abruptamente em águas ferventes. Por instantes, não havia nada para ver: apenas águas atormentadas. Depois surgiram eructações de baixo para cima, o ruído imenso de borbotões, o resfolegadouro de vapor, ar, combustível, fragmentos de tecido, madeira e homens.

Esses fatos resultaram em uma pausa nos embates. Uma pausa bem longa, ao menos para Bert. Procurou os *Drachenflieger*. A ruína achatada de um deles flutuava próximo ao *Monitor*. O resto passava veloz, soltando bombas na coluna americana. Vários estavam nas águas, aparentemente sem nenhuma avaria, enquanto três ou quatro permaneciam no ar, mas voltavam, traçando círculos amplos, às suas naves-mães. Os encouraçados americanos não conseguiam mais manter uma formação de coluna. O *Theodore Roosevelt*, bastante avariado, voltava-se para o sudeste, enquanto o *Andrew Jackson*, muito castigado, mas sem nenhuma avaria ou perda de recursos bélicos, se postava contra o ainda fresco e vigoroso *Fürst Bismarck* para interceptação e troca de tiros. A oeste, surgiam o *Hermann* e o *Germanicus* prontos para a ação.

Na pausa subsequente ao desastre do *Susquehanna*, Bert tomou ciência de um som trivial, como o barulho de uma porta rangente, puxada com força – o som de saudações e vivas da tripulação do *Fürst Bismarck*.

Durante essa pausa, o sol se levantou, as águas negras tornaram-se de um azul luminoso e uma torrente de luz dourada irradiou-se por todo o orbe. Surgiu como um sorriso inesperado em uma cena de ódio e terror. O véu de nuvens tinha desaparecido como que por mágica, e toda a imensidão da frota aérea alemã dominava o céu. Essa frota, agora, dirigia-se para atacar sua presa.

Cabam! Cabam! Esse era o som dos canhões, mas os encouraçados não foram feitos para combater o zênite, e os únicos acertos americanos surgiram de tiros aleatórios de fuzis. A coluna deles agora estava quebrada, o *Susquehanna* se fora, o *Theodore Roosevelt* recuava para fora, com suas armas dianteiras destruídas, transformado em uma pilha de destroços, e o *Monitor* estava em perigo real e imediato. Esses dois barcos cessaram fogo, o mesmo acontecendo com o *Bremen* e o *Weimar*, tendo os quatro desistido de atirar uns nos outros em uma trégua involuntária, embora com as bandeiras de seus países ainda hasteadas. Apenas quatro navios americanos, liderados pelo *Andrew Jackson*, mantinham sua rota a sudeste. O *Fürst Bismarck*, o *Hermann* e o *Germanicus* corriam paralelos aos encouraçados americanos, lutando vigorosamente. Nesse momento, o *Vaterland* levantou-se lentamente dos ares, preparando-se para iniciar o ato final daquele drama.

Assim, planando uma depois do outra numa coluna, doze aeronaves arremeteram com despreocupada ligeireza contra o que restara da frota americana. Mantinham-se a uma altitude de uns 2 mil pés ou mais, até que estivessem bem acima do alvo, um pouco adiante do último encouraçado. Em seguida, abaixaram-se rapidamente, evitando a fonte de balas que se espargia, indo um pouco mais rápido do que o navio, e bombardearam suas plataformas ridiculamente desprotegidas até que a área abaixo tornou-se um tapete de chamas. Assim, as aeronaves passaram, uma depois da outra, por toda a coluna americana que persistia em seus combates com o *Fürst Bismarck*, o *Hermann* e o *Germanicus*, cada uma delas adicionando um pouco mais de destruição e confusão ao que a predecessora havia trazido. O fogo dos americanos cessou, exceto por alguns disparos heroicos, mas os navios ainda persistiam em seu curso, obstinadamente insubmissos, ensanguentados, danificados, em resistência colérica, cuspindo balas na direção das aeronaves e atacados impiedosamente pelos encouraçados alemães. Mas agora Bert conseguia obter vislumbres intermitentes dessa última coluna americana, a visão turvada pela massa das aeronaves em voo de assalto...

Bert, então, percebeu que todo o clangor da batalha diminuía de intensidade, se tornava menor e menos perceptível. O *Vaterland* subia novamente para altas altitudes, firme e silenciosamente. Em dado momento, o impacto das armas não ressoava mais no peito, mas alcançava os ouvidos já esvaído na distância. Logo, os quatro navios silenciados a leste tornaram-se coisas minúsculas: ainda eram quatro? Bert agora conseguia distinguir apenas três, ruínas enegrecidas e fumegantes que flutuavam contra o sol. Porém, o *Bremen* descera dois botes; o *Theodore Roosevelt* também lançava botes onde a corrente de objetos diminutos lutava para se manter acima das largas ondas do Atlântico... O *Vaterland* já não estava na luta. O tumulto todo dirigia-se a sudeste, ficando menor e menos audível a cada segundo. Uma das aeronaves jazia nas águas, uma nascente monstruosa de chamas. No mais extremo do sudoeste, surgiram primeiro um, depois três outros encouraçados alemães, a toda velocidade, para ajudar seus companheiros...

6

O *Vaterland* planava firmemente, um voo coordenado com toda a frota que corrigia a rota para se dirigir a Nova York. A batalha tornou-se algo minúsculo e distante, um incidente ocorrido antes do café da manhã. Restringia-se a uma série de formas escuras e chamas amareladas reduzidas à condição de mancha indistinta no vasto horizonte do novo dia, até se perder totalmente de vista...

Eis como Bert Smallways acompanhou o primeiro combate de aeronaves e a última luta das criaturas mais estranhas na história da guerra: os navios encouraçados, que iniciaram sua carreira como baterias flutuantes do imperador Napoleão III na Guerra da Crimeia e duraram, custando imenso dispêndio de energia e recursos humanos, bem uns setenta anos. Nesse período, o mundo produziu mais de 12.500 dessas monstruosidades, de várias escolas, tipos, séries, sempre mais pesados, maiores e mais mortais que seus predecessores. Cada um deles, por sua vez, era aclamado como o último e mais decisivo de todos – a maioria vendida como ferro-velho. Apenas cerca de 5% deles chegaram a participar de alguma batalha. Alguns naufragaram, outros permaneceram em terra até apodrecer, vários colidiram entre si por acidente, afundando em seguida. Incontáveis vidas foram desperdiçadas para mantê-los: os gênios mais esplêndidos, a paciência de milhares de engenheiros e inventores, bens e materiais incalculáveis. Na conta dos encouraçados, devemos incluir as vidas raquíticas e famintas da terra firme, os milhares de crianças enviadas para o trabalho pesado e abusivo, as inúmeras oportunidades de uma vida melhor jogadas fora. O dinheiro tinha de ser despejado para que tais monstros marinhos perseverassem – essa era a lei que garantia a existência das nações àquela estranha época. Certamente os encouraçados foram os mais esquisitos, destrutivos e dispendiosos megatérios de toda a história da invenção mecânica.

E então essas coisas voadoras baratas, feitas de gás e revestidas de vime, liquidaram com todos os monstros marinhos blindados, massacrando-os do céu!...

Bert Smallways nunca antes vira a destruição pura e simples, nunca antes imaginara os estragos e as perdas da guerra. Sua mente sobressaltada reagiu diante da conclusão de que isso também se dava na existência humana. Acima de toda a furiosa torrente de sensações, uma imagem se destacou e tornou-se essencial – os homens do *Theodore Roosevelt* lutando pela vida contra as águas logo após a explosão da primeira bomba. "Caramba!", pensou Bert consigo. "Poderia ter sido comigo e com o Grubb!... Acho que na tentativa de sobreviver você acaba se debatendo e enchendo a boca de água. Mas acho que não dura muito."

Ficou ansioso por ver como Kurt foi afetado por tudo aquilo. Percebeu também que estava faminto. Hesitou diante da porta da cabine enquanto bisbilhotava para ver como estava a situação do lado de fora, no corredor. Ao final dele, próximo ao passadiço que levava ao refeitório, um pequeno grupo de marujos dos ares olhava alguma coisa em um recuo inacessível aos olhos de Bert. Um dos tripulantes daquele grupo trajava as roupas de mergulhador que Bert já vira antes na torre da câmara de gás. Caminhou discretamente para observar mais de perto o sujeito no traje de mergulho, tentando examinar o capacete que ele trazia debaixo do braço. Mas negligenciou o capacete quando se aproximou do recuo, porque ali ele encontrou o corpo de um rapaz que havia sido morto por uma bala vinda do *Theodore Roosevelt*.

Bert não tomara conhecimento de que nenhum disparo fora feito contra o *Vaterland*, nem sequer imaginara que estivera sob fogo pesado. Não conseguiu entender por algum tempo o que matara o rapaz, e ninguém se deu ao trabalho de explicar-lhe.

O garoto jazia no chão como se tivesse caído morto ali mesmo, com o casaco rasgado e chamuscado, o ombro esmagado e separado do corpo, todo o lado esquerdo dilacerado e disforme. Havia muito sangue. Os marujos ouviam o homem com o capacete, que explicava o que acontecera. Apontava para o buraco redondo da bala no chão e para o painel lacerado pela passagem do perverso míssil, cuja energia residual ainda fez leve estrago. Todas as fisionomias eram graves e sérias; ali estavam os rostos sóbrios, loiros, emoldurando olhos azuis, acostumados a uma vida regrada em estrita obediência, a quem aquela coisa destroçada, encharcada e deplorável que antes fora um camarada causou impressão tão estranha quanto a Bert.

Um repique de gargalhadas soou através da passagem, na direção da pequena galeria, e alguém falou – mais parecia um grito – em alemão, em tom bastante exaltado.

Outras vozes surgiram em resposta, numa tonalidade mais baixa e respeitosa.

— *Der Prinz* – disse uma voz. Todos os homens assumiram uma postura mais rígida e menos natural. Pelo corredor, apareceu um grupo de figuras. O tenente Kurt vinha na frente, carregando um maço de papéis.

Kurt estacou assim que viu a coisa no recuo, e seu rosto corado empalideceu.

— Então! – disse surpreso.

O príncipe o seguia, falando por cima dos ombros com Von Winterfeld e com o *Kapitän*.

— Hã? – disse para Kurt, interrompendo uma sentença que formulava assim que acompanhou o gesto da mão do tenente. Observou o objeto distorcido que jazia no canto enquanto, aparentemente, refletiu por um instante.

Fez um gesto mínimo, negligente, na direção do corpo do garoto, e se voltou para o *Kapitän*.

— Livrem-se disso – foi o que o príncipe disse, em alemão, antes de seguir seu caminho. Finalizou uma frase para Von Winterfeld com o mesmo tom alegre com que a iniciara.

7

A profunda impressão deixada pelos homens desesperados se afogando, tão viva em Bert desde a batalha do Atlântico Norte, mesclava-se inextricavelmente com aquela da figura imperial do príncipe Karl Albert gesticulando ao lado do corpo do marujo no *Vaterland*. Antes, nutria a ideia de que as guerras eram um tipo de negócio alegre, destruidor, excitante, algo como a farra de um feriado em larga escala, no fim das contas agradável e divertido. Agora, tinha ideias mais claras.

No dia seguinte, acrescentou-se à sua crescente desilusão um terceiro elemento grotesco, trivial demais até para merecer descrição, um incidente necessário e corriqueiro em um cenário de guerra, mas extremamente perturbador para uma imaginação excessivamente urbana como a de Bert. Costuma-se utilizar o termo "urbanidade" para expressar a docilidade típica do período. Aos amontoados cidadãos daquela época era muito incomum, e muito diferente do que ocorria em épocas passadas, que vissem alguém ser assassinado; não era comum ver – a não ser atenuada pelos livros e pelas imagens – a violência letal subjacente à existência. Bert tinha visto um ser humano morto apenas três vezes em toda a sua vida. Nunca assistira ao assassinato de nada muito maior que um gatinho recém-nascido.

O incidente que representou seu terceiro choque foi a execução de um dos homens do *Adler* por carregar uma caixa de fósforos. O criminoso foi pego em flagrante delito. O homem esquecera que estava com uma caixa de fósforos ao subir a bordo da aeronave. Foram amplamente noticiadas, anteriormente, as consequências e a gravidade desse delito: comunicados estavam espalhados em numerosos pontos por todas as aeronaves. O único argumento do sujeito era que ele estava tão acostumado com a inocuidade dos comunicados que se preocupava mais com o próprio trabalho que com detalhes de bagagem pessoal. Assim, usava como defesa algo considerado outro crime gravíssimo em assuntos militares: a negligência. Foi julgado pelo capitão de sua aeronave, tendo a sentença sido confirmada por telégrafo sem fio pelo príncipe, que decidiu fazer uma execução pública e exemplar para todas as tripulações da frota. "Os alemães", declarou o príncipe, "não atravessaram o Atlântico para ficar pensando na morte da bezerra". Para que essa lição de disciplina e obediência fosse visível a todos, determinou--se que o culpado não fosse eletrocutado ou afogado, mas enforcado.

Dessa forma, toda a frota se agrupou ao redor da capitânia como carpas em um lago na hora da alimentação. O *Adler* se elevava no zênite, imediatamente ao lado da aeronave principal. Toda a tripulação do *Vaterland* estava reunida na galeria suspensa. As tripulações das outras aeronaves agrupavam-se nas câmaras de gás, ou seja, escalaram as treliças disponíveis para chegar até locais mais altos. Os oficiais estavam nas plataformas das metralhadoras. Para Bert era uma visão totalmente estupenda, ao menos de onde estava, pois era possível enxergar toda a frota reunida. Ao longe, dois navios a vapor cruzavam as águas azuis: um britânico e o outro com a bandeira americana. Pareciam objetos minúsculos, pontos para marcar uma escala ínfima. Estavam a uma imensidão de distância. Bert permaneceu na galeria, curioso para ver a execução, embora estivesse desconfortável porque aquele terrível príncipe loiro estava a 12 pés dele, encarando-o terrivelmente, com os braços cruzados e os calcanhares unidos, à moda militar.

Enforcaram o homem do *Adler*. Usaram 60 pés de corda, de modo que o corpo, pendente e oscilante, ficasse à vista de todos os in-

fratores que pudessem estar escondendo caixas de fósforo ou planejando qualquer desobediência congênere. Bert viu o homem em pé, ainda vivo, relutante, sem dúvida com medo e nutrindo alguma revolta em
seu coração, mas mantendo-se ereto e obediente, na galeria inferior do
Adler a mais ou menos 100 jardas de distância. Mas logo o empurraram
para o nada...

E ele caiu, mãos e pés estendidos, até sentir o tranco que significava
o fim da corda. Nesse momento ele deveria morrer, contorcer-se de forma
edificante. Contudo, algo mais terrível aconteceu: sua cabeça foi decepa-
da, o corpo seguiu rodopiando em direção ao mar, débil, grotesco, fantástico, com a cabeça seguindo o mesmo percurso, não muito distante.

— Ugh! – disse Bert, segurando com força o parapeito diante dele.
Um gemido complacente foi produzido por vários membros da tripulação
ao lado dele.

— Isso! – disse o príncipe, severo e rígido, e ainda olhou a cena geral por mais alguns segundos. Depois se virou para o passadiço e aden-
trou a aeronave.

Por um bom tempo, Bert permaneceu agarrado ao parapeito na galeria. Estava chegando a algo próximo do enjoo físico decorrente do horror
causado por esse incidente ordinário. Achou aquilo ainda mais medonho
que a própria batalha. Ele era, de fato, um indivíduo bastante degenerado,
moderno e civilizado.

No final daquela tarde, Kurt voltou para a cabine e encontrou-o curvado na cama, com a aparência pálida e algo miserável. Kurt, por sua vez,
parecia ter perdido algo de sua espontânea viçosidade.

— Está mareado? – perguntou o tenente.

— Não!

— Creio que alcançaremos Nova York à noite. O vento está bom, bem
atrás de nossas caudas. Por lá, creio que veremos coisas interessantes.

Bert não respondeu.

Kurt abriu a cadeira e a mesa dobráveis e gastou algum tempo com
seus mapas. Em seguida, abateu-se com pensamentos sombrios. Levantou-se e olhou para seu companheiro.

— Qual é o problema? – questionou.

— Nada!

Kurt olhou fixamente para ele, ameaçador.

— Qual é o problema? – repetiu.

— Eu vi matarem aquele camarada. Eu vi o homem na máquina voadora atingir a chaminé do grande encouraçado. Eu vi o garoto morto no corredor. Vi muita morte e destruição em um só dia. Esse é o problema. Não gosto disso. Não sabia que a guerra era isso. Sou só um civil. Não gosto disso.

— Eu também não – disse Kurt. — Caramba, não!

— Já li coisas sobre a guerra e tal, mas vê-la de perto é bem diferente. Estou ficando zonzo. Zonzo à beça. Não me importei em andar neste balão no início, mas toda essa história de descer e destruir coisas, matar pessoas, isso está me dando nos nervos. Entende?

— Teremos que descer novamente...

Kurt meditou.

— Você não é o único. A tripulação toda está um pouco nervosa. Quanto a voar... é apenas isso, voar. É natural, no início, ficar mareado. Quanto a matar, temos que sujar as mãos de sangue, apenas isso. Somos homens domados, civilizados. E temos que sujar as mãos. Suponho que não há nem uma dúzia de homens na tripulação que tenham visto derramamento de sangue. Até agora foram alemães tranquilos, calmos, seguidores da lei... E aqui estão todos eles: prontos para sujar as mãos. Parecem um pouco suscetíveis agora, mas espere até entrarem em ação.

Ele refletiu.

— Todos estão um pouco nervosos – disse.

Voltou-se novamente para os mapas. Bert sentou-se enrodilhado em um canto, sem prestar muita atenção ao colega. Por algum tempo, permaneceram em silêncio.

— Por que é que o príncipe tinha que enforcar aquele sujeito? – perguntou Bert de repente.

— O príncipe foi correto - respondeu Kurt –, totalmente correto. *Sim*, correto. As regras são claras, preto no branco, mas aquele tolo trouxe seus fósforos...

— Caramba! Vai demorar pra eu esquecer isso tudo – disse Bert, alheio.

Kurt não respondeu. Estava medindo a distância até Nova York e especulando.

— Imagine como devem ser os aeroplanos da América, hem? – disse. — Talvez parecidos com nossos *Drachenflieger*... Saberemos amanhã, mais ou menos neste mesmo horário... Me pergunto: o que encontraremos? Me pergunto mesmo. Suponha que eles lutem... Um combate encarniçado!

O tenente começou a assobiar suavemente enquanto meditava. Por fim, saiu da cabine. Mais tarde, Bert o viu observando o crepúsculo na plataforma suspensa. Olhava para a frente e especulava consigo mesmo a respeito do que aconteceria no dia seguinte. Nuvens cobriram o mar de novo. A longa e dispersa cunha de aeronaves subia e descia conforme flutuava, como um bando de recém-nascidos num caos que não pertencia à terra nem às águas, apenas ao céu e à névoa.

A GUERRA NO AR

VI.
COMO A GUERRA
CHEGOU A NOVA YORK

1

A cidade de Nova York, no ano do ataque alemão, era a maior, mais rica, mais esplêndida (em muitos aspectos) e mais perversa (em outros tantos) cidade que o mundo já conhecera. Era o tipo mais extremo de cidade da era científica e comercial. Exibia sem pudores, da maneira mais completa e inquietante, grandeza, poder, iniciativa anárquica e impiedosa, desorganização social. Fazia algum tempo que deixara Londres para trás no orgulhoso posto de Babilônia moderna; era o centro financeiro, comercial e de prazer do mundo, e os homens a comparavam com as cidades apocalípticas dos antigos profetas. Essa cidade dragava as riquezas de um continente, como Roma outrora fizera com o Mediterrâneo, e a Babilônia, com as riquezas do Oriente. Em suas ruas, era possível encontrar os extremos da magnificência e da miséria, de civilização e de barbárie. Em um quarteirão, palácios de mármore ornados e coroados de luzes, chamas e flores, erguidos diante de crepúsculos cuja beleza era indescritível; em outro, uma população poliglota, sinistra e escura, sobrevivia em lúgubres casebres, fervilhando em inexprimível congestionamento de viveiros humanos cavados terra adentro, apartada do poder e do conhecimento de qualquer governo. Aqui, o vício, o crime e a lei foram inspirados por uma mesma energia furiosa e terrível, e, como as grandes cidades da Itália medieval, seus caminhos eram obscuros e aventurosos devido a guerras particulares.

Foi o formato peculiar da ilha de Manhattan – pressionada pelos braços do mar em cada um de seus flancos e incapaz de expandir-se com conforto a não ser em uma estreita faixa de terra ao norte – que dotou os arquitetos locais de um forte apreço pela verticalidade extrema. Cada necessidade era profusamente suprida – dinheiro, material, mão de obra. Só não havia espaço. No início, projetavam suas construções para as alturas forçosamente. Mas logo descobriram todo um novo mundo de beleza arquitetônica, de refinadas linhas ascendentes. Em pouco tempo, os congestionamentos centrais foram aliviados por túneis sob o mar, quatro pontes colossais sobre o East River e uma dúzia de cabos para monotrilhos de leste a oeste, de modo que o crescimento vertical continuou. De muitas formas, Nova York e sua esplêndida plutocracia eram uma repetição de Veneza: na magnificência de sua arquitetura, pintura, escultura e ornamentação, por exemplo. Também na intensidade cruel de seus métodos políticos, em sua ascendência comercial e marítima. Não havia paralelo, contudo, na desordem negligente de seus administradores, uma negligência que mantinha vastas áreas da cidade sem nenhum tipo de lei, uma anarquia sem precedentes, de modo que alguns distritos eram simplesmente intransitáveis, atravancados por uma guerra civil feroz que ocorria logo ali, nas ruas, possibilitando a proliferação de verdadeiras Alsatias[1] nas quais a força policial não ousava botar os pés. A cidade era um caldeirão étnico. As bandeiras de todas as nações tremulavam em seus portos. Em seu clímax, as idas e vindas anuais ultramarinas chegavam a 2 milhões de pessoas. Para a Europa, ela era a América; para a América, a porta de entrada do mundo. Mas contar a história de Nova York seria como escrever a história social do mundo: santos e mártires, sonhadores e canalhas, as tradições de milhares de raças e de religiões – tudo isso está em sua estrutura, e pode ser encontrado pulsando e acotovelando-se em suas ruas. E acima de toda essa confusão torrencial de homens e propósitos tremula o bizarro estandarte de estrelas e listras que outrora significou a mais nobre, mas também a menos nobre de todas as coisas da vida: por um lado, a liberdade, e por outro, a ganância primitiva do aventureiro individual diante dos propósitos de um Estado organizado.

Durante muitas gerações, Nova York não tinha prestado nenhuma atenção ao desenrolar das guerras. Eram eventos distantes, que afetavam os preços e alimentavam os jornais com toda sorte de manchetes sensacionalistas e fotos atrozes. Os nova-iorquinos talvez sentissem,

1   Terra sem lei.

certamente ainda mais que os ingleses, que a guerra em seu território era algo inconcebível. Compartilhavam, dessa forma, uma ilusão comum a toda a América do Norte. Sentiam-se como espectadores de touradas, em confortável segurança: arriscavam, talvez, algum dinheiro com os resultados, mas nada além disso. Tais ideias a respeito da guerra, tão comuns no americano médio, eram derivadas das limitadas, pitorescas e aventurosas guerras do passado. Viam a guerra assim como viam a História: através de uma névoa iridescente, desodorizada – perfumada até –, com todas as crueldades essenciais deixadas educadamente de lado. Estavam inclinados a considerar a guerra como algo enobrecedor, a lamentar o fato de não disporem dela em suas experiências privadas. Liam com interesse, mesmo com certa avidez, a respeito de novas armas, de seus progressivamente gigantescos encouraçados, de seus progressivamente devastadores explosivos. Contudo, o que esses tremendos mecanismos de destruição significavam para a existência de cada um era algo com que não atinavam. A julgar pela literatura por eles produzida, os americanos absolutamente não consideravam a guerra e sua mecânica algo concernente à sua vida. Simplesmente imaginavam que a América estava segura mesmo que cercada de tantos explosivos. Saudavam a bandeira por hábito e tradição, menosprezavam outras nações e, sempre que surgia algum problema internacional, reagiam com intenso patriotismo – ou seja, eram ardentemente contra os políticos locais que não ameaçassem ou tomassem alguma medida dura, inflexível, contra os povos que se colocavam como inimigos. Eram veementes com a Ásia, veementes com a Alemanha e tão veementes com a Grã-Bretanha que, internacionalmente falando, o comportamento do Império em relação à sua grande colônia era constantemente comparado ao do marido molenga intimidado diante de sua jovem e perversa esposa, conforme retratado na caricatura contemporânea. De resto, apenas cuidavam de seus negócios e de seu prazeres, como se a guerra tivesse sido extinta junto com o megatério...

Mas eis que, de repente, nesse mundo pacífico que se ocupava, em grande parte, do aperfeiçoamento de armamentos e explosivos, estourou a guerra. Junto com ela, o choque de realidade advindo do fato de que todas aquelas armas e canhões teriam uso, que as massas infinitas de material inflamável, espalhadas pelo mundo, finalmente seriam incendiadas.

2

O efeito imediato do repentino início dos conflitos sobre Nova York apenas aguçou a veemência usual da cidade.

Os jornais e as revistas que alimentavam a mente americana – uma vez que os livros, nesse continente de indivíduos impacientes, se tornaram material com o qual apenas colecionadores gastavam sua energia – transformaram-se, do dia para a noite, em um imenso mural fulgurante com imagens de guerra e manchetes que voavam como foguetes e explodiam como petardos. Assim, a alta tensão das ruas de Nova York recebeu o toque adicional da febre de guerra. Grandes massas humanas surgiram, especialmente no horário do jantar, na Madison Square, junto ao monumento de Farragut, para ouvir e saudar discursos patrióticos. Uma verdadeira epidemia de bandeirinhas e broches inundava as torrentes de jovens que flanavam pelas ruas. Chegavam a Nova York pela manhã de carro, veículo de monotrilho, metrô ou trem, para trabalhar, e faziam o caminho de volta para casa entre as cinco e as sete. Era perigoso não portar um broche patriótico de guerra. Os esplêndidos teatros de variedades à época embebiam cada tópico em patriotismo, e as cenas apresentadas evoluíam com feroz entusiasmo – homens fortes choravam ao ver a bandeira nacional erguida por todo o vigor do balé, e holofotes especiais e truques de luz impressionavam a audiência. As igrejas ecoavam todo esse entusiasmo nacional em tons mais solenes e em escala menor. Os preparativos aéreos e navais no East River sofriam atrasos com a multidão de vapores cheios de turistas que se aglomeravam para saudar, dedicados, seus militares. O comércio de armas leves recebeu potente estímulo, pois muitos cidadãos extenuados encontraram algum alívio para suas emoções disparando nas ruas essa espécie mais ou menos heroica, perigosa e nacional de fogo de artifício. Os balões de ar infantis de último tipo, atados às pontas de barbantes, causaram distúrbios sérios aos pedestres no Central Park. E em meio a cenas de indescritível emoção, a legislatura de Albany, em generosa suspensão de leis e precedentes, aprovou em sessão permanente nas duas casas do legislativo o longamente disputado projeto de lei para o alistamento obrigatório e universal no estado de Nova York.

Críticos do caráter americano estão dispostos a considerar que, antes do impacto real do ataque alemão, o povo de Nova York tratava toda a questão da guerra como se fosse uma manifestação política. Tais críticos assinalavam que pouco ou nenhum dano seria infligido às forças alemãs e japonesas apenas utilizando broches, pequenas bandeiras tremulantes, fogos de artifício ou canções. Eles haviam se esquecido de que, sob os ditames de guerra que a ciência impusera ao mundo por quase um século, o setor não militarizado da população não poderia causar qualquer dano que fosse a seus inimigos, e, ademais, não havia razão para que não agissem como agiram. O estabelecimento da eficácia militar tornava a mudar de mãos: da maioria à minoria, dos ordinários aos especializados. Os dias em que emotivos soldados de infantaria decidiam batalhas haviam passado para nunca mais voltar. A guerra tornara-se questão de aparelhagem, de treinamento técnico e de habilidade do tipo mais complexo disponível. Tornara-se antidemocrática. E, a despeito do valor que a comoção pública pudesse ter, é inegável que o núcleo regular e estabelecido do governo dos Estados Unidos, confrontado com a emergência totalmente inesperada de uma invasão armada vinda da Europa, agiu com vigor, ciência e imaginação. Eles foram pegos de surpresa no que tangia ao sentido diplomático da coisa toda, e os equipamentos disponíveis para a construção de dirigíveis e aeroplanos eram desprezíveis quando comparados aos enormes parques industriais alemães. Mesmo assim lançaram-se ao trabalho para provar que o espírito que impulsionara a construção do *Monitor* e dos submarinos sulistas em 1864 não estava morto. O chefe do setor aeronáutico próximo de West Point era Cabot Sinclair, indivíduo que permitiu a si mesmo uma única vez a postura universal daqueles tempos democráticos. "Nós escolhemos nossos epitáfios", disse a um repórter, "e nós escolhemos algo como 'Eles fizeram tudo o que foi possível'. Agora, caia fora!".

O mais curioso é que, de fato, eles fizeram tudo o que foi possível, sem exceções conhecidas. Se houve alguma imperfeição, foi, sem dúvida, de estilo.

Um dos fatos históricos mais surpreendentes dessa guerra, aquele que tornou mais clara a completa separação entre os métodos empregados por militares em conflitos e a necessidade do apoio democrático, foi o efetivo sigilo das autoridades de Washington a respeito de suas aeronaves. Eles não se preocuparam em confiar um único fato de seus preparativos ao público. Nem mesmo o Congresso recebeu o privilégio da informação. Todas as investigações foram abafadas e suprimidas.

A guerra foi travada pelo presidente e seus secretários de Estado de uma forma totalmente autocrática. Toda a publicidade em torno dela era feita apenas para antever e prevenir agitações inconvenientes de defesa de divergentes pontos de vista. As autoridades perceberam que o maior perigo numa guerra aérea seria que a excitável e perspicaz opinião pública exigisse o emprego de aeronaves e aeroplanos na defesa dos interesses locais. Essa atitude, com os recursos disponíveis, poderia levar a uma fatal divisão das forças armadas nacionais. Temiam, especialmente, ser forçados a uma ação prematura de defesa de Nova York, pois percebiam, de modo profético, que essa cidade era a vantagem específica buscada pelos alemães. Assim, tomaram enormes precauções para conduzir a mente da coletividade na direção da defesa por artilharia e para desviar as atenções de todo e qualquer pensamento relacionado à batalha aérea. Os preparativos reais eram mascarados pelos falsos. Em Washington, havia um enorme estoque de armas navais, que foram distribuídas rápida e ostensivamente entre as cidades do leste, sob grande atenção da imprensa. Esse armamento foi deixado em morros e cumes proeminentes próximo aos centros populacionais mais ameaçados. Foram montados em adaptações grosseiras do eixo rotatório de Doan, que àquela época fornecia o deslocamento vertical máximo para uma peça de artilharia. Muitas dessas armas ainda estavam desmontadas e praticamente todas jaziam desprotegidas quando a frota aérea alemã chegou a Nova York. Quando isso se deu, nas ruas abarrotadas de gente os leitores de jornais nova-iorquinos brindavam a si mesmos com belas manchetes e ainda mais belas ilustrações, tais como:

O SEGREDO DO RAIO MORTAL.
CIENTISTA IDOSO APERFEIÇOA A ARMA ELÉTRICA
QUE ELETROCUTARÁ TRIPULAÇÕES DE AERONAVES
AO INVERTER RELÂMPAGOS.
WASHINGTON ENCOMENDA 500.
O ALOJAMENTO DE LUXO DO SECRETÁRIO DE GUERRA.
GOVERNO AFIRMA QUE VAI ABATER OS ALEMÃES.
PRESIDENTE APLAUDE PUBLICAMENTE DITO ESPIRITUOSO.

3

A frota alemã alcançou Nova York antes mesmo das notícias a respeito do desastre naval americano. Alcançou Nova York no final da tarde e foi vista primeiro por observadores em Ocean Grove e Long Branch, uma chegada célere desde os mares ao sul na direção noroeste. A capitânia passou quase verticalmente acima do observatório de Sandy Hook, em rápida ascensão. Poucos minutos depois, toda a Nova York vibrava com o fogo dos canhões de Staten Island.

Muitos desses canhões, especialmente aqueles localizados em Giffords e em Beacon Hill, acima de Matawan, eram notavelmente bem manejados. O primeiro, a uma distância de 5 milhas e enfrentando uma elevação de 6 mil pés, mandou um petardo que explodiu tão próximo do *Vaterland* que o vidro da janela dianteira do príncipe ficou em pedaços. Essa repentina explosão fez com que Bert encolhesse a cabeça com a velocidade de uma tartaruga assustada. Toda a frota aérea imediatamente subiu até os 12 mil pés e nessa altitude passou incólume, acima dos canhões ineficazes. As aeronaves alinhadas em seu deslocamento assumiram a forma de um V achatado, com seu vértice direcionado para a cidade de Nova York e a capitânia ocupando seu ponto mais elevado. As duas extremidades desse V passaram sobre Plumfield e Jamaica Bay, respectivamente, enquanto o príncipe corrigia ligeiramente a rota para leste, sobre Narrows, para logo depois planar acima de Upper Bay. Alcançaram então Jersey City em posição para dominar a parte baixa de Nova York. Ali, os monstros pendiam dos ares, amplos e fantásticos à luz noturna, ignorando serenamente as ocasionais explosões de foguetes e clarões de petardos em altitudes mais baixas.

Tratava-se de uma pausa para mútua inspeção. Por um breve momento, a humanidade ingênua esmagou o que se convencionava em tempos de guerra; o interesse dos milhões no solo e dos milhares no ar era espetacular. À noite, o tempo estava inesperadamente bom – apenas algumas poucas nuvens situadas a 7 ou 8 mil pés quebravam a luminosidade crepuscular. Não havia nem mesmo vento. Era, de fato, uma noite bastante serena. As pesadas concussões produzidas pela artilharia distante e as inofensivas pirotecnias no nível das nuvens pareciam ter pouco a ver com matança, força, terror e rendição. Eram quase como salvas em um desfile naval. No solo, cada ponto que proporcionava alguma visão das aeronaves encontrava-se lotado de espectadores, o telhado dos edifícios imponentes, as praças públicas, as balsas ativas, mesmo as esquinas com uma perspectiva favorável agrupavam uma multidão. Todos os píeres ficaram cheios de pessoas, o Battery Park ficou denso com a multidão compacta vinda do lado leste da cidade, e cada local possível no Central Park e em toda a Riverside Drive pululavam de agrupamentos peculiares que subiam as ruas adjacentes. Os passeios das grandes pontes acima do East River também ficaram intransitáveis pela quantidade de pessoas que se acumulavam. Por todos os lados, vendedores deixavam suas lojas, trabalhadores abandonavam seus ofícios e mulheres e crianças, a segurança de seus lares. Todos queriam ver o prodígio.

"Isso é melhor", diziam, "do que os jornais contam".

Nos ares, muitos dos ocupantes das aeronaves observavam com igual curiosidade. Nenhuma cidade do mundo é tão bem situada quanto Nova York, tão magnificamente cortada pelo mar, pela falésia e pelos rios, tão admiravelmente disposta para exibir os efeitos vertiginosos de seus edifícios, a imensidão complexa de suas pontes e monotrilhos, seus feitos de engenharia. Perto dela, Londres, Paris, Berlim são coisas amorfas, aglomerações inferiores. O porto dava acesso ao âmago de Nova York como acontecia em Veneza e, assim como Veneza, era óbvia, dramática e orgulhosa. Vista de cima, parecia um ser vivo com seus trens e carros, invadida em mil pontos pela luz já trêmula do início da noite. Nova York sempre foi melhor à noite, maravilhosamente melhor.

— Caramba! Que lugar! – exclamou Bert.

Era tão maravilhosa, e tão pacificamente magnífico o seu efeito em geral, que fazer a guerra contra um local assim parecia ser de uma incongruência sem limites, como levantar cerco contra a National Gallery ou atacar, com machados e cotas de malha, pessoas respeitáveis na sala de jantar de um hotel. A cidade era tão ampla, tão complexa, tão delicadamente imensa, que empurrá-la para a guerra seria o mesmo que jogar um pé de cabra contra o mecanismo de um relógio. Já o cardume de enormes aeronaves que pairavam no alto iluminadas pela luz do sol, preenchendo o sol, parecia igualmente distante das forças pavorosas identificadas com a guerra. Para Kurt, para Bert, para um número desconhecido, mas considerável, de membros da frota, era clara a percepção apreensiva dessas incompatibilidades. Contudo, o que dominava a cabeça do príncipe Karl Albert eram as substâncias vaporosas dos romances:

ele era um conquistador diante da cidade inimiga. Quanto maior a cidade, maior o triunfo. Não há dúvida de que, durante aquela noite, teve momentos de inédito júbilo com o próprio poder.

Chegou o momento em que a pausa terminou. As comunicações sem fio entre a frota e a cidade lembraram-se de que estavam em lados opostos no confronto entre potências. "Vejam!", gritava a multidão. "Vejam!"

"O que estão fazendo?"

"O quê?..." Cinco aeronaves desciam através do crepúsculo. A primeira delas dirigia-se para o Navy Yard, no East River. Outra, para a prefeitura. Duas alcançaram os grandes edifícios empresariais em Wall Street e Lower Broadway. Uma estava em cima da Brooklyn Bridge. Afastavam-se de suas parceiras, atravessando a zona de perigo na qual a distante artilharia se fazia presente, e rapidamente se aproximaram das massas urbanas. Diante de tal descenso, todos os carros nas ruas pararam instantânea e dramaticamente, todas as luzes que se acendiam nas ruas e nas casas foram apagadas novamente. Os administradores que estavam na prefeitura finalmente acordaram e entraram em contato com a central de comando federal para tomar as medidas de defesa cabíveis. A prefeitura solicitou aeronaves, recusando-se a aceitar os termos da rendição conforme orientação de Washington, tornando-se um centro de intensa atividade e exaltação. Por todos os lados, com rapidez, a polícia começou a dispersar as multidões. "Voltem para suas casas", dizia. As palavras corriam de boca em boca: "Vai haver confusão". Um calafrio de apreensão parecia atravessar a cidade. Homens que corriam na insólita escuridão, atravessando o City Hall Park e a Union Square, adquiriram as formas vagas de soldados armados, que recebiam ordens e eram despachados de volta. Em meia hora, Nova York havia passado de um pôr do sol sereno, cheio de espanto e admiração, a uma noite tumultuada e ameaçadora.

A primeira baixa aconteceu na fuga em pânico que tomou a Brooklyn Bridge com a aproximação da aeronave.

Com a interrupção do tráfego, a paralisia tomou conta de Nova York ao mesmo tempo que os perturbadores disparos da ineficaz artilharia de defesa se tornavam mais e mais audíveis. Em dado momento, os disparos também cessaram. Seguiu-se uma pausa para negociações. As pessoas, sentadas na escuridão, buscavam consolo nos telefones, que estavam mudos. Então, quebrando a angústia dessa espera, vieram o estrondo e o tumulto, a destruição da Brooklyn Bridge, o fogo de rifles

149   VI.   COMO A GUERRA CHEGOU A NOVA YORK

no Navy Yard, a explosão de bombas em Wall Street e na prefeitura. Nova York, como um todo, não podia fazer nada ou entender o que acontecia. Nova York, nas trevas, observava e ouvia esses sons distantes, que morriam tão subitamente quanto surgiram. "O que será que está acontecendo?", perguntavam em vão.

A seguir, houve um período longo e vago. As pessoas que olhavam pelas janelas de apartamentos mais altos descobriram que as aeronaves monstruosas dos alemães, planando silenciosamente, estavam tão próximas que podiam ser tocadas com a mão. Lentamente, as luzes elétricas voltaram e o rugido dos vendedores das edições noturnas dos jornais se fazia ouvir nas ruas.

As unidades da vasta e multifacetada população nova-iorquina entenderam o que ocorrera: uma batalha que terminou com a cidade hasteando a bandeira branca...

4

Os lamentáveis incidentes que se seguiram à rendição de Nova York surgem agora, em retrospecto, como as consequências necessárias e inevitáveis do choque entre a maquinaria moderna e as condições sociais produzidas por um século de domínio da ciência de um lado e a tradição de um patriotismo primitivo e romântico do outro. A princípio, as pessoas receberam o fato com um distanciamento irresponsável, da mesma forma como reagiriam diante da redução de velocidade do trem no qual estivessem viajando ou do surgimento de um monumento público na cidade.

"Nós nos rendemos. Meu Deus! É *verdade*?" Essa foi a maneira como as notícias iniciais foram recebidas. Eram reações que guardavam proximidade com o espírito deslumbrado exibido no momento da primeira aparição da frota de aeronaves. Lentamente, veio a compreensão do significado real da rendição, impregnada por um fluxo passional, como as reflexões diante de um dilema pessoal. "Nós nos rendemos!", e logo depois, "conosco, a América foi derrotada". Em seguida, esses sentimentos passaram a arder dolorosamente em todos.

Os jornais que começaram a sair a uma hora da manhã não continham nenhuma descrição pormenorizada da rendição de Nova York – nem forneceram nenhum detalhe a respeito do breve confronto que a precedeu. Edições posteriores corrigiram essas deficiências. Foram listados os termos do acordo para fornecimento de provisões para as aeronaves alemãs, de munição e explosivos com a finalidade de repor aqueles que foram empregados na destruição da frota do Atlântico Norte, do pagamento de vultoso resgate, na ordem dos 40 milhões de dólares, e da rendição incondicional da flotilha no East River. Também havia nos jornais longas descrições de como a prefeitura e o Navy Yard tinham virado escombros, e foi assim que os habitantes da cidade começaram a perceber o que os poucos minutos de barulho e tumulto realmente tinham significado. Liam-se histórias de homens reduzidos a pedaços, de soldados entregues à resistência inútil e desesperada em meio a um indescritível cenário de destruição, de bandeiras recolhidas por homens aos prantos. Essas estranhas edições noturnas continham ainda as primeiras e breves descrições, vindas por telegramas da Europa, a respeito do fim trágico da frota do Atlântico Norte, pela qual os nova-iorquinos sempre nutriram especial afeto e orgulho. Lentamente, no correr das horas, a consciência coletiva acordou, e a onda de espanto patriótico diante da humilhação sofrida flutuava no ar. O desastre alcançou a América; repentinamente, Nova York viu-se uma cidade conquistada nas mãos de seu conquistador, com o deslumbre dando lugar a uma cólera indizível.

Quando tal fato amadureceu na mentalidade do povo, brotou, tal como brotam as chamas, um repúdio raivoso. "Não!", gritou Nova York, despertando durante a madrugada. "Não! Não estou derrotada. Isso é um sonho."

Antes que o novo dia raiasse, a célere ira dos americanos percorria toda a cidade, atravessando cada um daqueles milhões de almas. Antes mesmo que as coisas chegassem à ação, antes que tomassem forma, os homens nas aeronaves já podiam sentir a gigantesca onda de emoção insurgente, da mesma maneira que, segundo dizem, os rebanhos e os animais isolados pressentem a chegada de um terremoto. Os jornais do grupo controlado por Knype[2] forneceram a fórmula materializada em palavras: "Nós não aceitamos", diziam simplesmente. "Nós fomos traídos!" As pessoas diziam isso em todos os lugares, isso corria de boca em boca, em

---

2   Magnata das comunicações inventado por Wells, mas provavelmente moldado a partir do célebre William Randolph Hearst (1863–1951).

toda e qualquer esquina, na pálida luz do alvorecer, oradores lançavam discursos inflamados a respeito da necessidade de reação do espírito americano, fazendo da vergonha uma realidade pessoal para cada ouvinte. Para Bert, que estava em seu posto a 500 pés de altura, parecia que a cidade, depois de emitir ruídos confusos, zumbia agora como uma colmeia de abelhas – abelhas bastante zangadas.

Depois do ocaso da prefeitura e do correio, a bandeira branca tinha sido hasteada de uma torre no velho edifício Park Row, e para lá se dirigira o prefeito O'Hagen, impulsionado pelos aterrorizados proprietários de edifícios na parte baixa de Nova York para negociar os termos de rendição com Von Winterfeld. O *Vaterland*, de onde o secretário desceu por uma escada de corda, permaneceu pairando, circulando muito lentamente acima dos grandes edifícios, novos e antigos, agrupados ao redor do City Hall Park, enquanto o *Helmholz*, que comandou a batalha naquela região, se elevou para uma altura de 2 mil pés, talvez. Portanto, Bert tinha uma visão muito próxima do que ocorria naquele ponto central. A prefeitura, o tribunal de justiça e o correio se transformaram em ruínas calcinadas, enquanto uma massa de edifícios no lado oeste da Broadway sofreu danos consideráveis. No caso dos dois primeiros, as perdas humanas não foram de grande monta, mas uma multidão de trabalhadores, que incluía mulheres e crianças, foi apanhada pela destruição do correio. Um pequeno exército de voluntários, com distintivos brancos, trabalhava junto com os bombeiros na retirada dos corpos, alguns ainda com vida, mas a maioria horrivelmente carbonizada. Os mortos e os feridos eram levados para o imenso edifício Monson, bem próximo. Por todos os lados, os bombeiros dirigiam seus brilhantes jatos de água sobre massas ardentes: a mangueira jazia por toda a praça, e a polícia fazia cordões de isolamento para conter as multidões, especialmente vindas do East Side.

Um contraste violento e extraordinário com esse cenário de destruição era dado pelas sedes dos grandes jornais em Park Row, perto dali. Estavam todas funcionando a pleno vapor. Não foram abandonadas nem mesmo no auge dos bombardeios. No momento, os impressores e jornalistas estavam em atividade frenética, tentando construir detalhadamente a história, a imensa e medonha história daquela noite, desenvolvendo comentários e, na maioria dos casos, espalhando a ideia de resistência bem debaixo do nariz das aeronaves. Por um bom tempo, Bert não conseguiu imaginar o que eram esses escritórios furiosamente ativos a despeito de tudo. Então, ouviu o ruído das máquinas de impressão e soltou mais um de seus "Caramba!".

Distante desses prédios da imprensa, e parcialmente escondido pelos arcos do velho Elevated Railway (convertido em monotrilho anos antes), havia outro cordão de isolamento da polícia e uma espécie de acampamento com ambulâncias e médicos, que concentrava os mortos e feridos do início da noite de horror na Brooklyn Bridge. Bert viu tudo isso de sua perspectiva de pássaro, enquanto as coisas se passavam dentro de um enorme poço de formato irregular cercado pelas falésias dos altíssimos edifícios. Na direção norte, era possível ver o alongado e íngreme desfiladeiro da Broadway, no qual, a intervalos regulares, multidões se aglomeravam em torno de oradores inflamados. Quando levantou os olhos, viu chaminés, postes telegráficos e telhados de Nova York. Por todos os lados visíveis, surgiam debates acalorados que só não existiam onde a fúria das chamas e os jatos de água duelavam. Por toda parte, mastros estavam destituídos de bandeiras; um lençol branco tremulava para cima e para baixo sobre os edifícios de Park Row. E sobre as luzes sinistras, o movimento fervilhante e as intensas sombras de todas essas cenas estranhas agora rompiam a madrugada fria e imparcial.

Aos olhos de Bert Smallways, tudo isso acontecia através de um pequeno quadro: a escotilha aberta, um mundo pálido e obscurecido captado de uma moldura sombria, tangível. Durante toda a noite esteve agarrado a essa moldura, aos saltos e estremecimentos quando das explosões, enquanto assistia aos eventos fantasmagóricos. Ora estava no alto, ora bem próximo do solo; ora seu universo quase mergulhava em silêncio, ora voava bem perto da destruição, dos gritos e dos lamentos. Viu aeronaves voarem baixo e rápido logo acima das ruas escurecidas, preenchidas de uivos. Viu grandes prédios, subitamente iluminados de vermelho em meio às sombras, serem esmagados pelas bombas. Testemunhou pela primeira vez em sua vida o princípio veloz e grotesco das conflagrações insaciáveis. Diante de tudo isso, sentia-se deslocado, distanciado. O *Vaterland* não chegou a lançar uma única bomba: apenas vistoriava e comandava. Desceram, por fim, para se postar acima do City Hall Park. Crescia na mente de Bert, em ondas do mais puro pavor, a percepção de que aquelas massas enegrecidas e iluminadas pelo fogo eram grandes escritórios, e o vaivém espectral das luzes de lanternas, entre o cinza e o branco, era a retirada dos cadáveres e dos mutilados. Conforme a luz do dia chegava, ele compreendia com maior clareza o que eram aquelas distorcidas figuras negras...

Ele estivera observando, hora após hora, desde que Nova York surgira no horizonte azul e indistinto da rota que a aeronave percorria. Com o raiar do novo dia, sentiu uma fadiga intolerável.

Levantou os olhos exaustos para o rubor rosado do céu, bocejou longamente e arrastou-se, murmurando consigo, pela cabine, até seu leito. A verdade é que ele não chegou a deitar-se, mas despencou em cima do colchão e imediatamente adormeceu.

Ali, horas depois, Kurt o encontraria espalhado de modo pouco digno profundamente adormecido. Era a imagem mais clara da mente democrática confrontada com problemas de uma época muito complicada, que lhe escapava à compreensão. O rosto estava pálido e indiferente e a boca, escancarada, emitia um sonoro ronco. Um ronco bastante desagradável.

Kurt contemplou seu colega de cabine por um momento com um leve desgosto. Então, chutou seu tornozelo.

— Acorde – disse ao atarantado Smallways –, e deite-se decentemente. Bert sentou-se e esfregou os olhos.

— Mais alguma luta por aí? – perguntou.

— Não – disse Kurt, que se sentara também, a própria imagem do cansaço.

— *Gott!* – gritou dentro em pouco, esfregando o rosto com as mãos. — Como eu queria um banho frio! Estive de guarda até agora nas câmaras de gás em busca de buracos de balas perdidas. Durante a noite toda – bocejou. — Preciso dormir. É melhor você desaparecer da minha vista, Smallways. Não consigo suportar a sua cara, ainda mais nesta manhã. Você é desagradável e inútil feito o diabo. Pegou as suas provisões? Não! Bom, vá lá pegar, então. E não volte tão cedo. Fique pela galeria...

5

Assim, mais ou menos refeito pelo café e pelo sono, Bert retomou sua inelutável colaboração com a Guerra no Ar. Desceu até a pequena galeria, seguindo as instruções do tenente Kurt, agarrou-se ao parapeito na extremidade do local, fora da vista do vigia, tentando manter-se o mais discreto e inofensivo possível, reduzido a um fragmento de vida quase invisível.

Um vento subia do sudeste com força razoável. Isso obrigava o *Vaterland* a pender para tal direção, exigindo certa habilidade de manobra nas idas e vindas acima da ilha de Manhattan. Ao longe, a noroeste, as nuvens se agrupavam. O barulho repetitivo das lentas hélices do propulsor lutando contra o vento era muito mais ruidoso do que quando os mecanismos estavam em velocidade máxima; e o atrito do vento contra o lado de baixo da câmara de gás produzia uma série de ondulações superficiais ao longo do *Vaterland* e um som parecido, mas mais suave, com o das ondas quando se chocam contra a quilha de um navio. A aeronave estava parada logo acima da prefeitura temporária estabelecida no edifício Park Row e de vez em quando descia para retomar as negociações com o prefeito e com Washington. Mas a natureza incansável do príncipe não permitia que ele permanecesse no mesmo lugar por muito tempo. Ora circulava acima do Hudson e do East River; ora subia para uma altitude mais elevada, talvez para espiar a amplitude das distâncias azuladas do céu; em determinado momento ascendeu de maneira tão súbita e atingiu altitudes tão elevadas que o enjoo assolou a tripulação e o próprio príncipe, obrigando-os a novo descenso. Bert partilhava com seus companheiros a vertigem e a náusea.

A vista oscilante variava muito com tantas mudanças de altitude. Agora eles estavam baixo e próximo do solo, o que permitia a Bert distinguir – na pouco usual e vertiginosa perspectiva aérea – janelas, portas, ruas e luminosos, pessoas e os menores detalhes, e perscrutar o comportamento enigmático das massas e aglomerações humanas nos telhados e nas ruas. Mas logo subiam de novo e os detalhes diminuíam, os traços que separavam cada uma das ruas se unificavam, a amplitude da visão aumentava, as pessoas tornavam-se insignificantes. No limite de altitude, a vista sofria um efeito de distorção curioso, como se a terra firme se transformasse no relevo de uma mapa côncavo. Bert, então, tinha diante de si a terra superlotada de gente, cortada por caminhos de água brilhantes, o Hudson River como uma lança prateada e o estuário de Long Island como um escudo. Mesmo para a mente pouco filosófica de Bert, o contraste entre a cidade em terra firme e a frota nos céus apontava uma oposição: de um lado, a tradição aventureira americana e, de outro, a ordem e a disciplina germânicas. Embaixo, os prédios, imensos, enormes e delgados como eram, pareciam árvores gigantes de uma floresta que lutava pela vida; sua grandeza pictórica era tão fortuita quanto os acidentes do penhasco e do desfiladeiro, uma casualidade ampliada pela fumaça e pela confusão das conflagrações ainda ferozes e difusas. No céu, flutuavam as aeronaves alemãs, estabelecendo um mundo inteiramente oposto, muito mais ordenado, totalmente orientado para o mesmo ângulo no horizonte, uniforme em sua construção e aparência, executando movimentos como que coreografados e buscando um único propósito, da mesma forma que uma alcateia faria, em perfeita e efetiva cooperação de todas as partes.

Bert percebeu que quase um terço da frota estava em seu campo de visão. Os outros desapareceram em distâncias inimagináveis que ultrapassavam o alcance daquele grande círculo de terra e céu visíveis. Imaginava possibilidades, mas não havia ninguém por perto para perguntar. À medida que o dia passava, mais ou menos uma dúzia de aeronaves reapareceu a leste, com provisões plenamente reabastecidas graças à flotilha de acompanhamento, rebocando um bom número de *Drachenffieger*. Durante a tarde, o clima adensou-se com nuvens carregadas surgindo a sudoeste, agrupando-se em deslocamento rápido, de tal forma que uma nuvem parecia engendrar outras mais, e o vento soprava com força crescente. No início da noite, o vento tornou-se uma tempestade que os dirigíveis, agora baloiçantes, tiveram de enfrentar.

Durante todo aquele dia, o príncipe negociou com Washington enquanto outras aeronaves vagavam por todos os estados do leste em busca de qualquer coisa parecida com um parque aeronáutico. Um esquadrão de vinte aeronaves se separou durante a noite e sobrevoou as Cataratas do Niágara, dominando o local de fornecimento de energia da cidade.

Ao mesmo tempo, o movimento insurrecional na metrópole crescia, incontrolável. A despeito dos cinco grandes incêndios, resultantes da primeira batalha com as aeronaves, que se espalhava por muitos acres consistentemente, Nova York não estava convencida de ter sido derrotada.

Inicialmente, o espírito de rebelião se concentrou em gritos isolados, oradores de rua, sugestões da imprensa; começou a ganhar força com o aparecimento de bandeiras americanas em diversos pontos da paisagem arquitetônica escarpada da cidade. É bem possível que, em muitos casos, essa exibição do pano cívico por uma localidade que já se rendera surgisse como resultado de certa informalidade inocente da mente americana, mas também é inegável que, em outros, fora uma indicação deliberada de que as pessoas "se sentiam horríveis".

O senso germânico de correção estava profundamente chocado com esse tipo de levante. Graf von Winterfeld imediatamente comunicou-se com o prefeito, apontando essas irregularidades, e as brigadas de combate aos incêndios foram instruídas sobre esse assunto. A força policial de Nova York lançou-se freneticamente ao serviço e, como consequência, surgiram focos de grossa pancadaria entre cidadãos passionais e resolutos em manter a bandeira tremulando. Isso irritou e aborreceu os oficiais da polícia, portando ordens específicas de baixar os estandartes.

O problema se tornou mais agudo, por fim, nas ruas em torno da Columbia University. O capitão da aeronave que vigiava o quarteirão no qual a universidade se encontrava aparentemente tentou derrubar e arrastar uma bandeira que tremulava sobre o Morgan Hall. Imediatamente, uma saraivada de balas provenientes de revólveres e rifles foi disparada das janelas dos últimos andares dos edifícios mais altos que se postavam entre a universidade e Riverside Drive.

A maioria dos tiros foi ineficaz, mas dois ou três conseguiram perfurar as câmaras de gás e um deles esmagou a mão e o braço de um membro da tripulação que estava na plataforma dianteira. A sentinela na galeria inferior respondeu imediatamente aos tiros: a metralhadora localizada na parte mais blindada da águia fez seu trabalho e prontamente evitou novos disparos. A aeronave então ascendeu, mandando um relato do ocorrido para a capitânia e para a prefeitura, que enviou policiais e soldados para o local do confronto. Assim, esse incidente em particular foi resolvido.

Contudo, logo depois veio mais uma tentativa desesperada de um grupo de jovens membros de um clube de Nova York, que, inspirados por aventuras imaginárias e patrióticas, subiram em meia dúzia de carros motorizados até Beacon Hill e aplicaram-se com notável vigor à tarefa de improvisar um fortim que seria munido de um canhão Doan com eixo giratório. Descobriram que os canhões ainda estavam sob o domínio de alguns artilheiros contrariados, que haviam recebido ordens de cessar fogo e capitular, e portanto foi fácil contagiá-los com suas ideias. Aqueles declararam que seus canhões não tiveram nenhuma chance de disparar e ansiavam por mostrar do que eles eram capazes. Dirigidos pelos recém-chegados, construíram uma trincheira inclinada, ao lado da estrutura de montagem do aparato, além de frágeis abrigos subterrâneos com chapas de ferro corrugado.

Já estavam carregando a arma quando foram vistos pela aeronave *Preussen*, e o petardo que conseguiram disparar antes que as bombas deste último os destroçassem junto com suas frágeis defesas atingiu a câmara de gás central do *Bingen*, abatendo a aeronave, que teve de pousar, fora de combate, em Staten Island. Tendo seus reservatórios de gás quase esvaziados, a aeronave avariada caiu no meio das árvores, acima das quais os sacos de gás centrais se espalharam como dosséis e festões. Não houve incêndios, contudo, o que permitiu à tripulação lançar-se imediatamente aos reparos. Comportavam-se com uma confiança que beirava a indiscrição. Enquanto boa parte dos homens dedicava-se a remendar a membrana lacerada, meia dúzia pegou a estrada mais próxima em busca de fontes de gás, mas se viu prisioneira do furor da multidão hostil. Bem perto, havia um grande número de casas cujos ocupantes evoluíram velozmente de uma inamistosa curiosidade à agressão. A essa altura, o controle policial sobre a grande população poliglota de Staten Island tornou-se bastante relaxado, e era raro que qualquer casa na região não dispusesse de pistolas, rifles e vasta munição. Essas armas logo apareceram diante dos alemães abatidos em busca de gás, e, depois de uns dois ou três disparos errados, um dos membros da tripulação foi atingido no pé. Diante dessa recepção, os alemães deixaram de lado seu trabalho de remendos e reparos e abrigaram-se entre as árvores para responder ao fogo inimigo.

O ruído de tiros rapidamente trouxe o *Preussen* e o *Kiel* até a cena de combate. De posse de algumas granadas, fizeram um razoável serviço de demolição nas residências da localidade dentro de um raio de 1 milha. Numerosos não combatentes americanos, incluindo homens, mulheres e crianças, foram mortos, e os agressores, expulsos. Por algum tempo, os reparos prosseguiram pacificamente graças à imediata proteção das duas aeronaves. Quando retornaram aos pontos onde estavam aquarteladas, um intermitente fogo de franco-atiradores e lutas diversas eclodiram ao redor do encalhado *Bingen*. Seguiram por toda a tarde e fundiram-se à batalha geral que ocorreu durante a noite...

Por volta das oito da noite, o *Bingen* foi assaltado por bandos armados e todos os seus defensores foram massacrados após um feroz e desordenado combate.

A dificuldade dos alemães, nesses dois casos, veio da impossibilidade de alocar uma força eficaz de ocupação em terra, ou mesmo uma força de qualquer tipo na própria frota aérea. Os dirigíveis eram notavelmente inadequados para o transporte de grupos de soldados para deslocamento em terra firme. Suas tripulações eram em número justo para manobrar os propulsores e o aparato em si, além de cuidar da proteção e lutar a partir dos ares. De cima, os danos que poderiam infligir eram imensos, capazes de levar qualquer governo organizado a uma capitulação em curtíssimo espaço de tempo. Mas não podiam cuidar do desarmamento, muito menos da real ocupação das áreas capturadas. Tinham de confiar na pressão que exerciam nas autoridades aterrorizadas com a ameaça de renovados bombardeios. Era seu único recurso. Sem dúvida, um governo altamente organizado e incólume e um povo homogêneo e bem disciplinado seriam o suficiente para manter a paz. Mas esse não era o caso da América. Não apenas pelo fato de o governo de Nova York ser fraco e sua polícia, insuficiente. A destruição de edifícios essenciais como a prefeitura, o correio e outros relacionados aos gânglios nervosos centrais da cidade desorganizou definitivamente as possibilidades de cooperação entre as partes. Os bondes e trens pararam de funcionar. O serviço de telefonia estava em grande parte inoperante, ativo apenas intermitentemente. Os alemães atingiram a cabeça da cidade e a conquistaram e atordoaram, mas isso apenas libertou o corpo de seu controle. Nova York se transformou em um monstro sem cabeça, incapaz da necessária submissão coletiva. Em todas as partes surgiam levantes espontâneos; as autoridades oficiais, abandonadas aos próprios expedientes, uniram-se ao municiamento, ao agitar de bandeiras e ao excitamento geral que a todos dominavam.

6

A desintegração da trégua materializou-se definitivamente com o assassinato – creio que o termo mais adequado aqui seria esse – do *Wetterhorn* sobre a Union Square, a menos de 1 milha de distância das ruínas exemplares da prefeitura. O fato ocorreu no final daquela tarde, entre as cinco e as seis. Nesse momento, o tempo piorara bastante e a operação das aeronaves estava submetida à necessidade que elas tinham de se manter acima das fortíssimas rajadas de vento. O vento furioso, em ondas sucessivas, acompanhado por granizo e trovoada, deslocava-se do sul para o sudeste. Para evitar o mau tempo o máximo possível, a frota aérea voava muito baixo, próximo das residências, diminuindo o campo de observação e expondo-se a um ataque de rifles.

Durante a noite, um canhão ressurgiu na Union Square. Ele não chegou a ser montado, inicialmente, muito menos disparado. Na escuridão que se seguiu à rendição, havia sido deixado, junto com sua munição, debaixo dos arcos do gigantesco edifício Dexter. No final da manhã, alguns espíritos patrióticos lembraram-se da existência dele. O canhão foi retirado de seu repouso por um guincho e levado até os andares superiores do edifício. Fizeram um bom trabalho de camuflagem da peça de artilharia, mascarada atrás das persianas decorosas dos escritórios. Lá estava o canhão, aguardando como uma criança excitada. Por fim, a quilha do desafortunado *Wetterhorn* apareceu, instável e voando a um quarto da velocidade máxima acima dos pináculos recentemente reconstruídos da Tiffany's. De imediato, a bateria de um canhão se revelou. O vigia da aeronave deve ter visto todo o décimo andar do edifício Dexter ir pelos ares para descobrir o focinho negro que observava atrás das sombras. Depois, talvez, tenha sido atingido pela bala.

O canhão deu dois disparos antes de a fachada do edifício Dexter desmoronar, mas cada petardo atravessou o *Wetterhorn* de ponta a ponta. Os dois disparos aniquilaram a aeronave. Ela deformou-se, esmagada, como uma lata ao ser chutada por uma bota pesada. A parte dianteira caiu na praça mais próxima. O resto do corpo, com grande estalo e destruição generalizada dos arredores, descendeu, desabando entre Tammany Hall e as ruas transversais da Segunda Avenida. O gás escapou, misturou-se ao ar. Já o ar do balonete interno se espalhou pelas câmaras de gás, que se esvaziavam. Por fim, após um impacto imenso, a aeronave explodiu...

Nesse momento, o *Vaterland* encaminhava-se para o sul da prefeitura por cima das ruínas da Brooklyn Bridge. De lá, ouviram-se claramente o primeiro disparo e depois o desmoronamento do Dexter. Todo esse barulho lançou Kurt e Smallways até a pequena escotilha da cabine. Ainda conseguiram ver o clarão explosivo do segundo disparo. Depois foram primeiro comprimidos contra a janela para logo rolarem de cabeça para baixo pelo chão da cabine, impulsionados pelas ondas de choque ocasionadas pela explosão. O *Vaterland* ricocheteou como uma bola de futebol. Quando a dupla voltou para a escotilha, viu que a Union Square estava remota, devastada, como se um gigante de dimensões cósmicas tivesse literalmente deitado e rolado sobre ela. Dos edifícios a leste brotavam chamas em dezenas de pontos, inundados pelos restos e pelo esqueleto distorcido da aeronave. Todos os telhados e paredes próximos pareciam ridiculamente tortos e desmoronavam com a força de um olhar.

— Caramba! – disse Bert. — O que será que está acontecendo? Olha só aquele pessoal!

Mas ántes que Kurt pudesse dar qualquer tipo de explicação, as estridentes sinetas de alarme soaram e ele teve de partir. Depois de hesitar, Bert entrou cuidadosamente no corredor enquanto olhava para a escotilha. Deu um encontrão com o príncipe, que corria célere de sua cabine para o setor central da aeronave.

Bert teve a visão momentânea da grande figura do príncipe, pálido devido à fúria, eriçado por uma espécie de raiva colossal, o enorme punho balançando no ar.

— *Blut und Eisen!* – gritou o príncipe, como alguém que pragueja aos céus. — *Ach! Blut und Eisen!*[3]

Alguém tropeçou em Bert – algo na maneira de cair sugeria a figura de Von Winterfeld. Mais alguém parou e o chutou com força e imenso desprezo. Acabou rastejando pelo corredor enquanto esfregava o rosto dolorido pelos chutes e reajustava a atadura que insistia em manter na cabeça.

— Príncipe o caramba – disse Bert, dominado por indignação sem limites. — Nem um porco se comporta desse jeito!

Levantou-se, recuperando-se por um minuto. Caminhou, então, lentamente em direção ao passadiço da pequena galeria. Ao fazê-lo, ouviu ruídos que insinuavam o retorno do príncipe. Aquele pessoal todo estava voltando. Disparou em velocidade recorde, como a lebre que corre para a toca, de volta à sua cabine, bem a tempo de escapar daquele terror dos gritos exaltados.

Fechou a porta, esperando até que o corredor estivesse silencioso. Dirigiu-se para a janela e olhou através dela. Algumas nuvens davam à perspectiva de ruas e praças certa nebulosidade, e a luta da aeronave com os ventos fazia essa visão se mover para cima e para baixo. Apesar das poucas pessoas que corriam para lá e para cá, o aspecto geral do distrito era de deserção. As ruas pareciam ampliar-se e aclarar-se, e os pequenos pontos que eram pessoas, avolumar-se conforme o *Vaterland* descia novamente. Agora a aeronave sobrevoava a parte mais baixa da Broadway.

---

3   "Sangue e aço!", "Oh! Sangue e aço!".

Na visão de Bert, as pessoas minúsculas não corriam mais, mas estavam paradas, olhando para cima. Subitamente, começaram a correr de novo.

Alguma coisa fora arremessada da aeronave, algo que parecia pequeno e frágil. Atingiu o pavimento próximo a uma enorme arcada logo abaixo de Bert. Um homenzinho corria pela calçada por uma meia dúzia de jardas, mas dois ou três outros, incluindo uma mulher, corriam em disparada pela rua. Via figuras minúsculas e curiosas, tão pequenas em relação às cabeças e tão ativas no que se refere às pernas e aos braços. Era muito engraçado e divertido ver como as perninhas iam adiante. Assim reduzida, a humanidade perdia toda a dignidade. O homenzinho na calçada saltou comicamente – sem dúvida, dominado pelo pavor quando a bomba caiu bem a seu lado.

Foi um jorro de luzes e chamas cegantes, saltando em todas as direções a partir do ponto de impacto. O homenzinho que pulara se fundiu por um segundo com o clarão de luz e desapareceu – desapareceu completamente. As pessoas que corriam pela rua saltavam de modo desajeitado, depois caíam e permaneciam quietas, com as roupas reduzidas a farrapos ardentes. Em seguida, pedaços da arcada começaram a desabar e a parte inferior da edificação ruiu com o estrondoso ribombar de brasas, soterrando um porão. Uma gritaria fraca alcançou o compartimento de Bert. A multidão continuava correndo pelas ruas em fuga; um homem mancando e gesticulando de modo esquisito parou, dirigindo-se de volta ao edifício. Um bloco de alvenaria desmoronou e estatelou em cima dele, imobilizando-o todo esmagado onde caíra. Poeira e fumaça preta espalhavam-se por todos os lados, iluminadas pelo vermelho das chamas...

Dessa maneira, o massacre de Nova York começou. Foi a primeira das grandes cidades da era científica a sofrer com os poderes imensos e as limitações grotescas da Guerra no Ar. A cidade ficou em ruínas, como em séculos anteriores ocorrera com um número ilimitado de outras cidades bombardeadas com selvageria, apenas pelo fato de ser poderosa demais para uma ocupação simples e indisciplinada e orgulhosa demais para se render, para escapar da destruição. Dadas as circunstâncias, foi a única opção. Era impensável ao príncipe desistir e sair dali derrotado, e era impossível dominar a cidade a não ser destruindo-a quase por inteiro. A catástrofe era resultado prático de uma situação criada pela aplicação da ciência à lógica da guerra. Era inevitável que as grandes cidades fossem aniquiladas. A despeito da exasperação causada por seu dilema, o príncipe procurava certa moderação no massacre. Ele tentou dar uma lição memorável com o mínimo desperdício de vidas e o menor gasto de explosivos possível. Para aquela noite, ele propunha apenas a transformação da Broadway em ruínas. Ele ordenou que a frota aérea se movesse, em coluna, soltando bombas sobre essa via pública, sob a liderança do *Vaterland*. E assim nosso Bert Smallways participava de um dos mais sangrentos massacres da história mundial, no qual os perpetradores estavam indiferentes e também protegidos, temendo apenas algum raro tiro eventual. Despejavam a morte e a destruição sobre as casas e as multidões no solo.

Bert agarrou-se à escotilha, para se equilibrar do balanço ondulante da aeronave, e olhou para baixo. Através da chuva leve trazida pelo vento, viu as ruas crepusculares: pessoas corriam de suas casas, prédios desabavam, incêndios incontroláveis surgiam. As aeronaves percorriam a cidade, destruindo tudo como uma criança faria com uma cidade de papel. Deixaram apenas ruínas e focos de fogo furiosos, além de pilhas sobre pilhas de mortos; homens, mulheres, crianças, todos se mesclavam, como se não passassem de mouros, zulus, chineses. A parte baixa de Nova York transformou-se em uma fornalha carmesim da qual não havia escapatória. Não existiam mais carros, balsas, trens. Não havia luz para guiar os fugitivos no caos da escuridão a não ser a luz do fogo. Bert teve vislumbres de tudo isso, apenas vislumbres. Caiu em si diante de uma incrível descoberta: aquele desastre, aquele horror, não seria um privilégio apenas daquela estranha, titânica e alheia Nova York. Poderia acontecer em Londres, em Bun Hill, pois aquela pequena ilha localizada nos mares prateados tinha perdido sua imunidade, e não havia lugar nenhum no mundo em que um Smallways pudesse orgulhosamente levantar a cabeça e apoiar uma guerra ou uma veemente política externa, e ainda assim continuar a salvo de coisas tão horríveis.

A GUERRA NO AR

VII.
O *VATERLAND* É POSTO FORA DE COMBATE

1

Então, acima das chamas que consumiam a ilha de Manhattan, aconteceu a primeira batalha aérea. Os americanos, que estavam plenamente conscientes dos custos exigidos pelo seu jogo de espera, atacaram com toda a força de que dispunham. Talvez ainda pudessem salvar Nova York de seu conquistador, o louco príncipe adepto do aço e do sangue, do fogo e da morte.

Assaltaram os alemães impulsionados pela força da ventania que varria os céus da cidade, em pleno entardecer, em meio a trovão e a chuva. Vinham dos estaleiros de Washington e da Filadélfia – eram dois esquadrões em velocidade máxima. À exceção de apenas uma aeronave, que vigiava a região de Trenton, o fator surpresa foi plenamente atingido.

Os alemães, que estavam exaustos com a repulsiva destruição por eles provocada – e dispondo de apenas metade da munição –, enfrentavam os rigores climáticos quando a nova investida os atingiu. Deixavam Nova York para trás, uma cidade enegrecida e retalhada por medonhas cicatrizes de fogo, e encaminhavam-se para sudeste. Todas as aeronaves da frota chacoalhavam instáveis, pois as rajadas de vento da tempestade jogavam-nas na direção do solo, o que exigia esforço adicional nas subidas. O ar era terrivelmente frio. O príncipe estava quase ordenando o lançamento de âncoras com correntes de cobre que evitavam relâmpagos quando soube do ataque iminente. Arranjou sua frota em direção ao sul, tripulou e preparou seus *Drachenflieger*, além de ordenar que todas as aeronaves subissem para a amplitude gélida, acima daquele universo úmido e escuro.

As novidades do ataque que se aproximava foram captadas aos poucos pela percepção de Bert. Ele estava no refeitório para pegar sua ração noturna, trajando novamente o sobretudo e as luvas de Butteridge. Cobria-se também com seu cobertor sobre os ombros. Mergulhava o pão na sopa, devorando-o em grandes bocados. Estava com as pernas bem abertas, escorado contra uma divisória para manter-se equilibrado, tendo em vista a intensa oscilação da aeronave. Os homens da tripulação pareciam cansados, deprimidos – poucos conversavam, muitos estavam entre o taciturno e o pensativo, um ou dois sofriam de náuseas causadas pelo balanço da máquina. Todos pareciam sentir que eram párias em consequência do morticínio perpretado naquela noite, que tinham abaixo de si uma terra povoada de uma humanidade bem mais hostil que o mar.

Mas logo chegaram as notícias do ataque aéreo. Um sujeito vigoroso, de rosto vermelho, cílios claros e uma cicatriz apareceu na entrada do refeitório e gritou algo em alemão que causou espanto imediato em cada um por ali. Bert sentiu o choque provocado pelos gritos do sujeito, mas não conseguiu entender nenhuma palavra sequer. O anúncio foi seguido por uma pausa e logo depois um alarido de perguntas e sugestões. Mesmo os indivíduos dominados pelas náuseas e pelos enjoos se recuperaram em um átimo e participaram da conversa. Por alguns minutos, o refeitório converteu-se em hospício, e então, nesse momento, como se fosse uma confirmação da notícia, veio o estridente ruído das cornetas que chamavam os homens a seus postos.

Bert se viu só após um rápido tumulto de dimensões pantomímicas.

"O que acontece?", perguntou a si mesmo, embora parcialmente adivinhasse.

Permaneceu por ali porque precisava devorar o restante da sopa. Mas logo estava correndo através do corredor oscilante, segurando-se no que podia com toda a força de suas mãos, para alcançar a escada que levava à pequena galeria. O vento frio tinha o efeito de um jato de água gelado. A aeronave parecia envolvida no aprendizado de um tipo de jiu-jítsu atmosférico. Puxou o cobertor, agarrando-o com força. Achou-se em uma superfície muito instável, diante de um crepúsculo que não oferecia nada além de uma névoa muito úmida espalhada pelo ar como chuva. Acima, a aeronave estava mais aquecida com suas luzes e com a movimentada tripulação voltando a seus aposentos. Nesse momento, de forma totalmente abrupta, tudo se apagou e o *Vaterland*, com saltos, torções e contorcionismo, lutou para alcançar altitudes mais altas.

Bert, então, conseguiu distinguir, durante uma das sacudidas do *Vaterland*, enormes edifícios em chamas logo abaixo, um verdadeiro acanto tremulante de fogo. Depois viu uma forma indistinta, mais difícil de definir com aquele tempo carregado. Era outra aeronave, que mergulhava como uma toninha, também lutando para subir. As nuvens engoliram aquela visão por algum tempo, mas ela logo estava de volta, um monstro escuro semelhante a uma baleia que atravessava a ventania. O ar se encheu de ruídos diversos: um bater de asas, um sibilar de tubulações, sons ocos, gritos abafados pela tempestade, que o esbofetearam e o confundiram. Vez por outra a atenção de Bert se fixava – ele era um cego e surdo que se equilibrava agarrado a um corrimão.

"Nossa!"

Algo passou por ele, saindo da vasta escuridão acima do *Vaterland* para desaparecer na atmosfera tumultuosa abaixo, obedecendo a uma trajetória de descenso oblíqua. Era um *Drachenflieger* alemão, a uma velocidade tal que só permitiu a visão, em um breve instante, do aeronauta agarrado ao volante. Poderia ser uma manobra, mas parecia ser uma catástrofe.

"Caramba!", disse Bert.

Pup-pup-pup, matraqueava uma arma em algum lugar daquela lúgubre escuridão adiante, e de repente o *Vaterland* cambaleou terrivelmente, e Bert e a sentinela agarraram-se como puderam às grades. Bam! Um poderoso impacto, bastante audível, surgiu no zênite, seguido de nova torção da capitânia alemã, e tudo ao redor de Bert converteu-se em nuvens de tormenta cortadas por brilhos vermelhos e clarões sinistros em resposta, revelando um vasto abismo. O corrimão estava agora para cima – e, agarrado nele, Bert sentiu seu corpo pender no ar.

Por um momento, a mente de Bert concentrou-se exclusivamente na tarefa de agarrar-se.

"Vou voltar pra cabine", disse, depois de a aeronave finalmente conseguir realinhar-se, a galeria voltando para baixo de seus pés. Cautelosamente, iniciou o percurso em direção à escada. "Putz! Opa!", gritou, quando toda a galeria se projetou adiante antes de mergulhar como um cavalo desesperado.

Craque! Bam! Bam! Bam! Depois dessa breve introdução de tiros e bombas surgiu, por todos os lados, envolvendo, submergindo, imenso e avassalador, o fulgor branco e palpitante de um relâmpago acompanhado de um trovão, tão ruidoso que parecia a implosão do mundo inteiro.

No instante imediatamente anterior a tal explosão, o universo parecia imóvel, capturado por um brilho sem sombras.

Foi nesse momento que Bert viu a aeronave dos americanos: surgiu iluminada pela luz do relâmpago, praticamente imóvel no ar. Mesmo a hélice do propulsor parecia parada, a tripulação era como manequins rígidos. (Estava tão próximo que foi possível ver detalhadamente até os homens que manipulavam a aeronave.) A popa do aparato inclinava-se para baixo, movimento acompanhado pelo resto da estrutura. Esta seguia o padrão Colt-Coburn-Langley: asas duplas inclinadas e hélice propulsora à frente, com a tripulação acondicionada em uma peça estrutural muito semelhante a um barco, coberta por redes. Do corpo daquela coisa extremamente alongada e leve, armas se projetavam dos dois lados. Era estranho e muito bonito contemplar o fogo que consumia a asa superior da aeronave americana, vermelho e cuspindo fumaça. Mas isso não era o que havia de mais belo naquela aparição. A beleza mais absoluta se materializava ao se perceber que tanto a máquina aérea americana quanto a aeronave alemã, 500 jardas abaixo, estavam como que ligadas pelo clarão do relâmpago, que parecia ter o propósito de apanhar as duas em seu caminho. Das extremidades das asas de toda essa maquinaria encadeada pela luz fulgurante, pequenas ramificações elétricas surgiam, vivas e dinâmicas.

Bert contemplou tudo isso como alguém que observa um quadro um pouco borrado pelo fino véu de névoa entrecortado pelo vento.

O ruído do trovão seguiu imediatamente o clarão do relâmpago, como se ambos fossem uma coisa só. É, portanto, difícil afirmar se Bert estava cego ou surdo naquele exato momento.

Mas logo vieram a escuridão, absoluta, e o som contínuo de vozes quase apagadas, como gemidos de pavor diante do abismo para o qual tudo se encaminhava.

2

O que se seguiu a esses acontecimentos foi uma agitada oscilação de todo o *Vaterland*, acompanhada pela luta travada por Bert para alcançar sua cabine. Estava encharcado, aterrorizado e com frio, em proporções que desafiavam as palavras, e agora bastante mareado. Sentia que a força de suas mãos e joelhos lhe havia fugido, e que seus pés escorregavam como gelo sobre o metal em que tentava se firmar. Tal sensação, contudo, se devia a uma fina camada de gelo grudada à galeria.

Bert nunca soube com certeza quanto tempo levou para subir a escada de volta para a estrutura central da aeronave. Mas em seus sonhos, quando a lembrança voltava à mente, tal provação parecia ter durado horas. Acima, abaixo e em volta dele, abismos monstruosos de vento uivavam, ensurdecedores, em meio a redemoinhos de neve. O que o protegia de tudo isso era uma pequena grade de metal e o corrimão, ambos bastante enfurecidos com ele, aparentemente, pois se dedicavam de maneira sistemática à tarefa de lançá-lo no espaço abismal e caótico.

Em dado momento, teve a sensação de que uma bala zuniu em seus ouvidos e de que as nuvens e a nevasca foram iluminadas por clarões, mas ele não virou a cabeça para ver quais novos adversários surgiam dos abismos. Queria alcançar o corredor! Queria alcançar o corredor! Queria alcançar o corredor! Será que o braço que utilizava para se agarrar com toda a força aguentaria ou fraquejaria e ele seria lançado ao vento? Um punhado de granizo acertou-lhe o rosto, deixando-o sem fôlego, no limiar da perda da consciência. Segure firme, Bert! Ele renovou os esforços.

Quando percebeu que estava no corredor, foi tomado por uma imensa sensação de alívio e excitação. O corredor comportava-se como um copo para jogar dados, pois sacolejava o infeliz Bert para os lados, chacoalhando-o de novo e de novo. Agarrava-se com o vigor do instinto de sobrevivência até que um caminho possível se delineou adiante. Deu uma breve corrida até a cabine, segurando-se na extremidade da entrada.

Eis que estava dentro da cabine!

Fechou bruscamente a porta. Por algum tempo, deixou de ser humano, pois havia se convertido em um invólucro de náusea aérea. Desejava apenas um local onde a sensação pudesse passar, onde não precisasse agarrar-se a alguma coisa. Abriu o armário e entrou ali, no meio da bagunça de itens misturados, esparramado e impotente, a cabeça batendo de vez em quando de um lado, outras vezes do outro. A porta do armário se fechou com um clique, mas Bert já não se importava mais com o que acontecia. Com quem se entrebatia, o local que as balas haviam atingido, a ocorrência de explosões – nada disso lhe importava. Não se importava se seria alvejado ou feito em pedaços. Estava cheio de uma raiva débil, inarticulada, desesperada. "Que idiotice!", chegou a praguejar, um único e exaustivo comentário a respeito da humanidade e de seus empreendimentos, das aventuras, das guerras e da sucessão de acidentes a que se resumia sua vida. "Que idiotice! Argh!" Englobou todo o universo em sua ampla condenação. Bert desejava estar morto.

Não viu as estrelas quando o *Vaterland* progressivamente conseguiu abrir caminho em meio à confusão provocada pelo mau tempo. Não assistiu também ao duelo que envolveu aquela aeronave alemã, cercada por dois aeroplanos que alvejaram as câmaras da extremidade traseira. Ignorou, igualmente, como a aeronave lutou e forçou seu caminho com balas explosivas para escapar do cerco.

Esses maravilhosos pássaros noturnos, velozes e aguerridos, não foram vistos por Bert, nem o heroico ímpeto de autossacrifício que os impulsionava. O *Vaterland* foi abalroado e por alguns segundos quase destruído: perdeu altitude rapidamente, arrastando o aeroplano ianque enredado em seu propulsor destruído. Os americanos tentavam, por sua vez, proceder à tomada do convés inimigo. Tudo isso, contudo, não significava nada para Bert. Para ele, tais acontecimentos se traduziam apenas em mais e mais oscilações. Pura idiotice! Quando a aeronave americana finalmente foi derrubada, levando a maioria de sua tripulação, em seu armário Bert sentiu apenas que o *Vaterland* executava um terrível movimento ascendente.

Mas de repente surgiu um indescritível e abençoado alívio. A rotação, a oscilação e a luta cessaram de modo instantâneo e absoluto. O *Vaterland* não enfrentava mais a ventania; seus propulsores destroçados e explodidos não pulsavam mais; estava fora de combate, à deriva dos ventos com a suavidade de um balão, um imenso, vaporoso e esfarrapado destroço aéreo.

Para Bert, era apenas o fim de uma série de sensações desagradáveis. Não estava nem um pouco curioso para saber o que acontecera com a aeronave ou qual havia sido o fim da batalha. Por um bom tempo, permaneceu à espera, temendo apreensivo o retorno da instabilidade e de seu tormento. Foi assim, trancado no armário, que acabou adormecendo.

3

Bert acordou de um sono tranquilo mas muito abafadiço, sentindo-se ao mesmo tempo frio e incapaz de se lembrar de onde estava. A cabeça latejava e ele sentia dificuldades em respirar. Os sonhos que tivera foram confusos e incluíam Edna, os Dervixes do Deserto, a condução extremamente perigosa de bicicletas motorizadas em elevadas altitudes, culminando em shows pirotécnicos de rojões e fogos de artifício – vira ali uma terrivelmente incômoda mistura do príncipe com o sr. Butteridge. Então, por motivos desconhecidos, Edna e ele começaram a chorar penosamente, e ele acordou com as pestanas úmidas nessa acomodação bem pouco ventilada que era o interior do armário. Ele não veria Edna nunca mais, nunca mais.

Pensou que estava de volta ao cômodo que ficava atrás da loja de bicicletas, na parte mais baixa de Bun Hill, e tinha certeza de que a visão que tivera, a magnífica cidade destruída – a cidade quase inacreditavelmente bela em seu esplendor arrasada pelas bombas –, devia ser um pesadelo particularmente vívido.

"Grubb!", gritou o nome do amigo, ansioso para contar a ele.

Teve como resposta o silêncio e a ressonância abafada da própria voz dentro do pequeno armário, piorando a qualidade asfixiante do ar e encetando uma nova sequência de ideias. Levantou mãos e pés, encontrando inflexível resistência. Devia estar em um caixão, pensou! Fora enterrado vivo! O pânico irracional dominou-o completamente. "Me tira daqui!", gritou. "Me tira daqui!", sapateou dentro do armário, chutou, lutou. "Quero sair! Quero sair!"

Por mais alguns segundos lutou, dominado por pavor indescritível. Foi então que a lateral de seu caixão imaginário se abriu e ele estava de novo livre, à luz do sol. Rolava pelo que parecia ser um piso acolchoado com Kurt, que o socava e o sacudia vigorosamente.

Bert, então, sentou-se. A atadura em sua cabeça se afrouxara e caíra por sobre os olhos, e ele a atirou longe. Kurt também estava sentado, a 1 jarda de distância, rosado como sempre e envolto em cobertores, sobre os joelhos um capacete de alumínio para uso nos balões. Fixava o companheiro de quarto com expressão severa, esfregando o macio queixo não barbeado. Ambos estavam sobre um piso inclinado, acolchoado e carmesim. Acima deles, uma abertura era como a entrada vertical de um porão. Bert, após algum esforço, percebeu que essa era a velha porta da cabine, agora em uma nova configuração invertida. O compartimento todo, aliás, estava invertido.

— Que diabos pensou que estava fazendo, Smallways? – disse Kurt. — Saltando desse jeito daquele armário quando eu dava como certo que você despencara com o resto do pessoal... Onde esteve?

— O que foi que aconteceu? – perguntou Bert.

— Aconteceu o fim da aeronave. E de outras coisas que, com certeza, caíram.

— Mas teve batalha?

— Sim.

— Quem ganhou?

— Ainda não vi os jornais, Smallways. Saímos antes do fim. Perdemos nossos propulsores, o que impossibilitou qualquer manobra. Já nossos colegas, companheiros, talvez fosse melhor dizer, estavam ocupados demais para se preocupar conosco. O vento nos impulsionou, Deus sabe para onde está nos levando. Ele nos afastou da zona de combate a uma velocidade de 80 milhas por hora. Talvez mais, talvez menos. *Gott!* Que vento, e que luta! E aqui estamos nós!

— Onde?

— No ar, Smallways, no ar! Quando descermos novamente para a terra, talvez não saibamos mais usar nossas pernas.

— Mas o que tem debaixo da gente?

— O Canadá, que eu saiba. Ao que parece, um país alegremente sombrio, vazio e inóspito.

— Mas por que a gente não conseguiu subir?

Kurt ficou em silêncio por alguns instantes.

— A última coisa de que eu me lembro foi ter visto um tipo de máquina voadora no meio do relâmpago – disse Bert. — Caramba! Foi horrível. Armas cuspindo chumbo! Coisas explodindo! Nuvens e granizo. E tudo sacudindo. Estava morrendo de medo e enjoado pra burro. Então, não tem ideia de como a luta acabou?

— Nenhuma. Estava com o meu esquadrão, usando aquelas roupas de mergulho, dentro das câmaras de gás, com lençóis de seda para calafetagem. Não era possível ver nada do lado de fora, exceto os clarões de relâmpagos. Não vi nenhum desses aeroplanos americanos. Apenas vi os tiros atravessando os compartimentos e fazendo em pedaços alguns camaradas do esquadrão. Um pequeno incêndio começou em nosso casco, mas foi pouca coisa. Estávamos úmidos demais e as chamas se dispersaram antes de qualquer explosão. Mas uma daquelas coisas infernais caiu em cima de nós e nos abalroou. Não sentiu o impacto?

— Senti tudo – respondeu Bert. — Mas não percebi nenhum choque especial...

— Acho que eles estavam bem desesperados a ponto de tentar algo do gênero. Despencaram sobre nós feito faca: simplesmente cortaram as câmaras de gás como se estripassem peixes, levando também os propulsores e as hélices. A maioria dos propulsores tombou com essa investida, senão teríamos também despencado, mas alguns ainda conseguiram mais ou menos funcionar. Levantamos nosso nariz para os céus e permanecemos nesse curso. Onze homens caíram no espaço, de diversos pontos. O coitado do Winterfeld acabou despencando da cabine do príncipe e quebrando o tornozelo. O equipamento elétrico também está avariado ou então caiu, desapareceu, sabe-se lá Deus onde foi parar. Essa é a situação em que nos encontramos, Smallways. À deriva, como o mais simplório dos aeróstatos, à mercê das intempéries, seguindo para o norte. Provavelmente, para o Polo Norte. Não sabemos quais máquinas voadoras os americanos usaram ou que fim tiveram. Aparentemente, acabamos com todas. Uma colidiu conosco. Outra foi atingida por um raio. Alguns homens viram uma terceira de cabeça para baixo, talvez fazendo uma acrobacia por diversão. De qualquer maneira, já estavam começando a vulgarizar. Mas nós perdemos praticamente todos os nossos *Drachenflieger*. Eles simplesmente deslizaram para o espaço durante a noite. Sem estabilidade nenhuma. Isso é tudo. Não sabemos se perdemos ou se ganhamos. Não sabemos se já estamos em guerra com o Império Britânico ou se estamos em paz. De modo que não podemos tentar um pouso. Não sabemos nossos planos nem o local para onde vamos. Nosso Napoleão está sozinho, isolado, suponho que rearmando seus planos. Se Nova York foi nossa Moscou, ainda não foi definido. Nós tivemos alguns momentos divertidos matando um sem-número de pessoas! Guerra! A nobre guerra! Estou de saco cheio disso tudo agora. Queria sentar em quartos normais, não em compartimentos escorregadios. Sou um homem civilizado. Continuo pensando no velho Albrecht e no *Barbarossa*... Gostaria de um banho, de palavras carinhosas, da quietude de um lar. Quando olho para a sua cara, tenho *certeza* de que quero um banho. *Gott!* – reprimiu um bocejo veemente. — Você lembra uma miniatura *cockney* de um crápula!

— Quando é que teremos algum rancho? – perguntou Bert.

— Só Deus sabe! – respondeu Kurt.

Passou a meditar a respeito de Bert.

— Até onde posso imaginar, Smallways – começou a dizer –, o príncipe provavelmente tentará se desfazer de você, caso você apareça nos pensamentos dele. Ele com certeza vai querer se livrar de você assim que o vir... Afinal, sua função é servir *als Ballast*... E logo vai ser necessário diminuir o peso da aeronave. A não ser que eu esteja muito enganado, o príncipe em breve vai despertar e trabalhar com imenso vigor... Eu me afeiçoei um pouco a você; é meu lado britânico falando. Você é um camarada bem esquisito, mas não quero vê-lo voando pelos ares... É melhor fazer-se útil, Smallways. Vou requisitá-lo para o meu esquadrão. Você precisa trabalhar, entende? E ser infernalmente inteligente no que faz. E vai ter de se pendurar de cabeça para baixo por algum tempo. Mesmo assim, é a melhor chance que você tem. Não poderemos carregar muitos passageiros nesta viagem, creio eu. O balastro vai ser jogado fora, se não quisermos ir a solo e acabarmos prisioneiros de guerra. O príncipe nunca permitiria algo assim. Ele vai levar esse jogo até o final.

4

Utilizando a cadeira dobrável, que permanecia em seu lugar atrás da porta, conseguiram alcançar a janela e contemplar o território esparsamente arborizado abaixo, sem ferrovias ou estradas, com sinais muito ocasionais de ocupação humana. Uma corneta soou, sinal interpretado por Kurt como o chamado para a refeição. Chegaram à porta e escalaram com dificuldade pelo corredor praticamente vertical, agarrando-se desesperadamente, com os dedos dos pés e das mãos, nas perfurações de ventilação que havia no assoalho. Os comissários que cuidavam do refeitório encontraram intacto o sistema de aquecimento sem chama dos fogões. Assim, havia chocolate quente para os oficiais e sopa para a tripulação.

Para Bert, o sentido de estranheza daquela experiência era tamanho que eclipsou todo o medo que de fato sentia. Agora estava mais interessado que assustado. Aparentemente, alcançara o fundo do poço do medo e do abandono durante a noite. Começava a se acostumar com a ideia de que a probabilidade de acabar morto de uma hora para outra era grande, de que aquela viagem pelos ares era provavelmente a última que faria. Não há ser humano que consiga se manter em um estado de permanente pavor: o medo, no fim das contas, passa, se desloca para o canto da consciência, é aceito, armazenado. Debruçou-se sobre sua sopa, encharcou-a com seu pão e contemplou seus camaradas. Estavam todos amarelados, sujos, com barba de quatro dias. Reuniam-se em grupos imprevistos de homens cansados, o que talvez fosse comum em naufrágios. Falavam pouco. A situação causava neles uma perplexidade que lhes impedia todo pensamento. Três haviam sido feridos durante a subida e a luta. Um estava com ataduras em um ferimento a bala. Era incrível que aquele pequeno grupo de homens perpetrara assassinatos e massacres em escala sem precedentes. Nenhum deles, agachados em seus lugares acolchoados com gás, com o prato de sopa na mão, parecia realmente culpado do que quer que fosse, não aparentavam ser capazes de ferir deliberadamente nem um cachorro. Era flagrante que todos ali pareciam ter nascido para viver em chalés aconchegantes, em terra firme, em campos bem cultivados, ao lado de esposas loiras e festanças alegres. O rapaz de rosto vermelho, corpulento, de cílios claros – que trouxera ao refeitório as primeiras notícias da batalha no ar – terminara sua sopa e, com uma expressão de solicitude maternal, reajustou os curativos de um jovem cujo braço tinha sido torcido.

Bert aproveitava o que restava de sua fatia de pão para terminar a sopa, prolongando o processo o máximo possível. Subitamente, percebeu que todos contemplavam o par de pés que atravessa a porta invertida e aberta. Kurt apareceu e postou-se agachado do outro lado da entrada. De alguma forma misteriosa, estava barbeado e com os cabelos dourados alisados. Parecia extraordinariamente angelical.

— *Der Prinz* – disse.

Um segundo par de botas surgiu, fazendo uma série de gestos largos e magníficos em suas tentativas de atravessar a porta invertida. Kurt guiava as botas até um ponto de apoio seguro, e logo o príncipe – o dono delas – surgiu, barbeado, escovado, engomado, limpo, enorme e terrível. Postava-se próximo da abertura, de onde deslizou. Todos os presentes, inclusive Bert, se levantaram e o saudaram.

O príncipe observou todos ali com a postura de quem cavalga um corcel. A cabeça do *Kapitän*, logo atrás, apareceu pela abertura.

Nesse instante, algo de terrível ocorreu a Bert. O olhar crepitante e azul do príncipe caiu sobre ele, o dedo enorme foi então apontado em sua direção, uma pergunta formulada. Kurt interveio com explicações.

— *So* – disse o príncipe, dispensando Bert.

Então o príncipe se dirigiu aos homens em sentenças curtas, heroicas, equilibrando-se em cima da dobradiça da porta enviesada com uma mão e agitando a outra em ampla gama de gestos. Bert não compreendia as palavras do homem, mas percebia nos homens uma mudança de postura, as costas e os ombros enrijecidos. Todos pontuavam o discurso do príncipe com exclamações de aprovação. Ao fim, o líder cantarolou uma canção e toda a tripulação o acompanhou. *"Ein feste Burg ist unser Gott"*,[1] cantavam em tons profundos e intensos, com um imenso frescor moral. Era uma canção emocionante, totalmente inapropriada em uma aeronave danificada, revirada, semidestruída, que tinha sido deixada fora de combate depois de infligir o mais cruel bombardeio de toda a história humana. Mas, ainda assim, era enormemente emocionante. Bert estava profundamente emocionado. Não conseguia cantar nenhuma das palavras daquele grande hino de Lutero, mas abriu a boca para emitir alguma coisa parecida ao que ouvia – notas poderosas, profundas e parcialmente harmoniosas...

Muito abaixo, a profunda canção foi ouvida em um pequeno acampamento de nativos locais cristianizados, que viviam do corte e da coleta de madeira. Estavam desfrutando do café da manhã, mas correram alegremente para ver de onde vinham aqueles sons, pois estavam prontos para o Segundo Advento. Contemplaram com inexprimível assombro os restos destroçados do *Vaterland* arrastados pelo vento. Em muitos aspectos aquilo correspondia à imagem que tinham do Segundo Advento, embora em muitos aspectos não correspondesse. Observaram atentamente a passagem da coisa no céu, perplexos e aterrorizados para além das possibilidades de expressão em palavras. O hino cessou. Após um longo intervalo, uma voz chegou, vinda diretamente das esferas celestiais.

— Que lugar *ser* este? Como se *chamar*? Como?

Não houve resposta. Na verdade, os nativos não compreenderam nada, embora a pergunta houvesse sido repetida.

---

1   "Um poderoso castelo, eis Nosso Senhor", verso de hino escrito por Martinho Lutero (1483–1546).

Por fim, o monstro desapareceu na direção norte, acima de uma elevação plena de pinheiros. Começou, entre os espectadores, uma longa e acalorada discussão...

O hino terminou. As pernas do príncipe se agitaram ao atravessar novamente a porta. Cada membro da tripulação estava revigorado e preparado para atos de heroísmo e triunfo.

— Smallways! – gritou Kurt. — Venha aqui!

5

Foi assim que, sob a direção de Kurt, Bert teve sua primeira experiência como marujo aéreo.

A tarefa imediata a ser cumprida diante do capitão do *Vaterland* foi bem simples: manter o dirigível flutuando. O vento soprava, embora sem tanta violência como antes, com força suficiente para tornar extremamente perigosa a missão de pousar aquela massa desconjuntada, ainda que fosse desejável ao príncipe descer em terras habitadas, arriscando a captura. Era necessário manter a aeronave no ar até que os ventos diminuíssem e depois, se possível, aterrissar em algum distrito isolado onde houvesse chance de efetuar reparos ou de ser resgatado, talvez por alguma aeronave aliada que fizesse buscas. Para alcançar esse objetivo, deveriam eliminar o máximo de peso possível. Kurt e mais doze homens estavam preparados para se deslocar até os setores mais arruinados do *Vaterland*, com suas câmaras de ar vazias, e desprender o excedente de peso, parte por parte, já que a aeronave começava a perder altitude. Assim, Bert, portando um cutelo afiado, escalou a estrutura em forma de rede a 4 mil pés de altura, tentando entender Kurt quando ele falava em inglês, e adivinhar o que o companheiro queria dizer quando se manifestava em alemão.

Era um trabalho vertiginoso, mas não tão vertiginoso quanto nosso leitor – muito bem alimentado e confortavelmente acomodado em um cômodo aquecido – possa imaginar. Bert percebeu que era possível, até certo ponto, olhar para baixo e contemplar as selvagens e desoladas paisagens subárticas, que perderam qualquer sinal de habitação humana. Era uma terra de penhascos rochosos, cascatas e amplos rios que turbilhoavam naquela desolação. Havia árvores e matas fechadas que se tornavam mais atrofiadas e raquíticas conforme avançava o dia. Nos montes que sobrevoavam, em um ou outro local, surgiam pontos brancos de neve. Mas, acima de tudo, Bert dedicou-se com afinco ao trabalho, cortando bocados de tecido duro e escorregadio, aquela seda lubrificada, mantendo-se firme na estrutura de rede da aeronave. O grupo liderado por Kurt conseguiu desobstruir o caminho e fazer cair da estrutura um emaranhado de hastes de aço amassados e cabos, além de um enorme pedaço de bexigas de seda. Foi trabalho árduo. A aeronave pôde imediatamente voar mais alto ao perder todo esse peso. Parecia mesmo que haviam conseguido desprender todo um Canadá da aeronave. O material descartado espargiu-se no ar, em parte flutuando, até atingir de forma destruidora a beira de um precipício. Bert se agarrou às suas cordas como um macaco congelado e não moveu um músculo por bons cinco minutos.

Contudo, apesar de extremamente perigoso, o trabalho também trazia algo de estimulante. Acima de tudo, havia um sentimento de camaradagem. Bert não estava mais isolado, não era mais o estrangeiro suspeito e deslocado no meio da tripulação. Agora, todos tinham objetivos em comum, o que possibilitava uma rivalidade amigável que o impulsionasse a cumprir sua parte do trabalho. O respeito e a afeição por Kurt, que inicialmente eram apenas latentes, aumentaram. Ao supervisionar um trabalho, Kurt tornava-se incrivelmente admirável: engenhoso, prestativo, ponderado, ágil. Ele parecia estar em todos os lugares. Era fácil esquecer seu tom rosado, suas maneiras suaves e tranquilas. Se alguém encontrasse uma dificuldade, ele estava bem ao lado, oferecendo algum conselho sólido e seguro. Era como o irmão mais velho do esquadrão.

Ao final, conseguiram desvencilhar do *Vaterland* três consideráveis conjuntos de destroços, e Bert ficou contente de poder escalar de volta até sua cabine e dar lugar a um segundo esquadrão. Ele e seus camaradas puderam, então, desfrutar de café quente, pois mesmo com luvas o trabalho era executado ao ar livre, exposto ao frio intenso. Sentaram-se, beberam seu café, olhando um para o outro com satisfação. Um sujeito falou com Bert em alemão, amigavelmente, obtendo como resposta um sorriso e um aceno. Kurt, aliás, conseguiu as botas de um dos tripulantes feridos para Bert, que sentia os tornozelos quase congelados.

Durante a tarde, o vento diminuiu consideravelmente. Flocos de neve pequenos, ainda não muito frequentes, surgiam. A neve agora se espalhava em abundância no território sobrevoado pela aeronave, o verde aparecendo apenas em pequenos grupos de pinheiros e abetos nos vales inferiores. Kurt entrou com três homens nas câmaras de gás ainda intactas, esvaziaram-nas um pouco e prepararam uma série de painéis para a descida. O que sobrou de bombas e explosivos no paiol de munição foi descartado, explodindo ruidosamente na paisagem gelada e isolada. Por volta das quatro horas da tarde, em uma ampla e rochosa planície com vista para penhascos nevados, o *Vaterland* desceu e aterrissou.

O pouso se revelou inevitavelmente violento e difícil, uma vez que o *Vaterland* não fora planejado para dispor das mesmas características de um balão. Um dos painéis da aeronave foi arrancado rápido demais, enquanto os outros nem tanto. A aeronave caiu pesadamente, quicou de modo desordenado e estranho, esmagou a galeria suspensa dianteira, ferindo mortalmente Von Winterfeld, para transformar-se em uma pilha de destroços após algum tempo, a se arrastar pelo solo. A proteção blindada mais avançada e a metralhadora que ela comportava despencaram. Dois homens sofreram ferimentos graves – um quebrou a perna e outro acabou com hemorragia interna – devido aos fios e cabos que voaram com o impacto. Bert acabou ficando preso de lado por algum tempo. Quando, por fim, conseguiu se desvencilhar e ter uma visão clara da situação, notou que a grande águia negra, que se expandia de forma tão magnífica nos céus da Francônia apenas seis noites atrás, era agora um resto esvaziado que cobria os compartimentos da aeronave e as rochas carcomidas pelo gelo naquele local esquecido por Deus. Parecia, assim, o mais infeliz dos pássaros – como se alguém tivesse torcido seu pescoço e o atirado para longe. Muitos membros da tripulação estavam em pé, silenciosos, contemplando os destroços e a vazia vastidão na qual haviam caído. Outros ocupavam-se com a tenda involuntária feita com as câmaras de gás esvaziadas. O príncipe estava mais distante, esquadrinhando locais ao longe com seu binóculo. As montanhas ao redor tinham a aparência de velhas falésias à beira-mar. Aqui e ali, algumas coníferas isoladas, altas cachoeiras apareciam em dois pontos. O terreno mais próximo do que sobrou da aeronave era coberto de pedras glaciais que não suportavam nada além de rala vegetação alpina formada de uma aglomeração de hastes e flores sem caule. Nenhum rio era visível, mas se podia ouvir o que parecia ser um fluxo de águas torrenciais, talvez bem próximo. Um vento gelado e cortante soprava, impulsionando mais flocos de neve. A terra fria e estéril, sobre a qual os pés de Bert agora repousavam, parecia uma coisa estranha, pesada e morta, quando comparada ao flutuar nos céus a bordo da aeronave.

6

Foi assim que o grande e poderoso príncipe Karl Albert ficou por algum tempo fora do estupendo conflito que ele mesmo tinha provocado e manipulado. O acaso da batalha e do clima conspirou para esse naufrágio que experimentava na cidade de Labrador, no Canadá. Ele permaneceu por ali durante seis longos e raivosos dias, enquanto a guerra e o assombro varriam o restante do planeta. As nações se lançavam umas contra as outras, frotas aéreas combatiam entre si pelo domínio dos céus, cidades eram arrasadas pelas chamas e homens morriam em quantidades astronômicas. Mas em Labrador seria possível imaginar que, com exceção do barulho de marteladas, o mundo estava em paz.

Assim, foi naquela região inóspita que levantaram acampamento. À distância, os compartimentos, cobertos pela seda da aeronave, transformavam-se em tendas de ciganos, só que em escala infinitamente ampliada. Todas as mãos disponíveis estavam trabalhando, construindo com o metal da estrutura um mastro pelo qual os eletricistas do *Vaterland* poderiam subir os longos condutores do aparato de telegrafia sem fio e conectar o príncipe ao mundo novamente. Houve momentos em que o mais provável era que jamais conseguissem erguer aquele mastro. Desde o início a tripulação sofreu imensas dificuldades. Não havia uma quantidade abundante de provisões, de modo que elas foram racionadas. Apesar das roupas grossas que trajavam, estavam muito mal equipados contra o vento perfurante e a violenta e inóspita realidade daquela vastidão desértica. A primeira noite se passou em total escuridão, sem uma fogueira sequer. As máquinas que forneciam energia foram destruídas ou caíram em algum ponto ao longe, mais ao sul. Não havia um único fósforo em toda a equipe. Carregar fósforos poderia significar a morte. Todos os explosivos tinham sido jogados fora junto com o paiol de munições, e seria apenas na manhã seguinte que o sujeito com cara de pássaro de cujo compartimento Bert se apossara inicialmente confessaria ter mantido um conjunto de pistolas de duelo com cartuchos. Isso permitiu que se fizesse fogo. Mais tarde, descobriu-se que os armários das metralhadoras continham suprimento de munição não utilizada.

A noite não foi das mais agradáveis e parecia interminável. Quase ninguém conseguiu dormir. Havia sete homens feridos na tripulação. A cabeça de Von Winterfeld estava machucada – ele tremia, vítima de delírios, lutando com seu auxiliar enquanto gritava coisas estranhas a respeito da destruição de Nova York pelo fogo. Os homens permaneceram juntos no refeitório, na escuridão. Enrolavam-se no que conseguiam encontrar para se proteger do frio, bebiam chocolate aquecido com os fogões sem chama e ouviam os gritos dos feridos. Pela manhã, o príncipe fez um discurso especial a respeito do Destino da Alemanha, do Deus dos Fundadores da Pátria, do prazer e da glória de se doar por sua dinastia, e de coisas similares que poderiam ter sido deixadas de lado naquela imensidão terrível. Os homens aplaudiram sem entusiasmo, enquanto ao longe um lobo uivou.

Então voltaram ao trabalho. Por uma semana, penaram para pôr de pé o mastro de aço e para que dele pendesse uma grelha feita com fios de cobre medindo 300 pés por 12. Martelava-se em todos a necessidade daquele atividade: deviam trabalhar sem parar, dedicar-se abnegadamente ao ofício exaustivo. Todo o resto se resumia a sofrimento e a elevadas possibilidades de desgraça, talvez um pouco esquecidas diante de certo esplendor no crepúsculo ou no amanhecer, nas torrentes provocadas pelos efeitos titânicos do clima, na vastidão selvagem que parecia infinita. Construíram e alimentaram um anel de fogueiras perpétuas, enquanto grupos saíam em busca de lenha e topavam com lobos, e os feridos foram retirados de suas camas nos compartimentos da aeronave e trazidos para o exterior, em abrigos próximos às fogueiras. Foi ali que o velho Winterfeld primeiro começou a delirar, depois ficou bastante quieto e, por fim, morreu, e três dos outros feridos pioraram por carência de comida, enquanto seus companheiros faziam reparos. Tudo isso acontecia, por assim dizer, nos bastidores; pois a primeira coisa que se apresentava aos olhos de Bert eram o trabalho constante e penoso, o levantar e o abaixar de coisas, o arrastar de outras bem pesadas, a tediosa tarefa de puxar e enrolar fios de cobre; e a segunda era o príncipe, imperativo e ameaçador sempre que suspeitava de alguma indolência dos homens. Costumava postar-se acima deles e apontar sobre suas cabeças para o sul, para o céu vazio. "O mundo

VII. O *VATERLAND* É POSTO FORA DE COMBATE

está logo ali", dizia em alemão, "esperando por nós! Cinquenta séculos não serão suficientes para a sua Consumação". Bert não entendia as palavras, mas interpretava os gestos. Por diversas vezes, o príncipe ficou terrivelmente zangado. Numa ocasião, com um sujeito que estava trabalhando muito devagar; noutra, diante de um tripulante pego roubando a provisão de um camarada. O primeiro ouviu tremenda descompostura, tendo de cumprir uma tarefa ainda mais tediosa; o segundo foi estapeado no rosto e depois utilizado de forma ainda mais degradante. Mas trabalhar de verdade, o príncipe não trabalhava. Havia uma espécie de caminho, próximo às fogueiras, escavado pelo deslocar constante do príncipe, para cima e para baixo, algumas vezes por mais de duas horas seguidas. Nessas caminhadas, permanecia de braços cruzados, resmungando para si mesmo palavras a respeito de paciência e de seu destino. Não raro, esses murmúrios abstratos tornavam-se mais densos, transformavam-se em retórica, em gritos e gestos grandiosos que poderiam emocionar os trabalhadores. Nesses casos, a tripulação permanecia parada, observando a pantomima, mas logo sentiam o olhar azul queimando contra eles, a mão em seus gestos veementes sempre apontando para as montanhas rochosas ao sul. No domingo, houve uma pausa de meia hora nos trabalhos, e o príncipe pregou sobre a fé e a afeição de Deus por Davi, e depois todos cantaram: *"Ein feste Burg ist unser Gott"*.

Von Winterfeld foi confinado em uma choupana improvisada. Assim, por toda a manhã, uivou palavras esparsas sobre a grandeza da Alemanha. *"Blut und Eisen!"*, gritava, e depois, com desprezo, *"Welt-Politik* – ha, ha, ha!". Começava, então, a explicar para ouvintes imaginários questões políticas complicadas, com voz baixa, matreira. Os outros feridos ficavam quietos, ouvindo. A atenção facilmente distraída de Bert era chamada de volta ao trabalho por Kurt. "Smallways, vamos, pegue aquela ponta ali!"

Lenta e tediosamente, o grande mastro foi erguido, cada peça posicionada em seu lugar. Os eletricistas conseguiram desenvolver uma piscina de captação elétrica com uma roda no caminho de águas caudalosas mais próximo. O pequeno dínamo Mulhausen, com sua voluta em forma de turbina, comumente utilizada por telegrafistas, estava, portanto, adaptado ao universo aquático. No sexto dia, à noite, o aparato ficou pronto para entrar em funcionamento e o príncipe já podia clamar – ainda em voz baixa, mas um clamor, sem dúvida – por sua frota aérea pelos ares. Durante algum tempo, esses clamores passaram despercebidos.

O efeito daquela noite permaneceria por muito tempo na memória de Bert. Uma chama avermelhada crepitou e luziu próxima dos eletricistas enquanto trabalhavam, e brilhos rubros percorreram o aço vertical do mastro e os fios encadeados de cobre voltados para o zênite. O príncipe estava sentado em uma pedra, bem próximo, as mãos sustentando o rosto e esperando. Mais para o norte, ficava a marcação do túmulo de Von Winterfeld, encimado por uma cruz de aço. Mais distante, em meio às pedras tombadas, podia-se distinguir um brilho vermelho e móvel: os olhos de um lobo. E do outro lado repousavam os destroços da grande aeronave e a tripulação bivacou em torno de um segundo clarão de chamas. Mantinham-se muito quietos, como se esperassem ouvir quais notícias poderiam alcançá-los ali. Em pontos muito distantes daquela eterna desolação, outros dispositivos de comunicação sem fio poderiam estar soando e estalando, despertando com os impulsos recebidos. Mas talvez não. Talvez aqueles impulsos enviados por meio do éter desaparecessem por conta própria naquele mundo desinteressado. Quando os membros da tripulação trocavam palavras, faziam-no em voz baixa. De vez em quando, o remoto grito de um pássaro quebrava o silêncio e pelo menos uma vez ouviu-se o uivo de um lobo. Tudo muito adequado naquela imensa, fria e infindável vastidão selvagem.

7

Bert foi o último a se atualizar com as novidades e, pior, transmitidas em péssimo inglês por um linguista que estava entre os camaradas. Foi apenas bem no meio da noite que o exausto telegrafista conseguiu resposta para seus insistentes chamados. O fluxo de notícias começou, então, claro e cristalino. E que notícias eram aquelas!

— Ora – disse Bert durante o desjejum, em meio a um grande clamor –, conta aí como foi.

— *Toda* o mundo *estar* em guerra! – disse o linguista, agitando seu copo de chocolate de modo ilustrativo. — *Toda* o mundo *estar* em guerra!

Bert olhou então para o sul, de onde despontava o amanhecer. Não parecia que todo o mundo estava em guerra.

— *Toda* o mundo *estar* em guerra! Queimaram metade de Berlim, queimaram metade de Londres; queimaram Hamburgo e Paris. Japão queimou

183 VII. O *VATERLAND* É POSTO FORA DE COMBATE

San Francisco. Temos um acampamento em Niágara. Foi isso o que falaram pelo telégrafo. A China tem incontáveis *Drachenflieger* e *Luftschiffe*. *Toda* o mundo *estar* em guerra!

— Caramba! – disse Bert.

— Siiiimm – respondeu o linguista, bebendo seu chocolate.

— Queimaram Londres? Assim como fizemos com Nova York?

— Foi bombardeada.

— Não falaram nada sobre um lugar chamado Clapham? Ou talvez Bun Hill? Nada?

— Eu não ouvi nada sobre isso – disse o linguista.

Aquilo foi tudo que Bert conseguiu descobrir, ao menos por algum tempo. A excitação de todos, contudo, era contagiante. Viu Kurt, sozinho e com as mãos nas costas, observando uma das cascatas distantes com concentrada atenção. Bert se encaminhou na direção de seu companheiro, saudando-o em estilo militar.

— Desculpe aí, tenente – disse.

Kurt voltou-se para Bert. O rosto do tenente estava particularmente sério naquela manhã.

— Só estava pensando: queria muito ver de perto aquela cachoeira – disse ele. — Ela me lembra... Mas o que você quer?

— Não entendo nada do que o pessoal fala, senhor. Poderia, se não for pedir muito, me contar o que está acontecendo?

— Dane-se o que está acontecendo – respondeu Kurt. — Você terá muitas notícias até o fim do dia. O mundo está acabando. Mandaram o *Graf Zeppelin* para nos resgatar. Estará aqui pela manhã, e iremos para Niágara, ou para a morte definitiva, em 48 horas... Mas eu gostaria de ver aquela cachoeira. É melhor você vir comigo. Já pegou suas provisões?

— Sim, senhor!

— Muito bem. Vamos.

Profundamente absorvido em seus pensamentos, Kurt liderou o caminho através de rochas na direção da cachoeira distante. Por algum tempo, Bert manteve-se atrás, como uma espécie de escolta. Mas logo que deixaram a atmosfera do acampamento para trás, Kurt reduziu seu ritmo para que andassem lado a lado.

— Estaremos de volta em dois dias – disse o tenente. — E essa é uma guerra do diabo, para a qual ninguém deveria querer voltar. Essas são as notícias. O mundo enlouqueceu. Nossa frota derrotou os americanos na noite em que fomos postos fora de combate, isso parece evidente. Perdemos onze aeronaves, onze com certeza. E todos os aeroplanos deles se foram. Só Deus sabe quantas máquinas inimigas esmagamos e quantas pessoas matamos. Mas esse é só o começo. Nosso ataque inicial foi como explodir um paiol de munição. Todos os países tinham suas máquinas voadoras secretas. Elas estão combatendo por toda a Europa, por todo o mundo. Os japoneses e os chineses também entraram na guerra. Isso foi decisivo. Terrivelmente decisivo. Eles se meteram em nossas discórdias... O "perigo amarelo" era de fato um perigo, no fim das contas! Eles dispõem de aeronaves aos milhares sobrevoando o mundo inteiro. Nós bombardeamos Londres e Paris, e os franceses e ingleses acabaram com Berlim. E agora a Ásia está em cima de todos nós... Virou uma obsessão. A China liderando a disputa. Não sabem mais quando ou como parar. Tornou-se um ciclo infinito. A confusão absurda final. Todos estão bombardeando capitais, destruindo portos e fábricas, minas e frotas navais.

— Será que a destruição em Londres foi muito pesada? – perguntou Bert.

— Só Deus sabe...

Não disse mais nada por algum tempo.

— Este lugar aqui, Labrador, parece bem tranquilo – assim Kurt retomou seu discurso. — Gostaria muito de ficar por aqui. Mas não posso fazer isso. Não! Tenho de voltar e suportar tudo. Tenho de suportar até o fim. Você também precisa. Todos precisamos... Mas por quê?... Eu digo o porquê: nosso mundo está caindo aos pedaços. Não há saída ou volta. Estamos diante de tudo isso! Somos como ratos pegos no meio de um incêndio, somos como gado surpreendido por uma inundação. Em breve seremos todos arrebanhados e jogados de novo na luta. Vamos ter de matar e destruir de novo, provavelmente. Agora será a frota sino-japonesa e estamos em desvantagem. Nossa vez chegará. O que vai acontecer com você, eu não sei, mas comigo tenho certeza: serei morto.

— Você vai ficar bem – disse Bert após uma desconfortável pausa.

— Não! – exclamou Kurt. — Serei morto. Antes eu não sabia, mas nesta manhã, logo de madrugada, tive certeza, como se tivessem me dito.

— Como assim?

— É como eu disse, eu sei.

— Mas *como* você sabe?

185   VII. O *VATERLAND* É POSTO FORA DE COMBATE

— Apenas sei.

— Como se alguém tivesse te contado?

— Como ter certeza.

— Apenas sei – ele repetiu. Por algum tempo, andaram em silêncio na direção da cachoeira.

Kurt, encerrado em seus pensamentos, andava de modo algo negligente. Por fim, voltou a falar.

— Sempre me senti jovem, Smallways, mas durante esta manhã me senti terrivelmente velho. Tão velho! Me senti bem mais perto da morte do que um idoso. Sempre achei que a vida era algo que se devia aproveitar alegremente. Mas não é... Coisas assim sempre aconteceram, creio eu... essas coisas, guerras e terremotos, eventos que varrem toda a decência da vida. É como se eu despertasse para encarar esses fatos pela primeira vez. Toda as noites, desde Nova York, eu sonho com o que fizemos... E sempre foi assim, assim é a vida. Pessoas são arrancadas do convívio dos seus amados; lares são arruinados; criaturas cheias de vida e de memórias, dotadas cada uma de um dom peculiar, são tostadas e mutiladas e retalhadas em pedaços, e morrem de fome e de putrefação. Londres! Berlim! San Francisco! Pense em quantas histórias humanas extirpamos em Nova York!... E os outros se lançam nisso novamente, como se tal destruição fosse mera fantasia. Assim como eu me lancei! Como animais! Exatamente como animais!

O tenente caiu em novo mutismo prolongado antes de sentenciar, definitivo:

— O príncipe é um lunático.

Chegaram até uma encosta onde era necessário escalar, depois caminharam por algo que se assemelhava a uma longa trilha ao lado de um riacho. Ali, havia certa quantidade de flores em tom vermelho pálido que de imediato chamaram atenção de Bert.

— Caramba! – disse, ao parar e pegar uma. — Num lugar como esse aqui.

Kurt parou e deu meia-volta. Seu rosto estremeceu.

— Nunca vi flor igual – disse Bert. — É muito delicada.

— Pegue mais, se quiser – disse Kurt.

Ele assim o fez, enquanto Kurt permaneceu parado, observando.

— Gozado como sempre tem alguém com a ideia de pegar umas flores – disse Bert.

Kurt não disse nada à guisa de resposta.

Continuaram a caminhada em silêncio, por bastante tempo.

Por fim, chegaram a um promontório rochoso a partir do qual a vista da cachoeira se abria, ampla. Kurt parou e se sentou sobre a pedra.

— Era exatamente isso que eu queria ver – explicou. — Não é exatamente igual, mas serve.

— Igual a quê?

— A outra cachoeira que eu conheci.

De repente, fez uma pergunta inesperada.

— Você tem alguma garota, Smallways?

— Que curioso – disse Bert. — Estas flores todas, eu acho, sei lá... que eu estava pensando nela.

— Eu também.

— Em *quem*? Na Edna?

— Não. Estava pensando na *minha* Edna. Todos nós temos Ednas, suponho. É na direção delas que a nossa imaginação se dirige. Eu também tinha uma garota. Mas agora isso tudo é passado. É duro pensar que não a verei nunca mais, nem por um minuto sequer, nem fazê-la saber que estou pensando nela.

— Mas é capaz – disse Bert – que você ainda volte a vê-la.

— Não – respondeu Kurt, decidido. — Eu sei que não.

— Eu a conheci – o tenente prosseguiu –, em um lugar muito parecido com este aqui. Eram os Alpes: Engstlen. Lá havia uma cachoeira como esta. Uma ampla queda-d'água que se dirigia para Innertkirchen. Por isso tive vontade de vir aqui esta manhã. Demos uma fugida e passamos apenas meio dia juntos. E colhemos flores. Flores parecidas com as que você pegou. As mesmas, até onde sei. E gencianas.

— Pois é – disse Bert –, eu e a Edna, a gente fez coisa parecida também. Flores. Tudo isso. Mas parece que faz anos.

— Ela era linda. Atrevida. Tímida. *Mein Gott!*... Mal consigo segurar meu desejo de vê-la e de ouvir sua voz de novo antes de morrer. Onde ela estará?... Preste atenção, Smallways. Escreverei uma espécie de carta, e aqui está o retrato dela – Tocou suavemente o bolso na altura do peito.

— Mas você vai vê-la de novo, sim – disse Bert.

— Não! Eu nunca voltarei a vê-la... Não compreendo por que devemos encontrar alguém especial apenas para sofrer uma separação pouco tempo depois. Mas eu sei que não vou vê-la novamente. Isso eu sei com certeza, a mesma certeza que tenho de que o sol nascerá e de que esta cascata continuará brilhando acima dessas rochas após a minha morte... Oh! Toda essa ignorância, essa pressa absurda, essa violência, essa loucura cruel, essa estupidez, esses erros e esse egoísmo desmedido. Tudo o que os homens cometeram até aqui. Tudo o que nunca farão. *Gott!* Entenda, Smallways, que a vida sempre foi uma confusão caótica: batalhas, massacres, desastres, atos odiosos e ferozes, assassinatos e atrocidades, linchamentos e trapaças. Esta manhã, descobri que estou cansado de tudo, como se eu deparasse com todos esses fatos pela primeira vez. Percebi *finalmente*. Quando um homem está cansado da vida, penso que seja a hora de ele morrer. Perdi o que me era mais caro, a morte está sobre mim. A morte se aproxima e eu sei qual será o meu fim. Mas pense em todas as esperanças que eu ainda alimentava pouco tempo atrás, a sensação de um novo começo!... Uma grande farsa. Não existe um novo começo... Somos apenas formigas que habitam imensos formigueiros, nossas cidades, em um mundo que não se importa; que sai a vagar perambulando até a aniquilação. Nova York... Nova York nem sequer me parece algo horrível. Nova York não foi nada além de um formigueiro chutado com violência sádica por um tolo!

— Pense nisso, Smallways: há guerra por todos os lados! Eles mesmos estão aniquilando sua preciosa civilização antes mesmo de ela existir direito. O tipo de coisa que vocês, ingleses, fizeram em Alexandria ou que os japoneses conseguiram em Port Arthur ou os franceses em Casablanca, imagine isso em cada canto do mundo. Em cada canto que seja! Até mesmo lá na América do Sul estão lutando entre si! Não há lugar seguro, não há paz. Não existe lugar em que uma mulher e sua filha possam se esconder e permanecer em segurança. A guerra chega pelos ares, bombas são lançadas durante a noite. Silenciosamente, as pessoas saem pela manhã para ver as frotas aéreas que as sobrevoam, despejando morte, despejando morte!

A GUERRA NO AR

VIII.
UM MUNDO EM GUERRA

1

Muito lentamente, Bert concebeu essa ideia de que o mundo todo estava em guerra. Teve de construir a imagem de todos os populosos países do mundo – situados ao sul da solidão ártica em que se encontrava – afligidos pelo terror e pelo desespero ao verem os céus tomados por esses estranhos recém-nascidos: as máquinas aéreas. Não estava acostumado a pensar no mundo como um todo, mas sim como uma vastidão, semelhante ao interior da Inglaterra, que se localizava além do alcance imediato da visão. A guerra, em sua imaginação, era uma espécie de agitação benéfica, fonte de notícias e de emoção que acontecia em uma área restrita, denominada de "zona de combate". O problema é que, naqueles dias, toda a atmosfera era uma zona de combate, e cada país, um campo de batalha. As nações corriam tão próximas no caminho da pesquisa e da invenção, mantendo seus achados como segredos absolutos, embora quase paralelos – inclusive no que dizia respeito a seus planos de conquista –, que poucas horas depois do lançamento da frota aérea da Francônia uma armada asiática começou a se deslocar para o Ocidente, muito acima dos olhos maravilhados de milhões na planície do Ganges. Mas os preparativos da Confederação da Ásia Oriental tinham sido ainda mais colossais que os alemães. "Com este passo", disse Tan Ting-Siang, "nós alcançamos e ultrapassamos o Ocidente. Recuperamos a paz mundial que os bárbaros ocidentais destruíram".

Desenvolvidas com rapidez e discrição confidencial, as invenções asiáticas rapidamente sobrepujaram os esforços dos alemães. Enquanto a indústria de guerra germânica contava com uma centena de trabalhadores, os asiáticos tinham 10 mil. Chegavam aos gigantescos parques aeronáuticos em Chinsi-Fu e Tsingyen através das linhas de monotrilhos que cruzavam toda a superfície da China. Havia multidões de trabalhadores qualificados, muito acima da média europeia em eficácia industrial. A notícia a respeito da peça que os alemães pregaram ao mundo, de surpresa, apenas acelerou os preparativos na Ásia. Quando do bombardeio de Nova York, era discutível que a potência germânica tivesse, nos ares, um total de trezentas aeronaves; já as frotas asiáticas contavam com milhares delas, voando a oeste, leste, sul. Além disso, o Oriente tinha uma máquina áerea de combate realmente digna esse nome, o *Niaio*, como era chamada: um aparato leve mas mortalmente eficaz e infinitamente superior ao *Drachenflieger* alemão, embora compartilhasse com este algumas características, como o fato de ser projetado para um único tripulante. Contudo, o modelo asiático tinha sido construído com aço bem leve, bambu e seda artificial, dotado de motor transversal e asas laterais móveis. O aeronauta podia levar uma arma que disparava balas explosivas de oxigênio e, na melhor tradição japonesa, uma espada. Sendo a maioria dos tripulantes japonesa, de acordo com os costumes desse povo, exigia-se que o aeronauta fosse um espadachim. As asas de tais máquinas possuíam ganchos dianteiros semelhantes a morcegos, através dos quais poderiam se fixar nas câmaras de gás de seu antagonista, facilitando uma abordagem direta. Essas levíssimas engenhocas voadoras podiam ser carregadas pela frota aérea local, mas também levadas por mar e até mesmo pelas divisões de infantaria em terra. Tinham capacidade para voar de 200 a 500 milhas, conforme as condições do vento.

Diante da irrupção da primeira frota aérea da história, pelos alemães, os enxames da Ásia também foram lançados na atmosfera. Instantaneamente, cada governo organizado do mundo mergulhou em uma corrida, frenética e insistente, para construir aeronaves ou qualquer coisa que se aproximasse das máquinas voadoras que seus inventores imaginaram. Não havia tempo para diplomacia. Advertências e ultimatos foram telegrafados, e poucas horas depois, todo o mundo, furiosamente apavorado, estava em guerra aberta, da maneira mais complicada que se poderia conceber. Inglaterra, França e Itália declararam guerra contra a Alemanha e insultaram a neutralidade suíça. Diante das aeronaves vindas do Extremo Oriente, a Índia enfrentou insurreições religiosas: hindus em Bengala e muçulmanos nas províncias a noroeste. Aliás, as revoltas islâmicas se espalharam como o fogo de Gobi até Gold Coast. A Confederação da Ásia Oriental tomou os poços de petróleo da Birmânia e declarou guerra contra a América e a Alemanha. Em uma semana aeronaves estavam sendo construídas em Damasco, no Cairo e em Joanesburgo. Austrália e Nova Zelândia começaram os preparativos frenéticos para lançar seus aparatos. Um aspecto único e também assustador no desenvolvimento de tal corrida armamentista foi a rapidez com que esses monstros voadores eram produzidos. Criar um encouraçado levava de dois a quatro anos; uma aeronave podia ser montada em algumas poucas semanas. Além disso, mesmo se comparada a um torpedeiro, a aeronave era notavelmente mais simples de construir: somando a câmara de gás, os propulsores, o gasômetro e o projeto, a coisa toda parecia tão simples quanto, centenas de anos atrás, tinha sido a construção de pequenos barcos de madeira. De modo que, do Cabo Horn a Nova Zembla, de Cantão a Cantão novamente após uma volta inteira pelo globo, havia fábricas, oficinas e recursos industriais.

Antes mesmo de os alemães surgirem no horizonte das águas do Atlântico e de a frota asiática ser descrita pelas primeiras testemunhas oculares na Alta Birmânia, a fantástica rede de crédito e finanças que manteve o mundo economicamente estável por centenas de anos ficou tensa pela pressão e estalou, partindo-se. Um tornado parecia varrer todas as bolsas de valores do mundo; bancos interromperam pagamentos, negócios degringolaram e desapareceram; fábricas entraram em estado de inércia diante dos pedidos de falência e da queda abrupta de consumo, depois pararam completamente. A Nova York vista por Bert Smallways em toda a sua glória de luz e tráfego encontrava-se à beira de um colapso econômico e financeiro sem paralelos na história. O suprimento de comida já começara a escassear. Antes que a guerra mundial completasse duas semanas – ou seja, no momento em que o mastro foi erguido em Labrador –, não havia cidade ou vila no mundo fora da China, mesmo que distantes dos centros de destruição, que não adotasse métodos especiais de emergência para lidar com a falta de mantimentos e o excesso de desempregados.

As singularidades da Guerra no Ar eram tais que, uma vez deflagrado o conflito, tenderam quase que inevitavelmente para a desorganização social. A primeira dessas peculiaridades surgiu com o ataque da frota alemã a Nova York: o imenso poder de destruição que têm as aeronaves, paradoxalmente compensado pela relativa inabilidade em efetivar a ocupação do território conquistado por meio de forças de segurança e repressão. Diante de populações que sobreviviam em meio ao caos econômico, furiosas e famintas, tal característica levava necessariamente a enfrentamentos violentos e destrutivos. Mesmo quando uma frota aérea atravessava inativa o espaço aéreo de uma cidade, mobilizava conflitos civis e desordens diversas em terra firme. Não existiu na história das guerras nada que fosse comparável a isso, a não ser que utilizemos casos ocorridos durante o século XIX, como ataques contra amplas coletividades primitivas ou então os bombardeios que desfiguraram a história da Grã-Bretanha no final do século XVIII. Nesses exemplos possíveis retirados do passado, de fato houve crueldade e destruição que prenunciavam, em escala reduzida, os horrores da guerra aérea. Houve apenas uma experiência premonitória imediatamente anterior ao século XX – bastante suave em comparação –, que foi a Comuna de Paris, em 1871, uma demonstração eloquente do comportamento e das possibilidades de uma moderna população urbana diante da tensão da guerra.

Uma segunda peculiaridade da guerra aérea, em seus primórdios, que facilitava igualmente o colapso social, foi a pouca efetividade dos confrontos entre aeronaves. Contra qualquer resistência vinda de baixas altitudes, a resposta surgia na forma de uma chuva de explosivos extremamente mortal, que reduzia a ruínas fortalezas, cidades e barcos, mas, a não ser que tentassem uma investida frontal suicida, poucos danos conseguiriam causar a outro aparato aéreo. O armamento das imensas aeronaves alemãs, com as mesmas dimensões paquidérmicas de um transatlântico, era uma metralhadora que podia muito bem ser transportada por uma parelha de mulas. Além disso, quando se tornou evidente que as batalhas pelos ares seriam inevitáveis e os marujos aéreos começaram a portar rifles com balas explosivas de oxigênio ou de outra substância inflamável, as aeronaves se viram diante do fato de que sua blindagem e seu armamento de defesa seriam inferiores aos dos menores barcos de guerra de qualquer Marinha. Consequentemente, quando essas monstruosidades se enfrentavam em batalha, manobravam para alcançar altitudes bem elevadas ou agarravam-se para lutar ao estilo das antigas embarcações chinesas, atirando granadas de mão e lutando mano a mano à maneira medieval. Os riscos de derrota e queda dos dois lados equilibravam-se, em todo caso, com qualquer possibilidade de vitória. Como consequência, logo após as primeiras experiências de combate, surgiu forte tendência nos almirantes das frotas a evadir-se das batalhas aéreas antes mesmo que elas acontecessem, buscando alguma vantagem moral em vez de um destrutivo contra-ataque.

E, se as aeronaves eram extremamente ineficazes, os primeiros *Drachenflieger* eram ou muito instáveis – como a versão alemã – ou leves demais – como a japonesa –, o que inviabilizava resultados decisivos. É bem verdade que, posteriormente, os brasileiros lançaram uma máquina voadora de tipo e porte consideráveis, capaz de enfrentar uma aeronave. Contudo, apenas três ou quatro chegaram a ser produzidas e operaram só na América do Sul. Logo essas máquinas desapareceriam inteiramente dos registros da história, pois a falência mundial pôs um ponto-final em toda a produção industrializada em qualquer escala considerável.

A terceira peculiaridade da Guerra no Ar era a sua capacidade de destruição absoluta conjugada com a impossibilidade igualmente total de decidir o conflito. Talvez fosse este seu traço mais característico: ambos os lados permanentemente abertos em ataques sempre punitivos. Em todas as formas anteriores de guerra, fosse em terra ou no mar, o lado derrotado rapidamente perdia a capacidade de atacar o território ou as comunicações do inimigo. Combatia-se em uma "frente", e atrás dessa frente chegavam os suprimentos e os recursos do lado que estava ganhando. Suas cidades, suas fábricas, seu capital, a paz de todo o país, estavam assegurados ao vencedor. Se a guerra fosse naval, a destruição se concentraria na frota inimiga, seguida do bloqueio dos portos, do apresamento do suprimento de carvão e da caça aos cruzadores inimigos que escapassem do bloqueio ou da destruição e pudessem revidar. Mas bloquear e patrulhar o litoral é uma coisa; bloquear e patrulhar toda a superfície de um país é outra bem diferente, e os cruzadores e navios adequados a atividades corsárias são de demorada fabricação, não podem ser escondidos nem deslocados de um lugar a outro de forma completamente despercebida. Na guerra aérea, ainda que o lado mais forte tenha praticamente destruído o grosso da frota inimiga, ele precisaria fazer intensas patrulhas para dar cabo de todo e qualquer local que pudesse, talvez, produzir novas e mais mortais máquinas voadoras. Significaria escurecer os céus com aeronaves. Significava construí-las aos milhares e treinar aeronautas às centenas de milhares. Um pequeno dirigível esvaziado de gás poderia ser escondido em um galpão ferroviário, em um vilarejo, em uma floresta; uma máquina voadora seria ainda menos perceptível.

Afinal, nos ares não existem ruas, canais ou pontos a partir dos quais se possa dizer a um antagonista: "Se você deseja alcançar minha capital, precisa passar por aqui". Nos ares, todas as direções levam a todos os lugares.

Consequentemente, era impossível interromper essa guerra pelos métodos já conhecidos e estabelecidos. Assim, A, tendo sobrepujado B, paira com mil aeronaves em cima da capital de B, ameaçando riscá-la do mapa se não houver completa rendição. B responde, por meio da telegrafia sem fio, que está procedendo ao bombardeio da mais importante cidade industrial de A utilizando três aeronaves corsárias. Então A afirma que as aeronaves de B estão praticando pirataria e bombardeia a capital de B, iniciando a perseguição das aeronaves remanescentes de B, que, dominado pela emoção da resistência heroica, inicia a construção de mais armamento em meio às ruínas, de onde brotam novas aeronaves e explosivos a serem utilizados contra A. Uma guerra assim desagregava-se, adquirindo o formato de guerrilhas universais que envolviam, inextricavelmente, civis, seus lares e todo o aparato da vida social.

A Guerra no Ar, munida de todas essas características, pegou o mundo de surpresa. Não houve previsão que pudesse deduzir todas essas consequências. Se houvesse, o mundo teria organizado uma espécie de Conferência Universal de Paz pelos idos de 1900. Mas a invenção mecânica corria mais veloz que a organização social e intelectual, de forma que o mundo – com suas velhas e tolas bandeiras, suas tradições obtusas de nacionalidade, seus jornais de baixo nível, suas paixões e imperialismos absurdos, suas motivações comerciais torpes, suas hipocrisias e vulgaridade habituais, suas mentiras e conflitos sobre raça – foi pego de surpresa. Uma vez começada, não havia como parar a guerra. A delicada estrutura de crédito – que tinha crescido de modo totalmente imprevisto e se mantinha sobre uma quantidade avassaladora de dinheiro estabelecido por uma interdependência que nenhum ser humano chegou a compreender claramente – dissolveu-se em pânico. Por toda parte, aeronaves despejavam bombas, destruindo toda a esperança de uma recuperação posterior, e por toda parte havia catástrofe econômica, multidões famintas e sem emprego sublevando-se, e desordem social. Qualquer inteligência orientadora construtiva que pudesse ter existido entre as nações desapareceu com a imensa crise. Todos os jornais, os documentos e as histórias que sobreviveram desse período falam, universalmente, de cidades sem

mantimentos e comida, de ruas congestionadas com gente desemprega-
da e famélica, de crises na administração, de estados de sítio, de governos
provisórios, de comitês de defesa, mesmo de comitês insurrecionais (esse
era o caso da Índia e do Egito) tomando o poder e armando a população,
de construção de baterias e de armamento oculto, de acelerada produção
de aeronaves e máquinas voadoras.

Poder-se-iam contemplar todas essas coisas aos poucos, em vislumbres, como se através de uma nuvem de podridão que rapidamente
encobrisse o mundo. Era o fim de uma era; era o colapso da civilização
que confiou nas máquinas, e os instrumentos de sua destruição haviam
sido as máquinas. Mas enquanto o colapso de outras grandes civilizações
anteriores, como a de Roma, levou séculos para acontecer, num processo gradual com muitas fases – parecido ao processo de declínio humano
causado pelo envelhecimento –, essa nova decadência foi mortal e súbita,
como quando se é atingido por um trem ou por um carro motorizado em
altíssima velocidade.

2

As primeiras batalhas da guerra aérea foram, sem dúvida, determinadas
por tentativas de aplicar a velha máxima naval que dizia ser necessário
determinar a posição da frota inimiga e depois destruí-la. Houve, primeira-
mente, a batalha por Bernese Oberland, na qual dirigíveis italianos e franceses que tentavam flanquear o parque aeronáutico da Francônia foram
atacados pelo esquadrão experimental suíço, com auxílio de aeronaves
alemãs. Logo depois, três aeronaves germânicas infelizes encontrariam
os aeroplanos britânicos *Winterhouse-Dunn*.

Então veio a Batalha do Norte da Índia, na qual praticamente todo
o parque aeronáutico anglo-indiano lutou ferozmente – durante três dias
marcados por contínuas adversidades –, mas acabou sistematicamente
disperso e destruído.

Simultaneamente a tudo isso, iniciou-se a crucial batalha entre alemães e asiáticos, usualmente conhecida como Batalha de Niágara em
razão do objetivo do ataque oriental. Mas a verdade é que essa batalha
gradualmente se transformou em conflitos esporádicos sobre metade do

197   VIII. UM MUNDO EM GUERRA

continente. As aeronaves alemãs que escaparam da destruição desceram e se renderam aos americanos, que as rearmaram. Ao final, a batalha degenerou-se em uma série de impiedosos e heroicos encontros entre os americanos, ferozmente decididos a exterminar seus inimigos, e uma força de invasão continuamente reforçada da Ásia, aquartelada por todo o Pacífico e apoiada por uma frota imensa. Desde o início, a guerra na América foi marcada por terrível rigidez: não houve trégua, não houve prisioneiros. Dotados de tenacidade selvagem e de energia inacreditável, os americanos construíam e lançavam uma aeronave após a outra, para lutar e perecer contra as multidões asiáticas. Tudo estava subordinado ao esforço de guerra, toda a população tinha sua vida e sua morte determinadas por ela. No fim das contas, conforme irei relatar, os ocidentais encontraram na máquina de Butteridge uma arma capaz de fazer frente aos espadachins voadores do Oriente.

A invasão da América pelos asiáticos apagou completamente o conflito germano-americano. Ele desapareceu da história. Inicialmente, tal confronto parecia prometer razoável quota de tragédia por si mesmo – começando com um inesquecível massacre. Após a destruição da área central de Nova York, toda a América se levantou como um único homem, resolvida a sofrer milhares de mortes antes de se submeter aos alemães. Os invasores, por seu lado, estavam decididos a reduzir os americanos à submissão e, seguindo as planos elaborados pelo príncipe, tomaram Niágara – com o objetivo de se beneficiar de suas enormes possibilidades elétricas. Expulsaram todos os habitantes locais e transformaram a região dos arredores, até Buffalo, em um deserto. E, logo após a declaração de guerra da Grã-Bretanha e da França, destroçaram mais de 10 milhas do lado canadense. Começaram a trazer homens e material para a frota da costa leste, num vaivém de gente que lembrava industriosas abelhas fazendo mel. Nesse momento, as forças asiáticas apareceram e atacaram a base alemã em Niágara, o primeiro encontro das frotas do Oriente e do Ocidente. Foi quando o problema mais grave dessa guerra se tornou evidente.

Uma peculiaridade notável das primeiras lutas aéreas decorreu do sigilo absoluto com o qual as aeronaves tinham sido construídas. Cada potência dispunha, no máximo, de uma vaga suspeita dos esquemas e planos das rivais, e até mesmo os experimentos com os dispositivos desenvolvidos internamente tinham chances limitadas de teste, devido às necessidades estritas de confidencialidade. Nenhum dos projetistas e inventores de aeronaves e aeroplanos sabia claramente do que suas invenções seriam capazes em uma batalha; muitos não imaginavam que elas seriam usadas em lutas aéreas e planejaram apenas dispositivos para facilitar o lançamento de bombas. Fora essa a ideia da Alemanha. A única arma disponível nas aeronaves da frota vinda da Francônia que poderia ser usada para combater outros aparatos voadores era a metralhadora dianteira. Foi apenas depois da batalha sobre Nova York que as tripulações se armaram com rifles curtos carregados com balas explosivas. Teoricamente, os *Drachenflieger* deveriam ser armas ofensivas, uma espécie de versão aérea de um barco torpedeiro. Como conceito, o aeroplano alemão deveria chegar perto de seu adversário e jogar bombas contra ele. Contudo, tais engenhocas eram infernalmente instáveis: cerca de um terço delas conseguia retornar com sucesso à nave-mãe. O resto ou era abatido ou despencava.

A frota da aliança sino-japonesa fez a mesma distinção que os alemães entre aeronaves e máquinas de combate direto mais pesadas que o ar, mas em ambos os casos as especificações eram bem diferentes daquelas vistas nos modelos ocidentais e – o que denota de modo eloquente o vigor empregado pelos grandes povos do Oriente no aperfeiçoamento dos métodos ocidentais de pesquisa científica – resultavam quase que inteiramente da invenção dos engenheiros asiáticos. É necessário destacar, nesse sentido, Mohini K. Chatterjee, um exilado político que serviu no parque aeronáutico indo-britânico em Lahore.

As aeronaves alemãs tinham um formato de peixe, com uma cabeça mínima e achatada. A versão asiática mantinha o formato geral de peixe, mas tal desenho não se assemelhava tanto a um bacalhau ou a um caboz, e sim a uma arraia ou a um linguado. Era larga, com a parte inferior plana, sem janelas ou qualquer tipo de abertura, exceto uma que se prolongava pela linha média da estrutura. Os compartimentos seguiam esse eixo central, com um tipo de ponte no convés acima. As câmaras de gás davam ao conjunto a forma de uma tenda circular, típica dos ciganos, com a diferença de ser muito mais plana. A aeronave alemã era, em essência, um balão dirigível muito mais leve que o ar. A versão asiática também era pouco mais leve que o ar, além de bastante delgada, o que garantia velocidade maior, ainda que com estabilidade menor. Carregavam canhão dianteiro e traseiro, este bem maior, capaz de disparar munição incendiária, além de possuir nichos guarnecidos para artilheiros nas partes superior e inferior. Tratava-se de um armamento bem mais leve que o usual – bem mais leve, por exemplo, que o menor canhão naval já construído –, mas suficiente para sobrepujar e ultrapassar as monstruosas aeronaves germânicas. Em ação, os aparatos orientais estavam sempre atrás ou acima dos alemães: algumas vezes, corriam por baixo, evitando passar exatamente sob o paiol de munições, fazendo fogo com o canhão traseiro assim que ultrapassavam tal ponto e disparando munição explosiva de oxigênio contra as câmaras de gás do inimigo.

Mas não era em seus dirigíveis e sim, como foi mencionado, em suas máquinas voadoras que o poderio asiático se destacava. Superados apenas pela máquina de Butteridge, tais aeroplanos eram certamente as mais eficazes criações mais pesadas que o ar já construídas. Surgiram da mente inventiva de um artista nipônico e diferiam notavelmente do formato de pipa quadrangular do *Drachenflieger* por apresentar asas laterais curvadas e flexíveis, semelhantes às de uma borboleta, construídas com uma substância que lembrava a mistura de celuloide com seda colorida e brilhante. Tinha, ainda, uma longa cauda, como um beija-flor. Havia ganchos no canto dianteiro das asas, parecidas com as garras de um morcego – através desse dispositivo de aderência, a máquina voadora nipônica poderia se agarrar e rasgar as paredes da câmara de gás de uma aeronave inimiga. Assim, o solitário cavaleiro aéreo se sentava entre as asas, logo acima de um mecanismo propulsor a explosão transversal, que não diferia em essência de qualquer outro empregado nos modelos mais simples das bicicletas motorizadas da época. Embaixo, uma única e ampla pá propulsora. Acomodado em uma sela como a que havia na máquina de Butteridge, o cavaleiro aéreo carregava uma enorme espada de duas mãos e duplo gume, além de um rifle com balas explosivas.

3

Seria possível inserir em uma tabela comparativa todas essas peculiaridades relativas aos diferentes padrões de desenho dos aeroplanos e dirigíveis americanos e alemães, mas nada disso era conhecido por aqueles que estavam envolvidos na monstruosa e confusa batalha que ocorreu sobre a região americana dos Grandes Lagos.

Cada lado se lançou à ação contra sabe-se lá que incógnita, sob novas condições e aparelhagens que mesmo sem ataques hostis eram capazes de produzir desconcertantes surpresas. Esquemas de ação, tentativas de manobra coletivas e outras estratégias necessariamente se desfizeram assim que a batalha começou, de modo muito parecido ao que ocorreu nos confrontos entre encouraçados do século anterior. Cada capitão, diante desse fato, necessitava confiar na ação individual e nos recursos de seu equipamento: um triunfo poderia ser visto, por outro comandante e em outro contexto, como um sinal para a fuga e o desespero. Tanto da Batalha de Niágara quanto da Batalha de Lissa pode-se afirmar que a refrega era menos uma batalha que um conjunto de "batalhetas"!

Para um espectador como Bert, a coisa toda acontecia na forma de incidentes em série, alguns de proporções titânicas, outros bem triviais, mas no todo absolutamente incoerentes. Ele não chegou a perceber nenhum traço de um planejamento conjunto ou de uma luta que tenha terminado com vitória ou derrota para um dos lados. Viu acontecimentos tremendos que desembocaram na ruína e na destruição de seu mundo.

Assistiu à batalha do solo, em Prospect Park e em Goat Island, para onde fugira.

Mas a forma como Bert chegou a permanecer no solo exige alguma explicação.

O príncipe retomou o comando de sua frota através do telégrafo sem fio bem antes de o *Zeppelin* localizar o acampamento em Labrador. Por ordens suas, a frota aérea alemã, cujos batedores mais avançados encontraram os japoneses acima das Montanhas Rochosas, concentrou-se em Niágara para aguardar o resgate. A retomada do comando aconteceu logo no início da manhã do 12º dia, e Bert teve seu primeiro vislumbre do desfiladeiro das Cataratas do Niágara enquanto treinava nas estruturas de rede exteriores, situadas no meio da câmara de gás, durante o nascer do sol. O *Zeppelin* ia então muito alto, e lá embaixo Bert pôde distinguir as águas rajadas de espuma, e mais a leste o grande arco do lado canadense das cataratas brilhava, sua espuma cintilando ao nível do sol, com um estrondo incessante e ensurdecedor que se alçava aos céus. A frota aérea posicionava-se em formação de meia-lua, com as extremidades apontando para sudoeste, uma longa fila de monstros com cauda em lenta rotação e as insígnias da Alemanha se arrastando, as popas prolongadas pelos pingentes de Marconi que portavam.

A cidade de Niágara ainda estava em sua maior parte de pé, a despeito de suas ruas esvaziadas praticamente mortas. As pontes permaneciam intactas, bandeiras e anúncios convidativos ainda tremulavam na fachada de hotéis e restaurantes, e as estações de energia seguiam em pleno funcionamento. Mas, ao redor desse centro, os dois lados do desfiladeiro foram varridos pelo que parecia ser uma vassoura colossal. Tudo o que poderia fornecer proteção a um ataque contra a posição alemã em Niágara acabou arrasado com o máximo que a combinação de maquinaria e artefatos pode conseguir. Casas foram explodidas e incendiadas, bosques, reduzidos a nada, cercas e plantações, destruídas. Os monotrilhos ficaram retalhados e as estradas foram varridas por bombas para evitar qualquer forma de abrigo ou esconderijo. Visto de cima, o efeito dessa demolição era grotesco. Matas viçosas ceifadas pelo uso de cabos cortantes arrastados pelas máquinas voadoras, e as mudas, destroçadas, esmagadas e arrancadas, jaziam em faixas como o milho depois da foice. As casas pareciam ter sofrido um efeito de achatamento causado pela pressão de um dedo gigantesco. Boa parte dos incêndios ainda não fora controlada, enquanto áreas inteiras estavam reduzidas a pedaços fumegantes, algumas vezes com brilho intenso em meio à escuridão das cinzas calcinadas. Aqui e ali era possível perceber os despojos dos fugitivos retardatários, carroças e cadáveres de cavalos e homens; e nas casas onde havia alguma fonte de água restavam piscinas e fontes que jorravam de encanamentos quebrados. Nos campos que não estavam calcinados, cavalos e gado pastavam pacificamente. Para além dessa área desolada, a região rural próxima parecia relativamente preservada, embora praticamente todos os seus habitantes tivessem fugido. Buffalo estava quase por completo tomada pelas chamas e não havia nenhum esforço local para controlar os incêndios.

A própria cidade de Niágara sofria rápidas transformações para se adequar ao papel de depósito militar. Grande número de engenheiros do exército bem treinados já havia sido transportado para lá pela frota aérea e estava trabalhando com afinco na adaptação do aparato industrial da cidade para as necessidades de um parque aeronáutico. Construíram uma estação para recarga de gás na esquina mais próxima da queda-d'água do lado americano, logo acima do teleférico. Estavam preparando uma área ainda maior, ao sul, para o mesmo fim. A bandeira alemã havia sido hasteada nas centrais elétricas, nos hotéis e em outros pontos importantes da cidade.

O *Zeppelin* circulou lentamente sobre esse cenário umas duas vezes enquanto o príncipe perscrutava tudo da galeria suspensa; depois elevou sua altitude em direção ao centro da formação em meia-lua e transferiu o príncipe e seu pessoal, incluindo Kurt, ao *Hohenzollern*, que fora escolhido como capitânia na batalha que se avizinhava. A transferência foi feita por um pequeno cabo a partir da galeria frontal. Os homens do *Zeppelin* ocuparam a estrutura de rede externa durante o deslocamento. Depois o *Zeppelin* desceu obedecendo a uma trajetória circular e pousou no Prospect Park para desembarcar os feridos e recarregar o paiol com explosivos – voara para Labrador sem rastro de munição, pois não havia certeza da quantidade de peso que teria de carregar. Houve também recarga de hidrogênio em uma das câmaras dianteiras, que apresentava vazamentos.

Bert estava à disposição e ajudou a carregar os feridos um a um até um dos grandes hotéis próximo ao local de pouso, com vista para a costa canadense. O hotel estava praticamente vazio, com exceção de duas enfermeiras americanas experientes e um porteiro negro, e três ou quatro alemães aguardando os feridos. Bert acompanhou o médico do *Zeppelin* até a rua principal da cidade, e invadiram uma farmácia, pois careciam de muitos itens. Ao retornar, havia um oficial e dois homens montando um inventário geral do material existente nas várias lojas da cidade. À exceção deles, a ampla rua principal estava praticamente deserta. Foram dadas ao povo da cidade três horas para a evacuação e, aparentemente, todos fizeram exatamente isso. Na esquina, um cadáver humano permanecia escorado em uma parede – baleado. Viam-se dois ou três cães na paisagem vazia, mas, na direção do rio, a passagem de um comboio no monotrilho quebrava a quietude completa. Vinha carregado de mangueiras, que foram levadas aos trabalhadores responsáveis pela conversão do Prospect Park em um conjunto de docas para aeronaves.

Conduzindo uma bicicleta tomada de uma loja nas adjacências, Bert levou uma sacola de remédios ao hotel, e logo foi enviado para carregar as bombas do paiol no *Zeppelin*, tarefa que exigia minuciosa atenção. Depois desse serviço, foi chamado pelo capitão do *Zeppelin* para levar uma mensagem ao oficial encarregado da empresa de energia anglo-americana, uma vez que o telefone de campanha ainda não fora ajustado. Bert recebeu as instruções em alemão – tentava adivinhar o sentido do que ouvia –, saudou o capitão e pegou o recado, não se importando em denunciar sua ignorância diante do idioma. Estava a caminho, demonstrando ter plena consciência da direção a seguir, embora começasse a compreender que não fazia ideia de onde entregar o tal bilhete. Então, nesse momento, teve a atenção dirigida para o alto, pois um dos canhões no *Hohenzollern* disparou, acompanhado do que parecia ser uma saudação celestial.

Tentou enxergar o que acontecia nos ares, mas teve a visão obstruída pelas casas dos dois lados da rua. Bert hesitou, mas a bisbilhotice acabou levando-o até a margem do rio. Nessa nova posição, descobriu que a vista contiuava parcialmente limitada, dessa vez por árvores, e foi com um sobressalto que ele descobriu que o *Zeppelin*, ainda com um quarto do paiol de munições vazio, subia acima de Goat Island. A aeronave não esperou pela plena recarga de sua munição. Nesse momento, ocorreu-lhe que acabava de ser abandonado em terra firme. Agachou-se entre as árvores e moitas até se sentir a salvo, caso o capitão reconsiderasse voltar. Mas a curiosidade de ver o que a frota aérea alemã enfrentaria foi avassaladora, e ele se viu seguindo para o meio da ponte que levava até Goat Island. Desse ponto, a vista cobria todo um hemisfério do céu, o que permitiu um vislumbre inicial das aeronaves asiáticas, em baixa altitude, surgindo logo acima do tumulto das águas das Upper Rapids.

Eram bem menos impressionantes que as máquinas aéreas alemãs. Não conseguia ter uma visão clara por causa da distância, e elas voavam lateralmente, como se quisessem esconder a amplitude de suas dimensões.

Bert permaneceu no meio da ponte, um local que a maioria das pessoas que chegaram a conhecer aquela cidade lembrava como o ponto predileto de numerosos turistas e excursionistas. Mas, naquele momento, ele era o único ser humano por ali. Acima, na altitude elevada dos céus, as frotas aéreas adversárias manobravam; abaixo, o rio fervilhava em direção à queda-d'água do lado americano. Sua vestimenta era curiosa: calças de sarja azul baratas metidas dentro das botas de borracha das aeronaves alemãs, e um quepe branco de aeronauta grande demais para ele. Empurrou-o para trás, revelando aquele seu pasmado rosto *cockney*, com a cicatriz ainda na testa. "Caramba!", murmurou.

Observava. Gesticulava. Uma ou duas vezes gritou e aplaudiu.

Mas, em dado momento, o terror tomou conta de Bert. Ele correu, então, o mais rápido que pôde para Goat Island.

4

Por algum tempo, as frotas se mantiveram próximas, calculando as oportunidades, mas evitando qualquer tentativa de se engajar na luta direta. Os alemães tinham 77 aeronaves e mantiveram a formação em meia-lua, a uma altitude de quase 4 mil pés. A distância entre elas era de 1,5 milha, de modo que as pontas da meia-lua estavam afastadas uma da outra por quase 30 milhas. Rebocados bem próximos das aeronaves nos extremos da formação estavam cerca de trinta *Drachenflieger* prontos para a ação. Eram, contudo, pequenos demais para serem distinguidos à distância por Bert.

Inicialmente, era-lhe visível apenas aquilo que poderíamos chamar de frota asiática do sul. Consistia em quarenta aeronaves, carregando nos flancos um total de quarenta aeroplanos de um tripulante. Por algum tempo, voaram lentamente, mantendo uma distância mínima – talvez umas 12 milhas – em relação aos alemães, a leste do limite estabelecido naquele fronte no ar. Nos primeiros momentos, apenas grandes volumes eram perceptíveis para Bert, enquanto os aeroplanos individuais pareciam uma multidão de objetos muito pequenos, como partículas de poeira que pairavam, contra a luz do sol, sobre e sob as formas maiores.

Do solo, não foi possível perceber a aproximação da segunda frota asiática, embora provavelmente ela tenha sido vista pelos alemães que estavam mais a noroeste.

O tempo estava claro e tranquilo, o céu praticamente sem nuvens. Os alemães optaram por elevar-se a uma altitude imensa, de modo que as aeronaves se tornaram bastante indistintas. As duas pontas da formação em meia-lua eram claramente visíveis. Como se deslocavam para o sul, passaram lentamente entre Bert e a luz do sol, tornando-se amplas silhuetas escuras. Os *Drachenflieger* surgiram como manchas negras nas asas da armada aérea.

As frotas adversárias continuavam sem muita pressa para iniciar o combate. Os asiáticos se afastavam para o leste, aumentando o ritmo e ascendendo ao fazê-lo, mantendo-se em uma formação parecida com uma longa coluna que repentinamente se voltou, tentando elevar-se acima e à esquerda do agrupamento alemão. Os esquadrões germânicos reagiram com movimentação rápida, enfrentando o avanço oblíquo do inimigo. Sem aviso, surgiram pequenos lampejos e um fraco ruído crepitante – sinal inequívoco de que os dois lados começaram a abrir fogo. Por algum tempo, nenhum efeito era visível para o observador na ponte. Então, feito um punhado de flocos de neve, os *Drachenflieger* surgiram voando para o ataque, o que foi respondido com uma estranha multidão de partículas vermelhas girando velozes. Aquilo tudo era, aos olhos de Bert, não apenas enormemente distante, mas desumano. Não fazia nem quatro horas que estivera em uma dessas aeronaves, que agora lhe pareciam não sacos de gás carregando soldados, mas estranhas criaturas sensíveis que se moviam e realizavam ações por vontade própria. O voo das máquinas asiáticas e alemãs se mesclou definitivamente, aproximando-se mais do solo e como que se transformando em pétalas brancas e vermelhas atiradas de uma janela distante. Os adversários aumentaram de tamanho, até que Bert pôde distinguir que algumas aeronaves já adernavam e perdiam estabilidade, enquanto outras eram ocultadas pela fumaça que subia da região onde ficava a cidade de Buffalo. Por algum tempo, tudo ficou oculto pela fumaça; mas duas ou três formas brancas, além de certo número de formas vermelhas, ascenderam novamente, como um enxame de grandes borboletas. Empreenderam um voo circular, combatendo umas às outras, e logo sumiram na direção leste.

Um forte ruído vindo do zênite chamou atenção de Bert: a grande meia-lua perdera seu eixo, quebrada em uma nuvem caótica de aeronaves! Uma delas caía velozmente dos céus, a popa e a proa incendiadas, girando loucamente e desaparecendo bem diante dos olhos de Bert sobre as densas camadas de fumaça que cobriam Buffalo.

A boca de Bert se abriu e se fechou, enquanto suas mãos agarravam com força o corrimão da ponte. Por alguns momentos – bem longos, aliás –, aparentemente não houve alterações na luta entre as duas frotas, que se mantinham voando obliquamente uma em direção à outra, produzindo um ruído que aos ouvidos de Bert chegava já enfraquecido, como um miúdo alarido. Subitamente, aeronaves começaram a sair dos dois lados do alinhamento e a cair, atingidas por mísseis cuja trajetória era impossível determinar com certeza. A linha de aeronaves asiáticas girou, tentando uma carga direta ou por cima (era difícil precisar do solo) da já fragmentada linha de defesa dos alemães, que parecia optar por abrir a guarda e deixar o inimigo passar por ela. Intensa atividade de manobra se iniciou, mas era impossível para Bert definir a importância de tal movimentação. O lado esquerdo da batalha tornou-se uma confusa dança de aeronaves. Por alguns minutos, havia duas linhas de aeronaves se cruzando, tão próximas que a coisa toda poderia resultar em uma luta corporal nos céus. O resultado foi a formação de grupos e de duelos específicos. A perda de altitude das aeronaves alemãs se acentuou. Uma delas se incendiou e desapareceu na distância, ao norte; duas outras despencaram, com um quê de retorcido e de mutilado em seus movimentos; em seguida, um grupo de antagonistas desceu direto do zênite, em espiralado conflito, duas asiáticas contra uma alemã, às quais mais uma se juntou, seguindo na direção leste com outras aeronaves que abandonavam a formação alemã. Um dos aparatos asiáticos abalroou ou colidiu com um alemão bem maior e os dois rodopiaram rumo à destruição. O esquadrão norte dos asiáticos surgiu na batalha e passaria totalmente despercebido aos olhos de Bert se este não notasse que a multidão de máquinas voadoras acima dele parecia se multiplicar. Em pouco tempo, a refrega se reduziu à mais completa confusão, que se deslocava à deriva para o sudoeste, impulsionada pelo vento. A coisa toda tornava-se mais e mais uma série de encontros de grupos menores. Aqui, uma imensa aeronave alemã descia ao solo em chamas com uma dúzia de máquinas inimigas a seu redor, inviabilizando-lhe qualquer tentativa de recuperar altitude. Ali, a tripulação de outro aparato alemão enfrentava os espadachins saídos de um enxame de aeroplanos. Acolá, chamas consumiam as duas extremidades de uma aeronave asiática, que se retirava da batalha. A atenção de Bert transitava de incidente para incidente naquela vastidão clara acima de sua cabeça; esses breves casos de notável destruição capturavam e aprisionavam a mente de Bert. Assim, foi muito lentamente que um plano emergiu desses episódios mais próximos e mais vívidos.

A massa de aeronaves que redemoinhavam nas alturas, contudo, estava longe da destruição. A maioria delas parecia buscar uma posição mais alta, em voos circulares a toda velocidade, trocando tiros aparentemente ineficazes. Poucos abalroamentos eram executados, especialmente após a trágica queda de duas aeronaves envolvidas em tal manobra ofensiva, e quaisquer tentativas de abordagem eram invisíveis a Bert. Havia, contudo, um contínuo esforço em isolar antagonistas, em afastá-los de seus companheiros e abatê-los, resultando em um perpétuo recuo e entrelaçamento desses maciços cardumes gigantes. O maior número e o movimento mais veloz e gracioso dos asiáticos dava a impressão de que atacavam persistentemente os alemães. Circulando mais próximo da cidade de Niágara, em um esforço considerável para não se distanciar muito de sua base, uma parte das aeronaves alemãs conseguiu se reunir em uma formação de falange compacta. O foco dos asiáticos passou a ser quebrar essa nova formação. Bert lembrou-se, com asco, de peixes em um tanque disputando migalhas. Podia distinguir pequenas lufadas de fumaça e o lampejo da explosão de bombas, mas nenhum som chegava a seus ouvidos...

Uma sombra oscilante passou entre Bert e o sol por um breve momento, logo seguida por outra. Um zumbido de maquinaria – clique, claque, cloque, clique – atingiu seus ouvidos. No mesmo instante, esqueceu-se do zênite.

Talvez a umas 100 jardas de altura, sobre as águas, ao sul, cavalgando como Valquírias, cortando velozmente os ares sobre estranhas montarias surgidas da mistura entre engenharia europeia e inspiração artística japonesa, surgiu uma longa fileira de espadachins voadores da frota asiática. As asas desses aparatos batiam de forma espasmódica, clique, claque, cloque, clique. Espalharam-se enquanto voltavam a ganhar altitude. Logo estavam mergulhando e ascendendo novamente. Passavam tão próximos que Bert pôde distinguir as vozes dos cavaleiros gritando uns com os outros. Mergulharam em direção à cidade de Niágara e pousaram, um após o outro, em uma longa fileira na área livre ao lado do hotel. Mas ele não ficou parado assistindo ao pouso dos espadachins. Um dos rostos amarelos esticou-se e olhou para ele – por um enigmático instante os olhos de ambos se encontraram...

Uma ideia ocorreu, então, a Bert: sua posição no meio da ponte era um pouco exposta demais. Correu para chegar o mais rápido possível a Goat Island. Dali, deslocando-se furtivamente entre as árvores – talvez com excessivo constrangimento –, pôde assistir ao resto da batalha.

5

Quando o senso de segurança de Bert foi razoavelmente restaurado para que voltasse a assistir à batalha, percebeu que um ativo e pequeno embate se desenrolava entre os aeronautas asiáticos e os engenheiros alemães pela cidade de Niágara. Era a primeira vez que via, naquela guerra, algo parecido com as lutas que estampavam os jornais ilustrados de sua adolescência. Tinha quase a impressão de que o mundo se ajustava e as coisas retomavam seu curso normal e certo. Homens carregavam rifles, se protegiam, corriam velozmente de ponto a ponto em uma formação de ataque solta. A primeira leva de aeronautas deve ter imaginado que a cidade estava deserta. Pousaram em campo aberto, perto do Prospect Park, e estavam chegando às casas mais próximas à central elétrica quando foram surpreendidos pelos repentinos disparos dos alemães em terra. Os invasores orientais recuaram, então, para a margem do rio – estavam distantes demais para voltar às suas máquinas voadoras. Permaneciam abaixados e atiravam contra os adversários no hotel e nas casas que cercavam a central elétrica.

Para apoiar esses aeronautas sob fogo, uma segunda coluna de máquinas voadoras vermelhas desceu vinda do leste. Chegaram sobre a névoa que cobria as casas e deram algumas voltas acima do local, executando uma ampla curva como se inspecionassem a posição em terra. A fuzilaria alemã tornou-se mais constante, elevando-se como um rugido, e uma das formas voadoras saltou abruptamente para trás, caindo em meio às casas. Os outros desceram exatamente como grandes pássaros que pousavam sobre a central elétrica. As máquinas, assim, permaneceram agarradas ao teto enquanto delas brotavam figuras pequenas e ágeis e se dirigiram ao parapeito.

Outras figuras semelhantes a pássaros chegaram para fornecer apoio adicional, mas Bert não as viu se aproximar. Um *staccato* de disparos era claramente audível, lembrando-o de desfiles militares, de descrições de batalhas em jornais, de tudo aquilo que se encaixava de forma completa em sua concepção de guerra. Um bom número de alemães corria de casas próximas em direção à central elétrica. Dois caíram. Um deles permaneceu duro e parado, mas o outro se contorceu e agonizou por algum tempo. O hotel que era usado como hospital, para onde ele tinha ajudado a carregar os feridos do *Zeppelin* mais cedo, agora tinha uma bandeira de Genebra tremulando em sua fachada. A cidade, que parecia tão calma, evidentemente escondia um número considerável de alemães, e nesse momento todos estavam concentrados em manter a central elétrica. Bert tentava imaginar quanto de munição haveria disponível. Uma quantidade cada vez maior de máquinas voadoras asiáticas se juntava à luta em solo. Elas rapidamente despacharam os desafortunados *Drachenflieger* e passaram a visar o incipiente parque aeronáutico, os geradores elétricos de gás e as estações de reparos que formavam a base de operações alemã. Algumas aeronaves pousaram e seus aeronautas pegaram em armas, tornando-se enérgicos soldados de infantaria. Outras planaram acima da luta, buscando acertar tiros de precisão em algum inimigo exposto no solo. O tiroteio vinha em paroxismos – ora era quase uma trégua tensa, ora crescia de uma rápida saraivada de tiros até um tumulto de disparos. Uma ou duas máquinas que voavam mais baixo surgiram bem acima de Bert, e ele se dedicou de corpo e alma à busca de cobertura protegida.

De vez em quando, um estranho e chacoalhante trovão o lembrava de que ainda havia uma luta brutal nos ares, mas a batalha mais próxima prendia sua atenção.

De repente, algo caiu do zênite. Era uma espécie de barril ou de bola de futebol gigantesca.

BOOOM! Aquilo explodiu com um ruído imenso. Tinha desabado no meio dos aeroplanos asiáticos em solo, que estavam entre a relva e o canteiro de flores ao lado do rio. Pedaços de máquinas, de relva, de árvores e cascalho subiram aos céus. Os aeronautas que ainda estavam perto da margem do rio foram jogados ao ar como sacos, carne de canhão espalhada na água borbulhante. Todas as janelas do hotel convertido em hospital, que refletiam o brilho intenso do céu azul e as aeronaves, fragmentaram-se em inúmeras estrelas negras. Boom! Um segundo baque seguiu-se ao primeiro. Bert olhou para o alto com a sensação de que numerosos monstros desciam, se aproximavam dos problemas que ocorriam em solo feito cobertores inflados, uma cadeia imensa de tampas de panela. O nó central da batalha nos ares estava se deslocando em círculos para o solo, uma espécie de conexão com o conflito pela central elétrica. As aeronaves, juntas, agora forneciam um novo recurso: eram vastas coisas que desciam, crescendo velozmente e tornando-se mais esmagadoras, de modo que as casas da cidade pareciam menores, as cataratas estreitas, a ponte quase inexistente, os combatentes infinitesimais. Essa descida tornava audível também uma vasta sinfonia de ruídos que congregava disparos, chiados, rangidos, batidas, pulsações, gritos, tiros. As encurtadas águias negras na dianteira das aeronaves alemãs realmente passaram a impressão de combater utilizando suas asas voadoras.

Algumas dessas aeronaves de combate planavam a 500 pés de altura, o que permitiu a Bert distinguir até mesmo os alemães que estavam nas galerias inferiores, atirando com seus rifles. Pôde ver também os asiáticos agarrados a cordas e um sujeito, em traje de mergulho de alumínio, cair rapidamente de cabeça nas águas ao redor de Goat Island. Assim, foi possível ver de perto as aeronaves asiáticas: o aspecto delas lembrava a Bert colossais sapatos de neve. Possuíam um curioso padrão em preto e branco, formas que lembravam as engrenagens na cobertura de um relógio. Não dispunham de galerias suspensas, mas de pequenas aberturas no eixo central surgiam homens e o cano de suas armas. Assim esses monstros, em longas curvas ascendentes e descendentes, lutavam contra seus inimigos. Era como um confronto entre nuvens, como pudins que tentavam matar uns aos outros. Giravam e circulavam uns sobre os outros, de tempos em tempos davam para Goat Island e Niágara um crepúsculo fumarento, o sol filtrado por eixos e estruturas. Dispersavam-se, aproximavam-se, dispersavam-se de novo, agarravam-se e contornavam as cataratas, penetrando 2 milhas ou mais no Canadá antes de voltar para a cena da batalha. Uma aeronave alemã pegou fogo e toda a multidão de aparatos voadores se afastou desse ponto em chamas, voando mais alto e em ondas dispersivas, deixando a desafortunada vítima do fogo cair e explodir enquanto despencava. Um renovado alvoroço indicava que as aeronaves voltavam a se aproximar. Em dado momento, da parte dos homens que lutavam em Niágara, veio um som de comemoração como que surgido de um formigueiro. Outra aeronave alemã se incendiou e uma terceira esvaziou-se rapidamente devido ao choque com a proa de uma antagonista, que entrara na ação vinda do sul.

Tornava-se cada vez mais evidente que os alemães levavam a pior em uma luta desigual. Mais evidente ainda era que estavam sendo perseguidos. Gradualmente pareciam adotar abertamente planos de fuga e não de ataque. Os asiáticos voavam acima e no meio dos adversários europeus, cortando suas câmaras de gás, incendiando suas aeronaves, alvejando os tripulantes em trajes de mergulho que combatiam com extintores e fitas de seda o fogo e os rasgos pelos quais o gás escapava na estrutura de redes interna. Os germânicos respondiam apenas com disparos ineficazes. Como consequência, a batalha sobre Niágara se dispersou, pois as aeronaves alemãs, como que obedecendo a um sinal pré-acordado, quebraram a formação que tentavam manter e se separaram, indo para leste, oeste, norte e sul, em voos amplos e bastante confusos. Os asiáticos, ao perceberem esse movimento, manobraram suas naves a altitudes mais elevadas, para perseguir as máquinas aéreas sobreviventes. Apenas um pequeno grupo de quatro aparatos alemães e talvez uma dúzia de asiáticos permaneciam na luta ao redor do *Hohenzollern* e do príncipe enquanto fazia uma curva para tentar salvar a posição em Niágara.

Mergulharam nesse voo em curva mais uma vez acima do lado canadense das cataratas, sobre as águas que turbilhonavam a leste, até que se tornaram minúsculos, distantes. Mas logo estavam finalizando a curva e voltando, cada vez mais velozes, mergulhando na direção de um espectador boquiaberto.

Aquela massa gigantesca aproximou-se muito rápido, cada vez maior, tornou-se negra e sem forma contra o sol da tarde, acima das brilhantes águas das Upper Rapids. Parecia uma nuvem de tempestade, que preenche e escurece o céu. As aeronaves achatadas dos orientais permaneciam mais altas e no meio do que restava da formação alemã, disparando nas câmaras de gás e nos flancos dos germânicos – os aeroplanos individuais enxameavam ao redor das aeronaves como um ataque de abelhas. Os maciços europeus estavam mais próximos entre si, preenchendo todo o céu. Duas máquinas alemãs mergulharam e elevaram-se de novo, mas o *Hohenzollern* tinha sofrido demais para consegui-lo. Ascendeu fracamente, adernou bruscamente como se buscasse sair do combate, chamas eclodiram da proa e da popa, zuniu em direção às águas, caiu obliquamente, fez alguns movimentos espasmódicos como uma coisa viva, parou e tentou subir novamente, o propulsor danificado e retorcido ainda fora da água. As chamas ficaram mais fortes, expelindo nuvens de fumaça. Era um desastre de dimensões gigantescas. A aeronave permaneceu nas corredeiras como uma ilha, como uma falésia, uma falésia que se deslocava em rotações e soltava fumaça, em colapso, de alguma forma flutuando rapidamente em direção a Bert. Uma aeronave asiática – do solo, parecia que o soalho da coisa deveria ter umas 300 jardas – fez uma curva e circulou duas ou três vezes acima daquela ruína. Meia dúzia de máquinas voadoras carmesim dançou por algum tempo como grandes mosquitos à luz do sol antes de seguir seus companheiros. O resto da batalha sobre a ilha se espalhara, um crescendo violento de tiros e gritos, de ruídos de destruição. Desapareceu do ângulo de visão de Bert devido às árvores, depois foi esquecido em razão do espetáculo próximo da derrota sofrida pela capitânia alemã. Algo caiu com um estrondo e subsequente chuva de ramos partidos, mas isso passou despercebido para ele.

Inicialmente, parecia que o *Hohenzollern* deveria e poderia vencer a força da água em seu dorso, com o propulsor batendo e espumando furiosamente nas águas para impulsionar aquela massa de despojos até a margem americana. Mas a corrente rápida das águas que borbulhavam em direção ao lado americano das cataratas o pegou: em um minuto, a imensa massa de destroços esvaziada, com focos de incêndio surgindo em três novos lugares, se chocou contra a ponte que unia Goat Island à cidade de Niágara. Era, por assim dizer, como um braço enorme tentando levantar o arco central da ponte. As câmaras centrais da aeronave não suportaram a pressão e manifestaram isso na forma audível de uma explosão. A ponte também não resistiu e o corpo central do *Hohenzollern*, como um aleijado grotesco e esfarrapado, agitou-se e debateu-se em chamas bem na crista da colossal queda-d'água, desaparecendo em um desesperado salto suicida.

Sua parte dianteira, destacada, permanecia presa contra aquela pequena ilha. Costumavam chamá-la de Green Island, pois essa ilha verde formava uma espécie de rodapé de pedra entre a área de vegetação mais densa em Goat Island e a cidade de Niágara.

Bert assistiu a todo o desastre entre o estuário do rio e a cabeceira da ponte. Depois, ignorando a necessidade de cobertura e as aeronaves asiáticas que sobrevoavam a ponte como um enorme teto artificial sem paredes, ele correu em direção ao norte, chegando, pela primeira vez, a um ponto rochoso em Luna Island que fornecia a visão mais completa das cataratas do lado americano. Permaneceu algum tempo ali, sem fôlego, observando aquela maravilha em meio ao som do eterno fluxo de águas.

Muito abaixo, deslocando-se veloz em direção à garganta, havia algo que lembrava um saco vazio. Na cabeça de Bert aquilo significava – o que não significaria? – a Alemanha, a frota aérea, Kurt, o príncipe, a Europa, todas as coisas que eram estáveis e familiares, as forças que o trouxeram, as forças que pareciam ser indiscutivelmente vitoriosas. As águas bravias impulsionavam tal despojo como um saco vazio que deixava o mundo visível para os conquistadores asiáticos, para o povo amarelo fora dos limites da cristandade, para tudo o que fosse terrível e desconhecido!

O resto do conflito ocorreu sobre os céus remotos do Canadá, antes de desaparecer além do alcance de sua visão...

A GUERRA NO AR

IX.
EM GOAT ISLAND

1

O ricochetear de uma bala em algumas pedras bem próximas lembrou a Bert que ele era um objeto visível e que trajava, ao menos parcialmente, o uniforme alemão. Correu na direção das árvores de novo, por algum tempo mantendo o errático percurso determinado pela necessidade de se esquivar de possíveis disparos. Encontrou abrigo como uma galinha que se esconde entre juncos, fugindo de falcões imaginários. "Derrotados", murmurou. "Derrotados e abatidos por... chineses! Os olhos puxados estão caçando todo mundo!"

Por fim encontrou refúgio seguro no meio de algumas moitas perto de uma cabana de suprimentos trancada e abandonada, do lado americano. As moitas forneciam-lhe uma espécie de buraco e um abrigo, que se fechava acima de sua cabeça. Olhou para as corredeiras, mas o tiroteio tinha cessado completamente e tudo parecia tranquilo. Um aeroplano asiático se moveu de sua posição acima da ponte suspensa e agora estava imóvel sobre Niágara, deixando na sombra todo o bairro que circundava a central elétrica, cenário da batalha terrestre. O monstro mantinha um ar de calma e assumida predominância, e de sua popa tremulava, ao mesmo tempo serena e ornamental, uma longa bandeira nas cores da grande aliança – vermelho, preto e amarelo, o sol nascente e o dragão. Na direção leste, a uma altitude muito mais elevada, planava uma aeronave companheira, e Bert, enchendo-se de inabitual coragem, se esticou e torceu o pescoço para ver uma terceira, estática, contra o poente, ao sul.

"Caramba!", disse. "Derrotados e acossados! Meu Deus!"

A primeira impressão que teve foi que a luta sobre Niágara estava terminada, embora uma bandeira alemã ainda tremulasse em uma casa arruinada. Uma bandeira branca fora içada acima da central elétrica e permaneceu tremulando durante todos os eventos que ocorreram. Mas de repente ouviu-se o som de disparos, e logo se viram soldados alemães tentando escapar. Desapareceram entre as casas enquanto dois engenheiros militares vestidos de camisa azul e calças eram acossados por três espadachins japoneses. O sujeito em fuga que conseguiu ganhar mais distância era bem-proporcionado e correu com agilidade e rapidez; o segundo era um tanto atarracado e um pouco gordo, e corria de maneira cômica, aos trancos e barrancos, os braços roliços dobrados ao lado do corpo e a cabeça pendendo para trás. Os perseguidores corriam com uniformes e um curioso capacete escuro de metal delgado e couro. O sujeito mais baixo tropeçou e, nesse momento, Bert engasgou, pois descobria ali um novo horror naquela guerra.

O espadachim mais avançado ganhou três passadas em relação ao alvo e ficou perto o suficiente para tentar retalhá-lo, mas errou por bem pouco conforme ele saiu arrancando.

Correram ainda uma dúzia de jardas antes de o oriental tentar um novo golpe de espada. Bert pôde ouvir, através do som das águas, um pequeno ruído que lembrava o mugido de uma vaca anã, ao mesmo tempo que o sujeitinho gordo caía para a frente. Os golpes retalhadores sucederam-se contra algo no chão que tentava se salvar utilizando como defesa mãos ineficazes diante da lâmina. "Não, por favor!", choramingou Bert, próximo das lágrimas e de olhos arregalados.

Após o quarto golpe, o espadachim se uniu a seus companheiros para alcançar o corredor mais veloz. O último do grupo parou e se voltou. Talvez percebera algum movimento, mas de qualquer forma não permaneceu estático por muito tempo, pois ainda acertou mais alguns golpes no corpo caído.

"Oh-ooo!", Bert gemia a cada golpe, abaixando-se ainda mais em meio aos arbustos e permanecendo o mais quieto possível. Surgiram então sons de disparos vindos da cidade, mas logo tudo retornou à quietude, tudo, até mesmo o hotel-hospital.

Conseguia ver pequenas figuras que brandiam espadas saindo das casas e caminhando sobre os escombros das máquinas voadoras destruídas pela bomba no auge do confronto. Outras manobravam aeroplanos intactos em terra, utilizando as rodas do aparelho – como fariam com bicicletas –, para logo se ajustar no assento e alçar voo pelos ares. Uma fileira de três aeronaves apareceu ao longe, a leste, dirigindo-se para o zênite. A nave que planava a baixa altitude sobre Niágara lançou uma escada de corda e puxou alguns homens que estavam na central elétrica.

Por muito tempo Bert contemplou o que acontecia em Niágara da mesma forma que um coelho observa, de longe, seus caçadores. Viu homens que se moviam de um edifício para outro, com o objetivo de incendiá-los, conclusão obtida depois de ouvir uma série seca de detonações no poço da turbina na central elétrica. Atividades similares ocorriam do lado canadense. Enquanto isso, mais e mais aeronaves apareciam, acompanhadas de um número imenso de máquinas voadoras, até que, aparentemente, um terço da frota asiática estava por ali, reagrupando-se. Bert observou tudo de seu arbusto, dolorido mas imóvel; viu como os soldados vitoriosos se reuniram e depois se espalharam, sinalizaram, entraram em suas máquinas voadoras até que, por fim, zarparam na direção do ocaso fulgurante para a grande concentração de tropas asiáticas acima dos poços de petróleo de Cleveland. Diminuíram progressivamente e sumiram, deixando-o sozinho, até onde ele sabia, o único ser vivo em um mundo quase indescritível de ruínas e estranha solidão. Bert contemplou os que partiam e desapareciam. Permaneceu boquiaberto diante daquilo tudo.

"Caramba!", disse, por fim, como alguém que desperta de um transe.

Sentia que ultrapassava todo grau de tristeza e de desolação que já tivera em sua vida. Parecia-lhe que aquele devia ser o ocaso da raça humana.

2

A princípio, ele não conseguiu imaginar a própria situação em termos definitivos e compreensíveis. Tantas coisas aconteceram em sua vida recente e tampouco fora decisão dele mesmo que a passividade e a falta de planejamento dominassem sua alma. O último plano que elaborara foi fazer uma turnê pela costa da Inglaterra como um Dervixe do Deserto, fornecendo entretenimento refinado a seus semelhantes. O destino destruiu isso. O destino achou melhor oferecer a nosso Dervixe outros caminhos, lançando-o de um lugar para outro até este último ponto, uma pequena fatia de terra entre as cataratas na América do Norte. Não ocorreu a ele, de modo imediato, que agora era sua vez de jogar. Tinha essa peculiar sensação de que tudo aquilo não passava de um sonho e de que, como tal, deveria acabar com o retorno mágico para o mundo de Grubb, Edna e Bun Hill. O rugido incessante que ouvia, a presença de águas bravias, brilhantes, caudalosas, podia ser descartado ou posto de lado como fazemos com uma cortina após um espetáculo de lanterna mágica, de modo que o velho, familiar e costumeiro pudesse reassumir seu lugar de direito. Seria interessante contar para os conhecidos como chegou a conhecer Niágara. E então as palavras de Kurt ganharam o primeiro plano de sua consciência: "Pessoas são arrancadas do convívio dos seus amados; lares são arruinados; criaturas cheias de vida e de memórias, dotadas cada uma de um dom peculiar, são tostadas e mutiladas e retalhadas em pedaços, e morrem de fome e de putrefação"...

Imaginava, ainda incrédulo, se o que ouvira do tenente seria de fato verdade. Era muito difícil conceber algo assim. Será que, em outro continente, Tom e Jessica estavam passando por situações tão extremas? Aquela pequena quitanda já não estaria aberta, com Jessica atendendo a clientela de maneira tão dedicada, aquecendo o ouvido de Tom com seus discretos comentários ou enviando pontualmente as encomendas?

Tentava descobrir em que dia da semana estariam, mas percebeu que era impossível. Talvez fosse domingo. Se fosse, o irmão e a cunhada deveriam ter ido à igreja. Ou estariam escondendo-se, talvez atrás de arbustos? O que teria acontecido ao proprietário, ao açougueiro, a Butteridge e a todas as pessoas na praia de Dymchurch? Algo – disso tinha certeza – acontecera com Londres: um bombardeio. Mas quem tinha feito isso? Será que Tom e Jessica foram caçados por um sujeito estranho com uma longa espada desembainhada e olhos maus? Testava mentalmente, dessa forma, todos os tipos possíveis de aflição, e cada um deles ultrapassava o outro em seus aspectos agônicos. Será que tinham o que comer? A questão o assombrava, o obcecava.

Alguém com muita fome conseguiria comer ratos?

Despontava na consciência de Bert que a miséria particular que o oprimia não era tanto ansiedade ou melancolia patriótica, mas fome. Mas, é claro, estava faminto!

Mergulhado em tais reflexões, voltou-se em direção ao pequeno barracão de mantimentos que se localizava próximo da ponte destruída. "Deve ter alguma coisa por lá..."

Caminhou ao redor do local umas duas vezes e em seguida atacou as persianas das janelas com seu canivete de bolso, reforçado por uma estaca de madeira que encontrou convenientemente próxima. Por fim, uma das persianas cedeu e ele conseguiu enfiar a cabeça dentro do barracão.

"Comida", observou, "qualquer coisa. Se desse pra...".

Forçando mais algumas persianas, conseguiu abrir o pequeno estabelecimento para uma exploração pormenorizada. Encontrou muitas garrafas de leite pasteurizado lacradas e de água mineral, duas latas de biscoito, doces velhos e duros, cigarros em quantidade, mas muito secos, algumas laranjas desidratadas, nozes, algumas latas de carne e frutas, pratos e talheres, copos em quantidade suficiente para muitas pessoas. Também havia um armário de latão, mas Bert não conseguiu manejar o cadeado que o trancava.

"Bom, com fome não fico", disse Bert, "pelo menos por um tempo". Sentou-se na cadeira que devia pertencer ao comerciante que tocava aquele local e se regalou com os biscoitos e o leite, sentindo-se naquele momento extremamente feliz.

"Como é agradável", murmurou, mastigando e percorrendo todo o local com os olhos, "ainda mais depois de tudo que passei".

"Nossa! *Que* dia! *Que* dia!"

O maravilhamento tomou conta de Bert.

"Caramba!", chegou a gritar. "Que luta! Acabaram com a raça dos meus camaradas! De uma vez! As aeronaves e os negócios voadores menores e tudo o mais. O que será que aconteceu com o *Zeppelin*? E aquele sujeito legal, o Kurt, o que será que aconteceu com ele? Era um grande camarada, o tal do Kurt."

Um vago fantasma de deferência imperial flutuou em sua mente. "Será que na Índia", disse...

Mas um interesse mais prático predominou.

"Será que consigo algum abridor pra essas latas de carne?"

219   IX.   EM GOAT ISLAND

3

Depois de se fartar, Bert acendeu um cigarro e meditou por algum tempo. "Por onde será que anda o Grubb?", perguntou-se. "Queria muito saber! Será que algum deles ainda se lembra de mim?"

Logo voltou a seus problemas mais prementes. "Acho que vou ter de ficar nesta ilha por um tempo."

Tentou se sentir mais tranquilo e seguro, mas na verdade havia essa indefinível inquietação que o animal social experimenta quando acossado pela solidão. Bert percebeu que olhava para trás, por sobre os ombros, a todo momento, e, como corretivo, dedicou-se a explorar o resto da ilha.

Percebeu então, aos poucos, a peculiaridade da posição que ocupava, uma vez que a destruição da ponte entre Green Island e o continente o isolara completamente do mundo. De fato, foi apenas quando ele voltou aos restos da proa do *Hohenzollern*, que jaziam como os restos de um navio encalhado, que contemplou a extensão do dano provocado à ponte e teve a real percepção de seu isolamento. Mesmo assim, tal descoberta não o afetou como um choque: era mais um fato no meio de vários outros, todos de natureza extraordinária e insolúvel. Bert permaneceu por certo tempo observando os compartimentos esmagados do *Hohenzollern* e a agora desgrenhada decoração em seda que ficava na janela. Não imaginava que aqueles destroços inteiramente revirados pudessem conter algum ser vivo. Depois resolveu contemplar o céu noturno. Uma névoa densa surgiu, mas nem sinal de aeronaves. Uma andorinha voava próximo, em busca de alguma vítima invisível. "É como um sonho", repetia Bert.

Logo depois, seriam as corredeiras que ocupariam sua atenção. "Rugindo. Ficam rugindo e batendo. Sempre e sempre..."

Por fim, voltou a ter interesses de natureza mais pessoal. "E agora? O que eu posso fazer?"

Refletiu por um instante. "Nenhuma ideia", disse afinal.

Estava ciente de que duas semanas antes, em Bun Hill, a última coisa que tinha em mente era viajar, mas, agora, estava nas Cataratas do Niágara, cercado pela devastação e pela ruína ocasionadas pela maior batalha aérea já ocorrida na história. Também era claro, no intervalo entre Bun Hill e Niágara, que tinha atravessado França, Bélgica, Alemanha, Inglaterra e Irlanda, além de vários outros países. Era um dado interessante, talvez útil para tornar um encontro casual menos maçante, mas sem nenhuma utilidade prática. "Estou matutando como é que eu vou sair dessa... ", disse. "Será que tem algum jeito de sair? Se não tiver... danou-se."

Após mais algum tempo de reflexão, decidiu: "Acho que eu me meti numa fria ao passar pela ponte..."

"De toda forma, os japas teriam vindo atrás de mim. E pra cortar a minha goela. Isso não! Mas e agora..."

Resolveu retornar ao ponto de partida em Luna Island. Andou de um lado para o outro, analisando a costa canadense e os hotéis e casas destroçados, além das árvores retorcidas e arrancadas do Victoria Park, invadido pelo tom rosa dominante ao entardecer. Nenhum ser humano era perceptível naquela cena de destruição completa. De volta ao lado americano da ilha, passou novamente pelos restos de alumínio do *Hohenzollern* ao se dirigir para Green Island, onde analisou o estado deplorável do que sobrara da ponte e a água que corria, turbulenta, logo abaixo. Na direção de Buffalo ainda havia muita fumaça e, na área da estação de trem de Niágara, um incêndio de razoáveis proporções grassava nas casas. Tudo agora estava deserto, tudo estava imóvel. Uma coisinha abandonada jazia em um caminho transversal entre a cidade e uma estrada, um conjunto amarrotado de roupas e membros estatelados...

"Vou dar uma olhada por aqui", disse Bert, tomando um caminho que levava ao miolo da ilha. Logo descobriria os destroços de dois aeroplanos asiáticos abatidos durante a luta que culminou na destruição do *Hohenzollern*.

No primeiro, também estavam os destroços do aeronauta.

A máquina, evidentemente, caíra em posição vertical e estava bastante danificada, o mesmo podendo ser dito da área onde caiu – cheia de galhos partidos de um grupo de árvores próximo. O impacto curvara o aparato e lhe cortara as asas: jazia agora no meio dos estilhaços de madeira, a vante presa no solo. O aeronauta pendia de forma estranha de cabeça para baixo entre folhas e galhos distante algumas jardas da máquina aérea. Bert não o percebeu inicialmente, descobrindo o cadáver apenas quando estava bem próximo do aeroplano, e se virou para explorar a área da queda. No lusco-fusco silencioso da noite – pois o sol se fora e o vento cessara por completo –, aquele rosto amarelo invertido em relação ao corpo era um objeto nada tranquilizador, em especial quando sua descoberta se dera de maneira de todo inesperada. Nitidamente um galho quebrado atravessara o peito do homem morto, que, assim, pendia espetado, flácido e ridículo. Nas mãos, graças à rigidez da morte, ainda mantinha o rifle curto.

Bert ficou algum tempo paralisado, inspecionando a coisa que tinha diante de si.

Depois começou a se afastar, olhando constantemente para trás.

Parou ao chegar a uma clareira.

"Caramba!", murmurou. "Não gosto nada de defuntos! Quase achei que aquele sujeito estivesse vivo."

Decidiu evitar o caminho em que pendia o cadáver oriental. Por outro lado, descobriu que não queria mais saber de árvores cercando-o e que seria mais confortável estar perto dos borrifos e dos rugidos mais amáveis das corredeiras.

Pouco depois, Bert deparou com o segundo aeroplano em um local coberto por ervas bem próximo das corredeiras. Não parecia tão danificado, pois dava a impressão de que flutuara até encontrar aquela posição de repouso. Estava de lado, com uma asa apontando para o alto. Não havia sinal do aeronauta – vivo ou morto – daquele aparato aéreo, que permanecia imóvel, apenas a longa cauda balançando com a força das águas.

Bert desinteressou-se dele por algum tempo, apenas observando as sombras entre as árvores, na expectativa de encontrar mais um oriental, vivo ou morto. Quando se cansou, tentou uma cautelosa aproximação da máquina: observou demoradamente suas linhas amplas, o grande leme de aço, o assento vazio. Não teve coragem de tocar o aparato.

"Queria que o outro cara não estivesse aqui", murmurava, "queria muito".

Viu, distante algumas jardas, algo que balançava com o redemoinho breve das águas em uma projeção de rochas. Ao perceber aquele estranho objeto, sentiu uma atração não muito agradável para vê-lo em sua totalidade...

O que poderia ser?

"Caramba!", disse Bert. "É o outro cara."

Ficou instantaneamente paralisado. Disse a si mesmo que o outro aeronauta fora atingido por um tiro durante a luta e que caíra do assento ao tentar pousar. Tentou ir embora, mas ocorreu a ele que podia utilizar um bastão improvisado na forma de um galho partido ou coisa parecida para soltar o objeto em rotação para dentro do rio. Isso o deixaria com apenas um cadáver com que se preocupar. Talvez ele conseguisse suportar apenas um por perto. Hesitou muito, mas, sentindo uma estranha emoção, forçou-se a fazer isso. Dirigiu-se ao matagal mais próximo, cortou um galho que parecia forte o suficiente e retornou para as rochas, escalando até um canto entre o pequeno turbilhão e a correnteza. Nesse momento, o que restara de luz do dia desaparecera e morcegos voavam com frequência. Bert estava molhado de suor.

Cutucou com o bastão improvisado o objeto que trajava azul, mas sem sucesso. Tentou novamente e, dessa vez, teve êxito. O objeto se voltou para Bert, conforme seguia o fluxo das águas, a escassa luz iluminou os cabelos dourados e... era Kurt!

Era Kurt, branco, morto, muito calmo. Não havia dúvida. Ainda havia luz suficiente para enxergar isso. A correnteza pegou o corpo, que parecia se encolher como usualmente fazemos durante um longo sono. O rosto agora estava completamente branco, sem nenhum traço da cor que o caracterizava em vida.

Uma sensação de desespero infinito se apossou de Bert enquanto o corpo desaparecia, impelido na direção das quedas-d'água. "Kurt!", gritou. "Kurt! Eu não queria fazer isso! Kurt! Não me deixe aqui! Não me deixe!"

A terrível e desoladora solidão tomou conta dele. Ele desabou. Permaneceu em cima das rochas, iluminado apenas pela luz noturna, soluçando e chorando raivosamente, como uma criança. Era como se um vínculo que o mantivera ligado a todas essas coisas se perdesse definitivamente. Estava amedrontado como um menino em um quarto escuro, amedrontado sem nenhum pudor.

O crepúsculo o cercava. As árvores agora projetavam sombras estranhas. Todo o universo ao redor de Bert tornava-se esquisito e desconhecido, dotado daquela sutil inquietude que pressentimos frequentemente em nossos sonhos. "Meu Deus! Não vou aguentar isso, não", disse ao deixar as rochas para trás, rastejando até a relva próxima. Foi então dominado por uma tristeza louca provocada pela morte de Kurt, o corajoso Kurt, o gentil Kurt, o único que lhe estendera a mão. Voltou a chorar copiosamente, no limite do espasmo. Parou de rastejar. Escarrapachou-se na grama, cerrando com força os punhos impotentes.

"Essa guerra", gritou, "essa maldita desgraça de guerra".

"Oh, Kurt! Tenente Kurt!"

"Pra mim, chega", disse por fim. "Chega. Acabei ganhando coisa demais, muitas que eu nem queria. O mundo foi para o buraco, não faz mais sentido. A noite chega... Se ele vier à minha procura... Se estiver atrás de mim... Se estiver!..."

"Se estiver atrás de mim, eu me jogo na água..."

Falava sozinho de novo, em voz baixa.

"Não tenho do que ter medo. Tô só imaginando coisas. Pobre coitado do Kurt – ele sabia que isso ia acabar acontecendo. Como uma previsão do futuro. Acabou não me dando a carta nem me dizendo quem era a moça. Mas é bem como ele disse: as pessoas são afastadas de tudo que amam. Cá estou eu, preso no meio do nada... A milhares de milhas da Edna, do Grubb e do meu povo, como uma planta arrancada pela raiz... Acho que todas as guerras sempre foram desse jeito, só que eu nunca consegui entender isso. Sempre. Todo mundo acaba morrendo, por todos os cantos e buracos. Mas o povo parece que não entende, não faz nada para parar esse absurdo. Pensam que a guerra é legal. Meu Deus!..."

"Minha querida Edna. Ela era das boas – era, sim. Aquela vez que pegamos um barco pra Kingston..."

"Mas eu juro que vou vê-la de novo e que não será minha culpa se eu não conseguir..."

4

No exato momento em que tomava tão heroicas e resolutas decisões, Bert ficou enrijecido de terror. Alguma coisa estava se esgueirando na direção dele através da relva mais alta. Algo que se movia, parava, continuava a se mover na direção dele, no meio da escuridão que embebia o mato próximo. A noite parecia eletrificada pelo terror. Tudo aparentava estar imóvel por um instante. Bert prendeu a respiração. Não podia ser. Não, era pequeno demais!

De súbito, a coisa tomou um forte impulso para a frente, com um pequeno grito animalesco e a cauda ereta. Esfregou a cabeça contra as pernas de Bert e ronronou. Era uma gata pequena e magra.

— Caramba, gatinha! Me deu um baita susto! – disse Bert, com gotas de suor empapando-lhe a testa.

5

Por fim, optou por se sentar, as costas escoradas em um toco de árvore, para passar a noite. Segurava a gata nos braços. A mente estava cansada: já não conseguia manter coerência no que dizia ou pensava. Cochilou durante a madrugada.

Ao acordar, sentiu-se teso, mas com o coração mais leve. A gata dormia, aquecida e tranquila, dentro de seu casaco. O medo que sentira parecia ter desaparecido, exilado para o meio das árvores.

Acariciou a gata. A pequena criatura acordou com o carinho excessivo, ronronando.

— Acho que você quer é leite – disse Bert. — É isso que você deve estar querendo. E um café da manhã viria a calhar também.

Espreguiçou-se e se levantou. O animal então assumiu nova posição em seu ombro. O bicho o olhava, talvez relembrando as circunstâncias do dia anterior, pleno de fatos sombrios, imensos.

— Preciso fazer uma coisa – disse.

Voltou-se na direção das árvores e lá estava, bem visível, o aeronauta morto. Manteve o bichano agarrado ao pescoço. A aparência do cadáver era horrível, mas não tão horrível quanto durante o crepúsculo. Os membros perderam a rigidez excessiva e a arma escorregou para o solo, permanecendo meio escondida pela grama.

— Acho que precisaremos enterrar o homem, gatinha – disse Bert, enquanto estudava, impotente, a composição rochosa do solo. — Bom, vamos ter que ficar com ele por aqui mesmo.

Após algum tempo, lembrou-se de necessidades mais prementes e se encaminhou para o barracão de mantimentos. "O café vem primeiro", pensou, "de qualquer jeito". Acariciou o animal, ainda em seu ombro. O bichano esfregou-se de forma carinhosa na bochecha de Bert, que sentiu o pequeno rosto peludo e logo uma leve mordiscada na orelha.

— Quer leite, né? – questionou com afeto. Deu as costas definitivamente ao morto, como se não fosse nada.

Ficou intrigado ao encontrar a porta do barracão aberta, embora a tivesse fechado cuidadosamente na noite anterior. Também havia novos pratos sujos no balcão. Descobriu que as dobradiças do armário de latão tinham sido desaparafusadas, o que permitia sua fácil abertura. Não tinha percebido nada disso na visita anterior.

— Como sou besta! – disse Bert. — Fiquei lutando com essa droga de cadeado e não percebi nada disso antes.

O móvel fora aparentemente usado como um refrigerador, embora seu conteúdo agora fosse apenas o resto de meia dúzia de frangos parcialmente cozidos, uma substância ambígua que deveria ter sido manteiga e um cheiro que poderia tirar o apetite de qualquer um. Optou por fechar novamente o armário com cuidado.

Deu leite ao bichano em um dos pratos sujos e sentou-se para observar-lhe a linguinha bastante atarefada. Resolveu fazer um inventário simples das provisões. Havia seis garrafas de leite fechadas e uma aberta, sessenta de água mineral, um amplo estoque de xaropes, 2 mil cigarros e uma centena de charutos, nove laranjas, duas latas de carne fechadas e uma aberta, duas latas de biscoitos e onze bolos, uma porção de nozes e cinco latas grandes de pêssegos da Califórnia. Anotou tudo em um pedaço de papel.

— Não sobrou muita comida sólida – disse. — Mas digamos que dê para duas semanas.

"Qualquer coisa pode acontecer em duas semanas."

Regalou a gata com mais uma dose de leite e uma fatia de carne antes de sair acompanhado da criaturinha – cauda ereta e espírito renovado – para explorar os restos do *Hohenzollern*. Ao que parecia, o fragmento da aeronave se movera durante a noite, estando agora mais firmemente embasado em Green Island. Dali, Bert voltou a observar a ponte destruída e a desolação de Niágara. Nada mudara, a não ser certo aumento no número de corvos, ocupados com o engenheiro que ele tinha visto ser retalhado no dia anterior. Não viu nenhum cachorro, mas ouviu um uivo.

— Vamos ter que arranjar um jeito de sair daqui, gatinha – disse. — Aquele leite não vai durar pra sempre. Não com o ritmo das suas lambidas.

Observou as águas naquele ponto, que parecia uma espécie de dique.

— Tem bastante água. Não é de sede que iremos morrer.

Decidiu fazer uma exploração cuidadosa da ilha. Chegou até um portão trancado com o nome "Biddle Stairs". Saltou o portão para descobrir uma íngreme e velha escada de madeira que descia pela face escarpada do penhasco em meio ao vasto e poderoso ruído das águas. Deixou o animal no chão e começou a descer os degraus, descobrindo com um arrepio de esperança um caminho que levava, em meio às rochas, ao sopé do setor mais ruidoso das cataratas, na queda de água central. Talvez houvesse uma saída!

Mas aquele caminho o levou apenas à experiência sufocante e ensurdecedora da Caverna dos Ventos. Depois de passar bons quinze minutos em uma condição de assombro quase total, espremido entre a solidez da rocha e uma parede de água cuja consistência também era bem sólida, decidiu que essa rota não era a mais adequada para alcançar o Canadá. Recuou, refazendo seus passos. Ao subir novamente a Biddle Stairs, ouviu o que preferiu entender como um eco, o som de alguém que andava pelos caminhos de cascalho acima. Quando chegou ao topo, o lugar estava solitário como antes.

Prosseguiu com a exploração, com o bichano rolando pela grama durante todo o caminho. Chegou a uma escadaria que levava até uma protuberância de rocha projetada diretamente na majestade verde de Horseshoe Fall. Permaneceu nesse local por algum tempo, em silêncio.

— Quem diria – disse, por fim – que existe tanta água... Esse barulho que não acaba dá nos nervos de qualquer um... Parece até gente falando... Pessoas andando por aí... Pode ser qualquer coisa que a gente imaginar.

Voltou para a escadaria. "Acho que vou acabar dando volta nessa porcaria de ilha", considerou amargamente. "Dando volta e mais volta."

Percebeu que estava outra vez ao lado do aeroplano asiático menos avariado. Enquanto inspecionava a máquina, a gata fazia o mesmo com o nariz, cheirando-a.

"Quebrada!", concluiu.

De repente, olhou para cima após um tremendo susto.

Avançando devagar entre as árvores, na direção dele, viam-se duas figuras altas e esguias. Elas estavam enegrecidas, maltratadas, cobertas de ataduras. O sujeito que vinha mais atrás mancava e tinha a cabeça inteiramente branca devido aos curativos, mas o que estava à frente avançava de maneira resoluta, como um príncipe deve fazer, ainda que tivesse o braço esquerdo pendente em uma tipoia e um dos lados do rosto exibisse queimaduras vívidas, carmesim. De fato, aquele era o príncipe Karl Albert, o senhor da guerra, o "Alexandre germânico", e o homem que o acompanhava logo atrás era o sujeito com cara de pássaro cujo compartimento, um dia, fora dado a Bert.

6

Com aquela súbita aparição, iniciava-se para Bert uma nova fase em Goat Island. Com os novos inquilinos, ele perdera seu status de representante solitário da humanidade em um vasto, violento e incompreensível universo, e recuperara sua natureza de criatura social, um homem em um mundo composto de outros homens. Por um instante, aqueles dois pareceram terríveis e detestáveis, mas em seguida se afiguraram doces e desejáveis como irmãos. Estavam juntos naquele pedaço de terra, náufragos em estado de desorientação. Queria muito saber o que acontecera com eles. O que importava se um deles era um príncipe e ambos eram soldados estrangeiros que nem sabiam falar inglês direito? A essência *cockney* de Bert fluía com naturalidade, uma vez que, afinal de contas, a frota asiática devia ter purgado qualquer diferença trivial que pudesse existir entre os três.

— *Opa!* – disse Bert. — Como vocês chegaram aqui?

— Esse é o inglês que nos trouxe a máquina de Butteridge – disse o oficial com cara de pássaro, em alemão, depois em tom de horror ao ver que Bert se aproximava: — *Salute!* – e de novo, mais alto: — *Salute!*

"Caramba!", disse Bert. Já preparava o fôlego para mais algum comentário quando parou e olhou para os dois novos habitantes da ilha. Enviou saudações desajeitadas, assumindo uma postura defensiva que impedia qualquer tipo de cooperação.

Por algum tempo, esses dois perfeitos aristocratas modernos avaliaram o problema postulado pelo indivíduo anglo-saxão, aquele ser ambivalente que, obedecendo a misteriosos princípios codificados no sangue, não conseguia ser nem soldado nem cidadão. Bert estava longe de ser dotado de beleza, mas de alguma forma inexplicável era uma criatura que parecia resistir a tudo. Ainda vestia o casaco azul de sarja, agora bastante desgastado, mas o caimento largo e desengonçado da peça acentuava-lhe o ar de solidez e resistência. Acima do rosto desanimador havia um quepe branco da frota aérea alemã, também muito grande para aquela cabeça. As calças estavam amarrotadas e a barra, medonhamente metida nas botas de borracha de um aeronauta alemão morto. Parecia, de fato, um ser inferior, mas não um inferior agradável. O ódio que os aristocratas alemães sentiram diante daquela aparição foi instintivo e imediato.

O príncipe apontou para a máquina aérea e disse alguma coisa em um inglês miserável. Bert tomou o que foi dito por alguma coisa em alemão e fracassou em entender. A figura do príncipe ainda era bastante intimidadora.

— *Dummer Kerl!*[1] – disse o oficial com cara de pássaro, perdido debaixo de suas ataduras.

O príncipe apontou novamente, usando a mão intacta.

— Você *compreender* esta *Drachenflieger*?

Bert começou a entender o que estava acontecendo. Inspecionou novamente a máquina asiática. Os hábitos de Bun Hill retornaram com insuspeito vigor.

— É uma criação estrangeira – disse de modo ambíguo.

Os dois alemães confabularam.

— Você *ser*... um especialista? – perguntou o príncipe.

— Acho que dá pra consertar – respondeu Bert, mimetizando os modos de Grubb.

O príncipe buscava em seu vocabulário.

— *Estar* – disse – bom para voar?

Bert refletiu enquanto lentamente coçava o queixo.

— Tenho que dar uma olhada – respondeu. — O negócio foi bem castigado.

Produziu um som com os dentes, também herdado de Grubb, enfiou as mãos nos bolsos da calça, caminhou ao redor do aeroplano. Normalmente Grubb mastigava alguma coisa, mas Bert só podia mascar algo imaginário.

— Acho que em três dias consigo consertar – disse, ainda movimentando a boca. Pela primeira vez percebeu que havia alguma chance para aquela máquina avariada. Era evidente que a asa caída no solo estava em mau estado. A base dividida em três seções que mantinha o aparato rígido se chocou contra as rochas e também havia uma possibilidade bem grande de o motor estar parcialmente avariado. Os ganchos das asas também estavam entortados, mas isso provavelmente não afetaria o voo. Tirando esses problemas, contudo, o resto devia estar funcionado. Bert coçou as bochechas, contemplando a vastidão iluminada pelo sol das Upper Rapids. — Podemos conseguir alguma coisa trabalhando aqui, sim... Deixa comigo.

Mergulhou em nova e atenta inspeção, enquanto o príncipe e seu oficial observavam de perto. Em Bun Hill, Bert e Grubb desenvolveram um

---

1   "Tremendo imbecil!"

método bem coordenado para lidar com o estoque destinado a locação: reparo por substituição de peças. Um aparato que estivesse arruinado demais, o que inviabilizaria sua locação, ainda possuía algum valor em termos de capital. Tornava-se um repositório de pregos, porcas, parafusos, rodas, barras, quadros, correntes e similares; uma mina de "peças de reposição" desgastadas, que substituiriam as partes defeituosas das máquinas mais apresentáveis. Pois não é que ali perto, atrás das árvores, havia um outro aeroplano asiático?...

Ignorada, a gata acariciava as botas do aeronauta usadas por Bert.

— Conserte a *Drachenflieger* – disse o príncipe.

— Se eu consertar – disse Bert, acometido por um novo pensamento –, nenhum de nós saberá pilotar a geringonça.

— *Eu* vou pilotar – disse o príncipe.

— É mais provável que você quebre o pescoço – disse Bert após uma pausa.

O príncipe não entendeu nada e simplesmente ignorou o que ele disse. Apontou um dedo enluvado para o aeroplano e fez algum comentário em alemão para o homem com cara de pássaro. O oficial respondeu e o príncipe reagiu com um gesto amplo em direção ao céu. Depois o príncipe iniciou um longo discurso, que parecia bastante eloquente. Bert observava tudo aquilo e tentava adivinhar o sentido do que era dito.

— É mais provável que você quebre o pescoço – disse de novo. — Bom, pra mim tanto faz.

Começou procurando ferramentas próximo ao assento e ao motor do *Drachenflieger*. Também buscava algum tipo de óleo, preto de preferência, para besuntar o rosto e as mãos, pois a primeira regra na arte da mecânica, ao menos a praticada na Grubb & Smallways, era ficar com a cara e as mãos enegrecidas. Também fazia parte da cena tirar o casaco e o colete e vestir o quepe com a aba para trás, tudo para facilitar o ato de remexer no meio da máquina avariada.

O príncipe e o oficial pareciam estar dispostos a assistir ao trabalho do inglês. Contudo, Bert foi bem-sucedido em convencer os dois de que seria inconveniente ter testemunhas por ali, pois era necessário "quebrar a cabeça" antes de começar. Houve um princípio de discussão, mas a experiência na loja de bicicletas dotara Smallways de uma abordagem adequada para indicar que ele era a autoridade segura e especializada diante do cliente, mero homem comum. Por fim, eles foram embora. Nesse momento, ele correu de imediato para o segundo aeroplano. Pegou o rifle e a munição do aeronauta morto e ocultou tudo em uma moita de urtigas bem próxima. "Agora, sim", disse Bert, antes de proceder a cuidadosa inspeção dos pedaços da máquina destruída que se espalhavam pelas árvores. Voltou, então, para o primeiro aeroplano e comparou ambos. O método desenvolvido em Bun Hill seria praticável se não houvesse algo completamente imprestável ou incompreensível no motor.

Os alemães voltaram ao encontro do mecânico bastante enegrecido de óleo, tocando e testando botões, parafusos e alavancas com uma expressão de profunda sagacidade. Quando o oficial com cara de pássaro se dirigiu a Bert, foi dispensado com um gesto: "Não entendo patavinas do que você diz. Quieto! Não está ajudando".

Então ele teve uma ideia.

— O sujeito morto precisa de alguém que o enterre – disse, apontando com o dedão por sobre o ombro.

7

A aparição daqueles dois homens alterou novamente todo o universo de Bert. Uma cortina desceu sobre a terrível e imensa desolação que o havia devastado. Estava agora em um mundo habitado por três pessoas, uma minúscula humanidade que, contudo, era mais do que suficiente para encher a cabeça dele de especulações, planos e ideias matreiras. No que será que os outros pensavam? O que pensavam dele? O que pretendiam fazer? Uma centena de nós se entrelaçava na mente de Bert conforme ele matava o tempo estudiosamente debruçado no aeroplano asiático. Novas ideias surgiam como bolhas em água gaseificada.

"Caramba!", disse repentinamente. Tinha acabado de se dar conta da injustiça irracional do destino em manter aqueles dois sujeitos vivos tendo em vista o fato de Kurt estar morto. Toda a tripulação do *Hohenzollern* estava morta: por tiro, esmagamento, queimadura ou afogamento. E esses dois, à espreita no acolchoado compartimento dianteiro, tinham escapado.

"Ele deve pensar que é uma bendita estrela", murmurou, sentindo crescer em si uma raiva incontrolável.

Ergueu-se, encarando os dois homens. Eles estavam um ao lado do outro, encarando-o de volta.

— Não está ajudando nada – disse –, vocês aí me espiando. Isso só me dá nos nervos.

Ao perceber que eles nada compreenderam, avançou na direção deles brandindo a chave-inglesa. Ocorreu-lhe então que o príncipe era, de fato, um sujeito bem grande, forte e ao mesmo tempo sereno. Mas disse, ainda assim, apontando para as árvores:

— Homem morto!

O oficial com cara de pássaro interveio com uma resposta em alemão.

— Homem morto! – Bert disse a ele. — Ali.

Teve tremenda dificuldade em induzir os dois a inspecionar o oriental morto até que, por fim, resolveu conduzi-los até o local. Logo deixaram evidente que Bert, tendo a patente mais baixa entre os ali reunidos, deveria ser o único a usufruir do privilégio de se livrar do corpo, jogando-o nas águas para que o rio fizesse seu trabalho. Um debate intenso, na base das gesticulações, se iniciou. Por fim, o oficial com cara de pássaro se resignou a ajudar. Juntos, arrastaram o corpo rígido e inchado do asiático por entre as árvores. Após algumas pausas – pois a carga era pesada –, jogaram o despojo na corredeira a oeste. Bert retornou para sua investigação de especialista na máquina voadora, mas agora com os braços doloridos e em estado de sombria insubordinação. "Que descaramento!", disse. "Qualquer um pensaria que eu sou um tipo de escravo desses malditos alemães. "Tipinhos enjoados!"

Logo estava especulando sobre o que poderia acontecer quando o aeroplano estivesse consertado – se pudesse ser consertado.

Os dois alemães se retiraram de novo. Após alguma reflexão, Bert removeu várias porcas, recolocou o casaco e o resto de seus trajes, pôs as porcas e as ferramentas nos bolsos e escondeu a caixa com as ferramentas do segundo aeroplano no tronco de uma árvore. "Agora, sim", disse, ao descer da árvore e depois de tomar essa última precaução. O príncipe e seu companheiro reapareceram quando Bert retornava para a máquina pela faixa em que água e ilha estavam mais próximas. Inspecionou o progresso obtido, depois se dirigiu para o local onde ocorria a separação das águas. Permaneceu contemplando a correnteza, de braços cruzados e mergulhado em pensamentos profundos, por algum tempo. O oficial com cara de pássaro veio até Bert, grave como sempre, com uma sentença em inglês.

— Vá – disse com um gesto, para facilitar o entendimento – e coma.

Quando Bert chegou ao barracão de mantimentos, descobriu que toda a comida desaparecera, com exceção de uma ração contada que incluía um pouco de carne enlatada e três biscoitos. Olhou para aquilo com olhos e boca abertos. A gata apareceu de baixo da cadeira do vendedor com um miado insinuante.

— Claro! – disse Bert — Ora! Cadê o seu leite?

Por alguns instantes, sentiu acumular a fúria que sentia, então agarrou o prato com uma mão e os biscoitos com a outra e saiu em busca do príncipe, transbordando de palavras feias atinentes à questão da comida e de seu foro íntimo. Aproximou-se sem mesuras.

— Escuta aqui! – disse ferozmente. — Que diabos é isso?

Seguiu-se uma altercação de resultados insatisfatórios. Bert expôs, em inglês, a teoria de Bun Hill a respeito das relações entre comida e eficiência. O oficial com cara de pássaro replicou, em alemão, com observações pontuais sobre nações e disciplina. O príncipe, depois de estimar o caráter e o físico de Bert, subitamente entrou na discussão. Ele agarrou Bert pelo ombro e o sacudiu, fazendo seus bolsos chocalharem. Também gritou, em alemão, antes de arremessar longe seu pequeno adversário. Atacou-o como se ele fosse um soldado raso alemão. Bert recuou, pálido e assustado, mas resolvido a ir às vias de fato, seguindo todos os padrões cockney a esse respeito. A honra exigia que "fosse para cima" do príncipe.

— Caramba! –, disse engasgado, desabotoando o casaco.

— Ora – gritou o príncipe. — Terá corragem? – questionou e, ao perceber o brilho heroico nos olhos de Bert, sacou a espada.

O oficial com cara de pássaro interveio, dizendo alguma coisa em alemão e apontando para o céu.

Ao longe, na direção sudoeste, surgiu uma aeronave japonesa que se aproximou rapidamente do local em que os três estavam. O debate acalorado que travavam teria de ser adiado. O príncipe foi o primeiro a perceber a gravidade da situação, liderando a retirada. Os três se jogaram como coelhos ariscos no meio das árvores e correram a toda velocidade em busca de cobertura. Encontraram uma vala em que a grama crescia espessa. Ali permaneceram agachados, a não mais de 6 jardas de distância um do outro. Ficaram sentados por um bom tempo, com grama até o pescoço e espreitando a localização da aeronave por entre os galhos numerosos. Bert derrubara uma porção da carne enlatada na fuga, mas encontrou os biscoitos e os devorou em silêncio. O monstro os sobrevoou, diretamente, antes de se retirar na direção de Niágara e desaparecer atrás da central elétrica. Quando a aeronave estava bem próxima, mantiveram silêncio máximo, mas entraram em uma discussão cujos efeitos imediatos teriam sido explosivos, não fosse a impossibilidade de compreender uns aos outros.

Foi Bert quem começou a falar, e o fez sem se importar se seria entendido ou não. Mas o tom de voz deve ter denunciado suas intenções irritadiças.

— Se vocês querem a máquina funcionando – começou –, é melhor tirar as mãos de mim!

Eles ignoraram e Bert repetiu a fala.

Foi quando precisou formular e expandir sua tese que um espírito mais loquaz dominou Bert.

— Se pensam que podem aprisionar um sujeito e chutar e bater nele como tratam seus soldadinhos, vocês estão muito enganados, estão entendendo? Já estou cansado de vocês e de suas palhaçadas. Eu estou de olho em vocês, em vocês e em sua guerra, em seu império, e em toda essa porcaria. Porque não passa de uma porcaria. Foram vocês, alemães, que começaram a confusão lá na Europa. E tudo a troco de nada. Por pura frescura! Por puro exibicionismo de uniformes e bandeiras! Mas lá estava eu, não queria ter nada a ver com vocês. Eu estava pouco me lixando pra vocês. Mas vocês me prenderam, praticamente me sequestraram, e me trouxeram pra cá, a milhares de milhas de casa e da minha gente, e toda a sua frota idiota virou trapo. E ainda querem vir com frescura! Ah não, não se depender de mim!

— Olha só toda a maldade que vocês fizeram! Olha o jeito como acabaram com Nova York, todas as pessoas que vocês mataram, tudo que destruíram. Não aprenderam nada?

— *Dummer Kerl!* – disse o oficial com cara de pássaro em tom de malignidade concentrada, o olhar fulminante debaixo das ataduras. — *Esel!*[2]

— Eu sei que você tá me chamando de asno em alemão, sei muito bem. Mas quem é o asno? Ele ou eu? Quando eu era moleque, gostava de ler historietas de aventura, com grandes comandantes, heróis e toda essa porcariada. Fazia coleção. Mas e ele, o que tem na cabeça? Danem-se Napoleão, Alexandre, toda a sua bendita família, e ele e Deus e Davi e tudo o

2   "Burro!"

mais. Não precisava ser um príncipe metido a besta pra prever que aconteceria tudo isso. Lá na Europa estávamos aos trancos e barrancos, com nossas bandeiras idiotas e nossos jornais idiotas nos jogando uns contra os outros e nos segregando, enquanto lá na China estavam unidos, sólidos como um queijo, seus milhões de habitantes querendo só um pouquinho de avanço científico e tecnológico para se igualar a nós. E vocês pensaram que eles não conseguiriam se igualar. Mas daí eles criaram máquinas voadoras, e zás! Olha só onde fomos parar. Ora, quando eles não fizeram menção de fabricar armas, nós fomos lá cutucá-los até eles começarem a fabricar, então é *lógico* que merecemos essa sova que eles nos deram. Nós não íamos ficar satisfeitos até que chegassem a esse ponto. E, como eu disse, olha só onde fomos parar!

O oficial com cara de pássaro gritou para que Bert calasse a boca, depois iniciou uma conversa com o príncipe.

— Sou cidadão britânico – disse Bert. — Vocês não são obrigados a ouvir, mas eu não sou obrigado a ficar quieto.

Por algum tempo, persistiu em seu discurso contra o imperialismo, o militarismo e a política internacional. Mas os outros dois conversavam entre eles, ignorando a existência do sobrevivente inglês. Bert, exasperado, dedicou-se apenas a repetir termos abusivos, como "palermas enjoados", e coisas do tipo, recorrendo a ofensas antigas e novas.

De repente, lembrou-se de sua principal reclamação.

— Certo, mas olha, olha aqui! Comecei perguntando cadê a comida que estava no barracão. É o que quero saber. Onde vocês enfiaram?

Fez uma pausa. Os outros continuaram conversando em alemão. Repetiu a pergunta. Eles simplesmente o ignoraram. Perguntou uma terceira vez, agora com uma impertinência francamente agressiva.

Todos caíram em um silêncio tenso. Por alguns segundos, os três apenas se entreolharam. O príncipe fuzilou Bert, que fraquejou diante daquele olhar. Lentamente, o príncipe ficou de pé, o oficial com cara de pássaro mancando um pouco atrás. Bert permanecia agachado.

— Cale-se – disse o príncipe.

Bert percebeu que não era o momento adequado para eloquência.

Os dois alemães observavam-no ali agachado. A morte, naquele momento, parecia estar logo ali.

Mas o príncipe deu as costas para Bert. Os dois caminharam em direção à máquina voadora.

"Caramba!", sussurrou Bert, e murmurou um único xingamento bem cabeludo. Continuou agachado por mais ou menos três minutos e, então, pondo-se de pé, encaminhou-se para a moita de urtigas onde a arma do aeronauta oriental estava escondida.

8

Agora não era mais possível sequer fingir que Bert estava obedecendo às ordens do príncipe ou que ele iria continuar a tarefa de reparar a máquina voadora avariada. Os dois alemães tomaram posse do aeroplano e começaram a trabalhar nele. Bert pegou sua nova arma e se encaminhou para as vizinhanças de Terrapin Rock, onde se sentou para examiná-la. Era um rifle curto com enorme cartucho e um pente praticamente completo. Retirou cuidadosamente os projéteis do pente para testar o gatilho e as travas até sentir ter dominado. Recarregou o pente com cuidado ainda. Foi só nesse momento que ele se lembrou da fome que sentia e, com a arma debaixo do braço, saiu a caçar alguma coisa em volta do barracão de mantimentos. Tinha consciência de que não era uma boa estratégia mostrar-se com a arma ao príncipe e a seu companheiro. Enquanto acreditassem que estava desarmado, o deixariam em paz, mas era impossível determinar com certeza o que uma personalidade napoleônica como a do príncipe faria se soubesse que Bert agora estava armado. Também não queria chegar muito perto deles porque sabia que, dentro de si, um reservatório de raiva borbulhava: temia acabar matando a tiros aqueles dois. A verdade é que queria, muito, abater o príncipe e o outro, mas ao mesmo tempo pensava que alvejar alguém com um rifle era algo horrível de fazer. Os dois lados de sua civilização inconsistente se digladiavam dentro dele.

Próximo do barracão, a gata reapareceu, obviamente esperando um pouco de leite. Isso aguçou ainda mais a fúria e a sensação de fome de Bert. Começou a falar sozinho enquanto caçava, e logo estava gritando insultos. Falava de guerra, de orgulho, de imperialismo.

"Qualquer príncipe de verdade teria morrido junto com os soldados e sua aeronave!", gritou.

Os alemães, trabalhando no aeroplano, ouviam vez por outra a voz de Bert em meio ao clamor ininterrupto das águas. Nesses momentos, os olhos dos dois se encontravam e eles sorriam suavemente.

Bert dispôs-se a se sentar no barracão de mantimentos por algum tempo, para esperar os alemães. Mas lhe ocorreu que ambos poderiam chegar perto dele de surpresa com essa tática. Voltou para o ponto em que estava em Luna Island, para refletir sobre a situação.

Tudo parecia muito simples a princípio, mas, conforme Bert revirava a mente, as possibilidades aumentavam e se multiplicavam. Os dois homens tinham espadas. Será que teriam também um revólver?

Além disso, se matasse os dois imediatamente, nunca mais encontraria a comida!

De forma que ele poderia andar com a arma debaixo do braço, tranquilizado pela sensação de segurança que o rifle lhe transmitia, mas e se eles o vissem e resolvessem emboscá-lo? Goat Island fornecia cobertura infinita: árvores, rochas, matagais, terreno irregular.

Por que não partir agora mesmo para acabar com a raça dos dois?

"Não posso", disse Bert, afastando essa opção. "Tenho que pensar em outra coisa."

Mas era um erro ficar muito distante dos alemães, e isso se tornou subitamente claro. Ele precisava manter aqueles dois sob estrita vigilância, precisava "patrulhá-los". Era a única maneira de ver o que faziam, se tinham algum revólver, onde esconderam a comida. Também ficaria mais fácil saber o que planejavam fazer com ele. Se ele não os "patrulhasse", a verdade é que poderia ser alvo do "patrulhamento" deles. Essa ideia pareceu tão razoável que Bert agiu de imediato para concretizá-la. Refletiu a respeito da roupa que trajava: arrancou o colarinho e o flagrante quepe de aeronauta, jogando-os na água. Depois virou a gola do casaco para esconder qualquer vislumbre de sua camisa imunda. As ferramentas e porcas em seus bolsos frequentemente tilintavam. Para tentar resolver esse problema, Bert rearranjou os itens, envolvendo-os em papel e no lenço que trazia. Saiu para sua ronda silenciosa e cautelosamente, atento às minúcias que o cercavam a cada passo. Conforme se aproximava de seus antagonistas, o barulho produzido por eles facilitava a localização. Os dois alemães, entrementes, estavam envolvidos no que parecia ser uma luta corporal com a máquina voadora asiática. Haviam tirado os casacos, e as espadas estavam a certa distância, pois trabalhavam nos reparos de forma suntuosa. Aparentemente, estavam deslocando o aeroplano para uma posição mais conveniente, enfrentando dificuldades com a longa cauda presa nas árvores. Bert se jogou no chão assim que os viu, arrastando-se para uma pequena vala, de onde poderia observar em segurança o empenho deles. De vez em quando, para passar o tempo, colocava um ou outro na mira de seu rifle.

Descobriu que o espetáculo a que assistia não era tão desinteressante assim, tanto que algumas vezes Bert ficou a ponto de gritar alguma orientação à distância para auxiliá-los. Percebeu que, quando conseguiram virar a máquina, iniciaram uma imediata busca pelas porcas e ferramentas que estavam em seu bolso. O que significava que eles viriam atrás dele. Concluiriam, com certeza, que Bert estava com elas ou que as escondera. Deveria esconder a arma e fazer um acordo: comida em troca das ferramentas? Não se sentia disposto a abrir mão do rifle, agora que estava em sua consoladora companhia. A gata voltou a aparecer, fazendo um grande estardalhaço e lambendo e mordendo a orelha de Bert.

O sol ascendeu para a posição do meio-dia, e dessa vez ele viu uma aeronave asiática ao longe, no sul, deslocando-se velozmente para leste. Os alemães, ocupados, não perceberam tal aproximação.

No fim das contas, o aeroplano foi virado e posicionado sobre suas rodas propulsoras, os ganchos das asas apontando para as corredeiras. Os dois oficiais enxugaram o rosto, recuperaram casacos e espadas, trocaram cumprimentos e palavras usuais diante de uma boa manhã de trabalho. Depois se dirigiram céleres para o barracão de mantimentos, o príncipe na dianteira. Diante disso, Bert começou, ele mesmo, a se deslocar, no encalço de seus adversários. Mas logo descobriu que era impossível persegui-los – com rapidez, discrição e eficiência – sem que eles percebessem, o que inviabilizava a descoberta do esconderijo da comida. Ao avistá-los de novo, depois de perdê-los de vista brevemente, estavam sentados, com as costas apoiadas contra a parede externa do barracão. Cada um tinha um prato sobre as coxas com uma lata de carne. Também havia um prato entre eles, cheio de biscoitos. Pareciam estar bem-dispostos e com excelente humor: o príncipe chegou até a dar uma sonora gargalhada. Diante daquele alegre repasto, os elaborados planos de Bert foram deixados de lado. Movido pela fome feroz, apareceu diante deles, repentinamente, com o rifle em punho, a uma distância de cerca de 20 jardas.

— Mãos ao alto! – disse com voz amarga e feroz.

O príncipe hesitou inicialmente, mas logo dois pares de mãos se elevaram. A arma os surpreendera completamente.

— De pé ... – disse Bert — Larga o garfo!

Os dois obedeceram novamente.

"E agora?", perguntou-se Bert.

— Melhor que saiam aqui. Por ali – disse. — Vamos!

O príncipe obedeceu com notável vivacidade. Mas, assim que chegaram à entrada de uma clareira, disse algo rapidamente para o oficial com cara de pássaro, e ambos – abandonando as convenções da dignidade militar – correram!

Bert exasperou-se diante dessa reação que ele nem sequer imaginara.

— Meu Deus! – gritou profundamente aperreado. — Por que eu não peguei as espadas deles? Ei, vocês!

Mas os alemães já tinham sumido de vista, muito provavelmente buscando abrigo no meio das árvores. Bert lançou-se a berrar imprecações, depois voltou ao barracão, examinou superficialmente a possibilidade de uma investida pelas laterais, deixou a arma bem à mão e pôs o estômago para funcionar com o conteúdo do prato do príncipe – parando convulsivamente para espreitar os lados, esperando algum ataque-surpresa de seus inimigos. Terminou de comer, jogou os restos para a gata e se preparava para mergulhar no segundo prato. Mas ele se quebrou em suas mãos! Ficou paralisado diante de um fato que aos poucos ganhava forma em sua mente: no instante imediatamente anterior, ouvira um ruído seco vindo de um grupo de moitas. Ficou de pé num salto, a arma em uma mão e a lata de carne na outra. Correu, dando uma volta ao redor do barracão até o outro lado da clareira. Ao fazer isso, um segundo ruído seco partiu das moitas e algo passou sibilando próximo da orelha de Bert.

Não parou de correr enquanto não encontrou uma posição que considerasse bem guarnecida, o que ocorreu perto de Luna Island. Buscou cobertura, rastejando ofegante, aguardando ansioso.

"Não é que eles têm um revólver no fim das contas!", disse ofegante... "E se tiverem dois? Se tiverem, estou lascado, meu Deus! Lascado!

"Cadê a gatinha? Deve estar terminando a carne, aquela safada!"

9

Assim, uma guerra se iniciava em Goat Island. Durou um dia e uma noite, o dia e a noite mais longos da vida de Bert. Teve de se manter alerta, ouvir e vigiar. Também teve de elaborar um plano de ação. Estava bastante claro que deveria matar aqueles dois homens se tivesse chance para isso. Claro que a contrapartida também existia e eles poderiam matá-lo se pudessem. Em jogo no conflito, além da comida, estavam o aeroplano e o discutível privilégio de tentar conduzi-lo. Se qualquer um dos lados cometesse um mínimo erro, seria com certeza liquidado; o lado vitorioso poderia sair da ilha e chegar a algum lugar não muito distante dali. Durante um tempo, Bert tentou imaginar o que haveria nas cercanias, à mente circulando entre certas possibilidades: desertos, americanos terrivelmente enraivecidos, japoneses, chineses, talvez até peles-vermelhas! (Será que ainda existiam peles-vermelhas?)

"Vamos ver no que isso vai dar", disse Bert. "Não tem outro jeito!"

Estaria ouvindo vozes? Percebeu que o foco de sua atenção se dispersava. Por algum tempo, todos os seus sentidos ficaram à flor da pele. Mas o rugido das águas provocava grande confusão, misturando-se com outros sons e causando toda sorte de ilusões – pareciam pés que caminhavam, vozes que conversavam, gritos e choro.

"Grande coisa essa catarata", disse Bert. "Não faz sentido essa água caindo e caindo."

Melhor esquecer isso agora! O que os alemães estariam fazendo?

Será que voltariam para a máquina voadora? Não poderiam fazer muita coisa sem os parafusos, as porcas, as chaves e as ferramentas. Mas e se eles encontrassem a segunda caixa de ferramentas na árvore? Bert escondera bem, claro, mas ainda assim poderiam achá-la. Não se podia garantir nada – não mesmo. Tentou lembrar como exatamente ocultara essas ferramentas, para se convencer de que elas estavam em segurança, mas sua memória começou a lhe pregar peças. Será que tinha mesmo deixado o cabo da chave de fenda projetado do lado de fora do esconderijo no tronco da árvore?

Sssshh! O que foi isso? Alguém movimentou os arbustos? Um focinho? Não! Onde estaria a gatinha? Não! Era pura imaginação, não a gatinha.

Certamente os alemães dariam pela falta das ferramentas que Bert carregava nos bolsos e andariam à procura delas. Só depois notariam que deviam estar com Bert e viriam caçá-lo. Bastava, portanto, que Bert permanecesse protegido até pegá-los. Haveria alguma falha nesse plano? Teriam escondido mais peças e partes móveis da máquina voadora para emboscá-lo? Não, não fariam isso, pois eram dois contra um. Não precisavam temer que Bert fugisse pilotando a máquina voadora, nem havia motivo real para suspeitar de que ele fosse se aproximar dela, e portanto não arriscariam danificar ou inutilizar o aeroplano. Isso parecia claro. Mas e se pretendessem emboscá-lo com comida? Ora, isso não aconteceria, pois Bert estava com a carne enlatada que lhe garantiria sustento, se consumida com moderação, por pelo menos alguns dias. É claro que eles poderiam usar a tática de esgotar as energias do inimigo em vez de atacá-lo...

Ele voltou a si com um sobressalto. Agora percebia a fragilidade de sua posição: estava com muito sono!

Após dez minutos dominado pela sugestão dessa ideia, percebeu que estava de fato dormindo!

Esfregou os olhos e ajustou o rifle. Nunca imaginara o intenso efeito soporífero do sol americano, do ar americano, do rugido do Niágara, que induzia ao sono. Até o momento, esses elementos pareciam tão estimulantes...

Se ele não tivesse comido tanto e tão rápido, provavelmente não sentiria o peso do sono com tanta força. Será que os vegetarianos eram sempre vivazes?...

Sacudiu o corpo semiadormecido novamente na tentativa de acordar.

Se não fizesse alguma coisa, cairia no sono. Se caísse no sono, era garantido que o encontrariam roncando, fácil de ser exterminado. Caso permanecesse sentado e em silêncio, o sono seria inevitável. Era melhor, percebia, assumir os riscos de um ataque que persistir nessa tortura. A necessidade de dormir acabaria com ele, isso estava evidente. A situação deles era melhor: um poderia ficar de guarda enquanto o outro dormia. Pensando nisso, percebeu que a parceria dos dois adversários poderia ser bastante diversificada: enquanto um desempenhava qualquer atividade que fosse, o outro vigiava, pronto para atirar em quem se aproximasse. Poderiam até montar armadilhas para Bert, com um deles atuando como isca.

Isso conduziu o pensamento de Bert para as iscas. Que idiotice ter jogado o quepe fora. Poderia ser útil, pendendo de um galho, especialmente durante a noite.

Sentia sede. Resolveu tal problema, ao menos temporariamente, botando um seixo na boca. Mas logo o sono incontrolável voltou.

Bert via que um ataque se tornava cada vez mais a única saída.

Como muitos dos grandes generais na história que vieram antes dele, percebeu que sua bagagem – no caso, a lata de carne embutida – constituía um problema sério em qualquer deslocamento. Por fim, decidiu enfiar a carne nos bolsos e dispensar a lata. Esse talvez não fosse o arranjo ideal, mas sacrifícios eram necessários durante qualquer campanha prolongada. Arrastou-se furtivamente por umas 10 jardas, mas logo as possibilidades da situação o paralisaram.

A tarde estava silenciosa. O rugido das cataratas simplesmente evidenciava a imensa quietude local. Ele estava fazendo o melhor que podia para maquinar a morte de dois homens mais aptos que ele. Provavelmente eles estavam se dedicando à mesma tarefa. O que eles estariam fazendo, com todo esse silêncio aterrorizador?

E se ele atacasse os dois e disparasse, mas errasse os alvos?

10

Bert se arrastou, parou para tentar ouvir qualquer ruído diferente do usual, voltou a rastejar. Fez isso até anoitecer, e era bem provável que o Alexandre germânico e seu tenente estivessem dedicados à mesma tarefa. Um mapa de Goat Island em grande escala no qual fossem marcados – usando, digamos, as cores azul e vermelha – os movimentos estratégicos dos dois lados mostraria certo entrelaçamento mútuo nos deslocamentos. Mas, verdade seja dita, nenhum dos dois lados viu um ao outro naquele dia longo, marcado pelo tédio que caracteriza uma situação de alerta constante. Bert nunca soube quão próximo ou distante ficara dos outros dois. Pela noite, não estava mais tão sonolento – uma sede avassaladora, contudo, o consumia ali, próximo ao lado americano das cataratas. Estava dominado pela ideia de que seus adversários deviam estar nos destroços das cabines do *Hohenzollern* que permaneciam em Green Island. Tomou iniciativa, abandonou qualquer tentativa de dissimular seus avanços e atravessou célere a pequena ponte que ligava as ilhas. Não encontrou ninguém. Era sua primeira visita aos fragmentos da aeronave, por isso dedicou-se a explorar os destroços com curiosidade, ainda que a luz do sol já estivesse bem enfraquecida. O compartimento dianteiro sobrevivente estava praticamente intacto, apenas a porta um pouco enviesada e um dos cantos imerso em água. Entrou no compartimento, bebeu um pouco de água e teve a ideia brilhante de trancar a porta e dormir ali mesmo.

Mas não conseguiu, de forma alguma, pegar no sono.

Cochilou levemente durante a madrugada e acordou com o sol já alto. Fez seu desjejum de carne enlatada e água enquanto avaliava a segurança da posição conquistada. Tal avaliação fez crescer nele a resolução e a coragem. Decidira-se: teria de resolver esse negócio de imediato, de um jeito ou de outro. Estava cansado de rastejar inutilmente. Saiu naquela manhã, arma em punho, sem se preocupar excessivamente em ser furtivo. Rondou o barracão de mantimentos, mas não encontrou ninguém. Depois se dirigiu ao local onde estava a máquina voadora. Descobriu o oficial com cara de pássaro adormecido encostado em uma árvore, curvado sobre os braços cruzados, as ataduras na cabeça cobrindo um dos olhos.

Bert parou abruptamente e permaneceu estático a cerca de 15 jardas de distância, segurando o rifle com firmeza. Onde estaria o príncipe? Então, projetando-se da lateral de uma árvore próxima, viu um ombro. Bert deu metódicos cinco passos para a esquerda. O grande homem ficou definitivamente visível, escorado contra um tronco, pistola em uma mão e espada na outra, bocejando – bocejando! Bert convenceu-se de que não poderia atirar em um sujeito que bocejava. Avançou na direção do adversário com a arma levantada, pronto para dizer alguma idiotice do tipo "Mãos ao alto". O príncipe, contudo, percebeu esse avanço, a boca bocejante fechou-se como uma armadilha para ursos e permaneceu firme. Bert parou, silenciosamente. Por um instante, os dois trocaram olhares.

Se o príncipe fosse alguém mais esperto, creio que provavelmente teria se protegido atrás da árvore. Mas não: bradou a plenos pulmões alguma coisa e levantou ao mesmo tempo a pistola e a espada. Diante disso, Bert apenas pressionou o gatilho, como um autômato.

Era sua primeira experiência com uma bala de oxigênio. Uma grande chama atravessou o príncipe no que seria o meio do corpo, um clarão ofuscante, e depois um baque seco como o disparo usual de uma arma. Algo quente e úmido atingiu o rosto de Bert. Logo, em meio a um turbilhão de fumaça sufocante e vapor, viu membros e um corpo serem destroçados e depois jogados para todos os lados, até caírem definitivamente no chão.

O espanto de Bert era tamanho que ele permaneceu boquiaberto, em tal estupor que o oficial com cara de pássaro poderia tê-lo cortado ao meio sem muito trabalho. Em vez disso, o oficial com cara de pássaro correu como um louco através do matagal, esquivando-se como podia de prováveis novos disparos. Bert iniciou então uma breve e pouco eficaz

243   IX.   EM GOAT ISLAND

perseguição, uma vez que não tinha estômago para novos assassinatos. Voltou, assim, para contemplar a coisa mutilada e dispersa que até recentemente era o grande príncipe Karl Albert. Explorou a vegetação arrasada e chamuscada ao redor daquilo. Tentava, por meio de vaga especulação, identificar alguns itens. Avançou o mais cautelosamente possível e pegou o revólver, ainda quente: todas as balas se deformaram e detonaram. Nesse momento, percebeu uma presença amiga. Sentia-se chocado por alguém tão jovem ter de assistir àquele espetáculo assustador.

— Ei, gatinha – disse –, aqui não é lugar pra você.

Deu três largas passadas, atravessando a área devastada, pegou o bichano cuidadosamente e caminhou para o barracão com o animal em seu ombro ronronando alto.

— Parece que *você* não se importa – disse.

Dedicou-se, então, a vasculhar o barracão. Por fim, descobriu o resto das provisões escondidas no telhado.

— É duro – disse, ao servir um pouco de leite em um prato – quando três sujeitos estão numa droga de situação igual a esta e não conseguem trabalhar juntos. Mas ele, com aquela frescura toda, abusou!

— Caramba! – refletiu, sentado no balcão e comendo. — Veja só como é a vida! Eis-me aqui; eu, que via as fotos do sujeito, que ouvia o nome dele direto desde pequeno. O príncipe Karl Albert! Se alguém tivesse falado que eu ia acabar explodindo o sujeito em pedacinhos, eu nunca que ia acreditar, gatinha.

— Aquele camarada em Margit não me contou. Tudo o que ele falou foi que eu tinha uma fraqueza nos pulmões.

— Aquele outro alemão, sozinho, não vai fazer muita coisa. O que eu vou fazer com ele?

Inspecionou as árvores com os olhos azuis aguçados e fuçou na arma em seu joelho.

— Não gosto dessa matança toda, gatinha – disse. — É como o Kurt disse sobre ter que sujar as mãos de sangue. Me parece que é preciso aprender isso cedo... Se o tal do príncipe tivesse chegado pra mim e dito "Apertemos as mãos!", eu teria apertado... Agora, tem o outro sujeito se escondendo por aí! Ele já está com a cabeça ferida e parece que mancando também. Tem umas queimaduras. Meu Deus! Não faz nem três semanas e eu vi ele todo paramentado, com cabelo escovado e tudo, me xingando. Um cavalheiro completo! Agora está quase virando um selvagem. O que eu faço com ele? Que diabos devo fazer com ele? Não posso deixar que ele fique com a máquina aérea e, se eu não acabar com ele, a fome vai fazer o serviço...

— Claro, ele ainda está com a espada...

Voltou ao modo reflexivo depois de acender um cigarro.

— A guerra é uma idiotice, gatinha. Uma idiotice! Nós, pessoas comuns, somos uns tolos. Acreditamos que os figurões sabiam o que estavam fazendo, mas eles não sabiam. Olha só esse camarada, o príncipe! Tinha toda a Alemanha pra ele, e o que fez com ela? Destruiu, esbagaçou, moeu, e agora olhe só pra ele: restou só um bolo de sangue, botas, detritos! Uma mancha miserável, só isso! O príncipe Karl Albert! E toda a tripulação que conduziu, os navios, os dirigíveis e os dragões voadores, tudo espalhado, feito papel picado, entre a Alemanha e este fim de mundo em que estamos. E toda essa luta que ele começou continua, levando fogo e morte ao mundo todo, sem parar!

— Acho que vou ter que matar aquele camarada. Acho que devo matá-lo. Mas não é uma coisa que eu goste de fazer, gatinha!

Por algum tempo, empreendeu uma caçada tendo ao fundo o constante marulho das águas, em busca do oficial ferido. Por fim, encontrou-o atrás de uns arbustos, próximo a Biddle Stairs. Mas quando viu aquela figura curvada e mancando, tentando fugir dele em pânico, a piedade cockney falou mais alto novamente. Não pôde atirar nem persegui-lo. "Não consigo", disse, "é isso, eu não consigo. Não tenho estômago pra isso! Bom, vou deixar que ele escape."

Refez seus passos na direção da máquina voadora...

Nunca mais viu o oficial com cara de pássaro ou qualquer evidência de que ele ainda estivesse por ali. Com a chegada da noite, cresceu em seu íntimo o medo de uma emboscada. Fez uma ampla e sistemática busca por cerca de uma hora, em vão. Dormiu em uma posição que garantia boas chances de defesa, na extremidade de um ponto rochoso que desembocava no lado canadense das cataratas. Mas, durante a noite, acordou dominado pelo pavor e pelo pânico e disparou sua arma. Não era nada. Não conseguiu mais dormir. Pela manhã, estava curiosamente preocupado com o oficial desaparecido. Saiu à sua procura como alguém que busca um irmão perdido. "Se eu soubesse alguma coisa de alemão", disse, "ia dizer que está tudo bem. Mas não sei como é isso em alemão. Não vou conseguir expressar direito".

Descobriu mais tarde indícios de uma tentativa de travessia do abismo na ponte quebrada que se ligava ao continente. Uma corda, amarrada a um parafuso, pendia de uma espécie de abertura que surgia em um dos fragmentos mais proeminentes da estrutura. A extremidade da corda era puxada pelas águas borbulhantes que se dirigiam para as cataratas.

O oficial com cara de pássaro, contudo, já se encontrava ao lado daquela substância inerte que um dia fora o tenente Kurt, com o aeronauta oriental, uma vaca e outras companhias desagradáveis dentro do gigantesco redemoinho de água a mais de 2 milhas dali. Nunca aquele grande ponto de encontro – aquela incessante, incoerente, inútil e inalterável precipitação de detritos e de coisas devastadas – esteve tão apinhado de resíduos estranhos e deprimentes. Eles giravam mais e mais, e cada dia acrescentavam novas contribuições: feras desafortunadas, fragmentos de barcos e de máquinas voadoras, um número infinito de cidadãos das cidades próximas dos Grandes Lagos lá de cima. Muitos vinham de Cleveland. Tudo se reunia ali, a girar infinitamente, e sobre essa imensa reunião se aglomerava diariamente uma crescente quantidade de pássaros.

X.
GUERRA TOTAL

1

Bert ainda passaria mais dois dias em Goat Island, gastando todas as suas provisões exceto os cigarros e a água mineral, antes de se resolver a testar a máquina voadora asiática.

Ao fim e ao cabo, não chegou verdadeiramente a conduzir o aparato, mas foi arrastado por ele. Levou cerca de uma hora para substituir os fixadores avariados de uma das asas – recuperados do segundo aeroplano – e repor as porcas e os parafusos que ele mesmo removera. O motor, que estava funcionando perfeitamente, apresentava algumas poucas e óbvias diferenças no mecanismo de propulsão encontrado usualmente nos modelos mais novos de bicicletas motorizadas. O resto do tempo foi gasto com infindáveis devaneios, atrasos, hesitações. Enxergava seu destino como uma sequência simples: cairia nas corredeiras, depois seria arrastado até as cataratas, lutando inutilmente contra o afogamento. Havia uma variação desse cenário – dessa vez, estaria em desespero, preso em uma máquina voadora descontrolada, sem a possibilidade de reduzir a velocidade ou de pousar. A mente de Bert estava tão concentrada nas questões que envolviam seu primeiro voo individual propulsado que nem sequer pensou no que poderia acontecer a um *cockney* de ânimo indeterminado, sem credenciais ou identificação, que chegasse de forma repentina pilotando um aeroplano asiático bem no meio de uma população que, provavelmente, estaria enfurecida com aquela guerra.

Persistia, por outro lado, a estranha deferência que demonstrara pelo oficial com cara de pássaro. Em suas fantasias, era assombrado pela visão de que o alemão pudesse estar ferido ou imobilizado em algum canto obscuro da ilha ou em uma fenda nas rochas. Apenas depois de uma sistemática e exaustiva busca deixou de lado essa ideia perturbadora. "Se eu o encontrasse", raciocinou, "o que eu poderia fazer? Não ia estourar um sujeito ferido. Fora isso, não sei mesmo o que poderia fazer pra ajudar".

Nesse momento, surgiu a preocupação com o bichano, despertando nele a consciência de responsabilidade. "Se eu deixar ela pra trás, morre de fome... Talvez consiga pegar uns ratos... Mas *tem* rato aqui?... Passarinho?... Ela é muito pequena... E, igual a mim, civilizada demais."

Finalmente, meteu o bichano em seu bolso lateral – o animal ficou bastante interessado nas sobras de carne enlatada que encontrou lá.

Com a gata em local seguro, sentou-se no assento da máquina voadora, uma coisa grande e desajeitada, bem diferente de uma bicicleta. Ainda assim, o funcionamento mecânico era relativamente simples. Bastava botar o motor para funcionar, assim; depois empurrar a hélice até uma posição vertical, assim; ativar o giroscópio, assim; e então puxar uma alavanca.

Essa última peça estava um pouco rígida, mas finalmente cedeu...

As grandes asas, que estavam curvadas nos flancos da máquina, bateram de modo desengonçado. Bateram de novo. Clique, claque, clique, claque, claque-clique!

Pare! A coisa estava correndo direto para o rio e a hélice propulsora já roçava as águas. Bert gemia e batalhava para restaurar a alavanca para a posição inicial. Clique, claque, claque-clique. Ganhou altitude! A hélice propulsora da máquina, que finalmente avançava, já não espargia o fluxo da correnteza! Não havia possibilidade de parar agora: seria uma péssima ideia. Logo Bert – olhos arregalados, pálido como a morte, rígido, convulsivo, agarrando-se como podia – estava se debatendo no ar sobre as corredeiras, arremessado de um lado para o outro ao ritmo do balanço das asas, subindo e subindo.

Não há comparação, em termos de dignidade e conforto, entre uma máquina voadora e um balão. Excetuando o momento de descida, o balão era um veículo de impecável urbanidade; já o aeroplano individual se assemelhava ao transporte feito no dorso de uma mula saltitante, uma mula que pula para o alto apenas. Clique, claque, clique, claque. Cada batida de suas asas esquisitas jogava Bert para cima e o pegava novamente com algum cuidado meio segundo depois com o auxílio do assento. E ao passo que no balonismo não há vento, pois o próprio balão se acomoda nele, no voo mecânico o ato mesmo de voar é uma perpétua criação de (e imersão no) vento. Um vento que, acima de tudo, procurava cegar Bert, forçando-o a fechar os olhos. Ocorreu a ele dobrar os joelhos e as pernas, utilizando-as para se agarrar com mais força ao assento. Sem essa estratégia, talvez ele tivesse sido dividido em duas metades desproporcionais com o movimento violento da máquina. A altitude continuava a aumentar, já estava a 100 jardas de altura, depois 200, 300. Abaixo, as águas continuavam sua corrida, uma selvagem vastidão borbulhante. Mas a direção era para o alto, mais alto, mais alto. Tudo ocorria em confomidade, mas como seria possível corrigir o rumo, conseguir se estabilizar na horizontal? Tentou imaginar se essa coisa voadora de fato conseguia ficar na horizontal. Não! A máquina se batia para cima e depois disparava para baixo. Por mais algum tempo, a geringonça continuou seu percurso ascendente. Bert sentia as lágrimas fluírem de seus olhos. Teve de limpá-las com uma mão que temerosamente se soltou das barras de segurança.

Seria melhor arriscar uma queda em terra firme ou na água – naquela água corrente?

Estava lutando para se manter em cima da máquina sobre as Upper Rapids, na direção de Buffalo. Ao perceber que as cataratas e os redemoinhos ferozes das águas mais rápidas ficavam para trás, sentiu algum alívio. Estava subindo em linha reta, isso era evidente. Conseguiria fazer uma curva?

Em pouco tempo Bert acalmou-se, e seus olhos já estavam mais acostumados à velocidade do ar, mas a altitude continuava a aumentar sem parar. Inclinou a cabeça para a frente e examinou o território que sobrevoava, piscando os olhos. Podia ver toda a Buffalo do alto: era uma localidade com três grandes cicatrizes de ruína enegrecidas, cercada por uma vastidão de terrenos e montanhas. Imaginava estar a meia milha de altura, talvez mais. Surgiram pessoas, no meio de algumas poucas casas, próximo à estação de trem entre Niágara e Buffalo, depois mais pessoas. Elas surgiam como formigas atarefadas, saindo e entrando de suas casas. Viam-se dois carros motorizados se deslocando pela estrada na direção da cidade de Niágara. Perdida em uma distância bem maior, ao sul, uma grande aeronave asiática se deslocava para o leste. "Meu Deus!", disse Bert, percebendo como eram pouco eficazes as tentativas de alterar seu curso. Mas a aeronave não percebeu a presença do pequeno aeroplano solitário, que continuava ascendendo convulsivamente. O mundo se tornava mais e mais amplo e parecido a um mapa. Clique, claque, claque-clique. Acima e muito perto dele, havia formações estratificadas de nuvens.

Bert, então, dedicou-se à tarefa de desengatar a embreagem da asa. A alavanca resistiu por algum tempo, mas por fim cedeu. Instantaneamente, a cauda da máquina se elevou e as asas assumiram uma posição aberta e rígida. Tudo de repente ficou ágil, suave, silencioso. Planava veloz na descida, enfrentando a força intensa dos ventos, com os olhos quase cerrados...

Uma pequena alavanca, que até o momento permanecera renitente, revelou-se flexível. Bert moveu cuidadosamente o instrumento para a direita e oh-oh! A asa esquerda, de forma misteriosa, deslocou-se para seu canto extremo, girando a máquina em uma imensa espiral inclinada para a direita. Por um breve período, passou por todas as sensações desesperadoras que antecedem uma catástrofe. Restaurou, então, a alavanca para a posição central – não sem enfrentar alguma dificuldade – e conseguiu equalizar novamente as asas.

Virou a pequena alavanca para a esquerda e sentiu rodopiar para trás. "Virei demais!", arfou.

Percebeu que se dirigia em disparada para a linha de trem e de alguns edifícios pertencentes ao complexo fabril da cidade, que pareciam se lançar sobre ele e seu aeroplano com intenções devoradoras. Perdera rapidamente toda a altitude anterior. Por um momento, teve a desagradável sensação de estar em uma bicicleta desgovernada ladeira abaixo. A proximidade com o solo quase o pegou de surpresa. "Ei!", gritou, antes de empregar o mais violento dos esforços para pôr o motor em funcionamento novamente e fazer as asas voltarem a bater. Saltou para baixo e para cima antes de conseguir estabilizar o curso e ganhar altitude outra vez.

Subiu, uma vez mais com grande velocidade. Isso tornou possível contemplar uma ampla vista da porção oeste do estado de Nova York. Fez um longo voo rasante pela costa, depois voltou a elevar-se e logo estava outra vez sobrevoando a costa de perto. Vinha em seu rasante e já havia percorrido um quarto de milha quando viu pessoas correndo, fugindo da máquina aérea – reflexo evidentemente relacionado com a passagem de um aparato que em tudo lembrava uma ave de rapina. Pensou que voar tão baixo poderia expô-lo a tiros.

"Pra cima!", disse Bert, atracando-se novamente com a alavanca, e subiu com notável delicadeza, com as asas viradas no meio. Mas o motor estava silencioso! Havia parado de vez. Colocou a alavanca na posição antiga, mais por instinto do que por um movimento calculado. O que fazer?

Muitas coisas aconteceram em poucos segundos, mas dessa vez a mente de Bert foi bastante rápida. Não conseguia ganhar altitude, ou seja, planava pelos ares cada vez mais baixo e podia bater em um obstáculo a qualquer momento.

Deslocava-se a uma média de 30 milhas por hora, em trajetória de crescente descenso.

Aquela plantação de lariços ali embaixo parecia bastante suave – verdadeiro tapete de musgo!

Seria possível chegar até ela? Dedicou-se de corpo e alma à condução do artefato voador. Virando para a direita, para a esquerda!

Oh-oh! *Creque!* Agora, planava logo acima do topo das árvores. Parecia arar aqueles pinheiros, despencando em meio a folhas afiadas e galhos escuros. Ouviu-se um estalido súbito e assustador e Bert sentiu ser arremessado para a frente, o baque definitivo da queda e dos galhos que se quebravam, alguns atingindo seu rosto em cheio...

Terminou entre um tronco e o assento, a perna em cima da alavanca de direção e, até onde podia determinar, ileso. Tentou mudar de posição e soltar a outra perna, mas acabou escorregando e caindo. Tudo ao redor parecia ceder. Agarrou-se como pôde aos galhos mais firmes, percebendo que estava na parte mais baixa da árvore na qual a máquina voadora acabou encalhada. O ar estava pleno de um agradável odor de resina. Permaneceu parado, contemplando o ambiente, antes de descer com muito cuidado, galho por galho, até o solo suave e coberto de pinhas.

"Bom trabalho", disse, observando o aparato com asas torcido e inclinado que pendia do topo daqueles pinheiros.

"Desci suave!"

Afagou o queixo dolorido com as mãos enquanto meditava. "Eu seria uma besta se não visse que sou bem sortudo!", disse, examinando o chão sob as árvores, agradavelmente iluminado pelo sol. Nesse instante, percebeu o que parecia ser um alvoroço ao seu lado. "Meu Deus!", disse. "Devo ter esmagado a gatinha." Extraiu o bichano do bolso: ela estava torcida e amassada, mas muito grata por ver novamente a luz do dia. A pequena língua pendia entre os dentes. Bert a colocou no chão, e ela pôde, assim, correr por algum tempo, sacudir e esticar o corpo, e logo estava se lambendo.

"E agora?", questionou-se, olhando a paisagem que o cercava, e disse com um gesto de aborrecimento: "Que droga! Devia ter trazido aquela arma!".

Ele deixara a arma escorada contra uma árvore antes de se sentar no assento da máquina voadora.

Permaneceu desorientado por bom tempo devido à imensa quietude daquele mundo: o rugido das cataratas não soava mais em seus ouvidos.

2

Não tinha ideia muito clara do tipo de pessoa que poderia encontrar nessa nova paisagem. Sabia que ainda estava na América. Sempre tivera em mente que os americanos eram cidadãos de uma grande e poderosa nação, dotados de um temperamento seco e bem-humorado, usuários incondicionais de facões de caça e de revólveres, donos de pronúncia nasalada como os tipos de Norfolkshire e de termos esquisitos que se ouviam nas regiões de New Forest, em Hampshire. Os americanos também eram um povo muito rico, tinham cadeiras de balanço e erguiam os pés a alturas incomuns, e eles mascavam tabaco, chiclete e outras substâncias com incansável assiduidade. Misturados a essas percepções, havia caubóis, peles-vermelhas, negros gozados e muito respeitosos. Tudo isso ele aprendera na seção dedicada a livros de ficção na biblioteca pública. Pouco sabia além disso. Portanto, não ficou surpreso quando deparou com homens armados.

Bert optou por abandonar a máquina voadora despedaçada. Vagou pela densa floresta de pinheiros por algum tempo até dar em uma estrada que – aos olhos pedestres da urbanidade britânica – parecia notavelmente larga, mas não muito bem "construída". Não havia sebe, vala ou trilha a pé perceptível que a separasse da floresta. Nessa curva alongada e direta era possível distinguir os traços de um continente inteiro que se abria. Adiante, Bert viu um homem carregando sua arma debaixo do braço, de chapéu negro e flexível, camisa azul e calças pretas. O rosto do sujeito era largo e arredondado, e quase não se percebia o cavanhaque. O homem o mediu com suspeita e reagiu de forma algo defensiva ao ouvir-lhe a voz.

— O senhor pode me dizer onde eu estou? – perguntou Bert.

O homem olhou para ele, particularmente para as botas de borracha de Bert, com sinistra suspeita. Depois respondeu em um idioma estranho e desconhecido – na verdade, tcheco – que terminou, diante do rosto confuso do outro, com a frase "*Non* falar inglês".

— Ah! – disse Bert, e refletiu com gravidade por um momento antes de seguir seu caminho.

— Obrigado – lembrou-se de dizer quando já se afastava. O sujeito se voltou por um momento, como se dominado por alguma nova ideia, começou a fazer um gesto, suspirou, desistiu e voltou a caminhar com semblante entristecido.

Bert acabou por encontrar uma grande casa de madeira que surgia como que por acaso na floresta. Para o recém-chegado, não passava de uma caixa desoladora e nua, sem uma cerca viva, sem parede ou muro que marcasse onde terminava a floresta e onde começava a casa. Parou diante do caminho que conduzia até a porta de entrada, a mais ou menos 30 jardas de distância. O local parecia deserto. A intenção inicial era chegar até a porta e bater, mas um grande cachorro preto apareceu do nada, com um olhar intenso incidindo sobre ele. Era um cachorro cuja raça Bert desconhecia, de tamanho e maxilares enormes, com uma coleira cravejada de tachas. Ele não latiu nem se aproximou do recém-chegado, apenas eriçou os pelos discretamente enquanto emitia um som que parecia um tipo de tosse curta e profunda.

Bert hesitou, mas prosseguiu.

Parou trinta passos depois e tentou espiar por entre as árvores.

"Não devia ter deixado a gatinha pra trás", disse.

Uma tristeza aguda o afligiu momentaneamente. Então, o cachorro preto reapareceu entre as árvores para dar uma boa olhada nele. Tossiu aquele som profundo e cortês novamente. Bert voltou para a estrada.

"Ela vai se virar bem", disse... "Vai caçar algo para comer..."

"Ela vai se virar bem", repetiu, sem muita convicção. Mas, não fosse pelo cão preto, ele teria voltado.

Quando a casa e o cão preto saíram do seu campo de visão, ingressou do outro lado da floresta, de onde emergiu depois de esculpir um cajado de madeira bem razoável com o canivete de bolso que carregava. Logo viu uma pedra de aparência bastante atraente na trilha, coletando-a de imediato. Apareceram então três ou quatro casas, todas de madeira como a anterior, com varandas (esse era o nome daquele tipo de cômodo) brancas pessimamente pintadas e brotando de modo quase casual na paisagem local. Atrás delas, em meio à floresta, era possível distinguir chiqueiros e uma porca, preta e imensa, conduzindo sua pequena família aventureira e vivaz. Uma mulher de aparência selvagem, olhos profundos e cabelo preto desgrenhado estava sentada nos degraus de entrada de uma dessas casas, amamentando seu bebê. Assim que percebeu Bert, correu para o interior e ouviu-se o ruído da porta sendo trancada. Um garoto apareceu no chiqueiro, mas ele não compreendeu a saudação de Bert.

— Acho que isto aqui é a América! – comentou.

As casas ficaram mais frequentes ao longo da estrada. Bert passou por mais dois sujeitos de aparência extremamente selvagem e imunda, mas não se dirigiu a eles. Um carregava uma arma e o outro, uma machadinha. Ambos analisaram Bert e seu cajado pormenorizadamente, com desdém. Deparou com uma encruzilhada, com caminhos de monotrilho de um dos lados. Uma placa indicava: "Espere aqui pelos vagões".

"Tá certo, então", disse Bert. "Será que vai demorar muito?" Raciocinou, após algum tempo, que o estado calamitoso da região poderia ter implicado, provavelmente, a interrupção daquele serviço. Voltou à estrada: como as casas pareciam se concentrar do lado direito, caminhava sempre à direita. Cruzou com um velho negro.

— Opa! – disse Bert. — Bom dia!

— Bom dia, senhor! – disse o velho negro, com uma voz de inacreditável riqueza tonal.

— Qual o nome deste lugar aqui? – perguntou Bert.

— Tanooda, senhor! – respondeu o negro.

— Obrigado! – agradeceu Bert.

— Eu que agradeço, senhor! – disse o negro, arrebatador.

Bert passou por várias casas do mesmo tipo: isoladas, sem muro e de madeira, mas adornadas com anúncios em placas esmaltadas, em inglês e em esperanto. Entrou em uma das casas que intuiu ser uma mercearia. Era a primeira casa que declarava sua hospitalidade por meio da porta aberta. De dentro da lojinha, sons familiares brotavam.

"Caramba!", disse Bert enquanto rastreava seus bolsos. "Ora! Já são três semanas sem precisar usar dinheiro! Acho que foi o Grubb que ficou com parte da minha grana. Ah!" Descobriu um punhado de moedas, que logo vistoriou: 3 tostões, 6 *pence* e 1 xelim. "Tá tudo certo", disse, esquecendo-se de fazer uma consideração óbvia.

Aproximou-se da porta. Ao fazê-lo, um homem compacto, de rosto cinzento e em mangas de camisa, surgiu do nada para medir o intruso e seu cajado de cima a baixo.

— Bom dia – disse Bert. — Vocês têm alguma coisa de beber e de comer na sua lojinha?

O homem na porta respondeu, graças aos deuses, em alto e bom inglês americano.

— Esta, meu senhor, não é uma *lojinha*, mas um *estabelecimento comercial*.

— Ah! – respondeu Bert. — Mas tem alguma coisa pra comer?

— Tem, sim – disse o americano em um tom de incentivo confiante, conduzindo o novo cliente para dentro do estabelecimento.

A loja parecia, para os padrões de Bun Hill, extremamente espaçosa, bem iluminada e impecavelmente organizada. Havia um longo balcão à esquerda, com divisórias e itens diversos em cada uma delas, algumas cadeiras e mesas, duas escarradeiras à direita, muitos barris, queijos e toicinhos a perder de vista. Ao final desse primeiro cômodo, uma ampla arcada conduzia a um local ainda maior. Um pequeno grupo masculino se reunia em uma das mesas enquanto uma mulher em seus 35 anos se inclinava no balcão sobre os cotovelos. Todos os homens estavam armados com rifles, e o cano de uma arma espiava acima do balcão. Ouviam ociosa e distraidamente um gramofone barato e de sonoridade fortemente metálica que ocupava uma mesa central. Da garganta de lata do aparato vinham palavras que atravessaram Bert com um sobressalto de saudade: fluíram memórias de uma praia ensolarada, um grupo de crianças, bicicletas pintadas de vermelho, Grubb, um balão que se aproximava:

Ting-a-ling-a-ting-a-ling-a-ting-a-ling-a-tang...
What Price Hair-pins Now?

Um homem de pescoço enorme e chapéu de palha, que mascava qualquer coisa, parou o aparelho com um toque e todos voltaram os olhos na direção de Bert. Olhos singularmente cansados.

— Podemos arranjar alguma coisa para este cavalheiro comer, mãe, ou não? – perguntou o proprietário.

— Podemos até conseguir o que bem lhe apetecer – disse a mulher no balcão, sem sair do lugar –, de um biscoito a uma refeição completa –

acrescentou enquanto lutava com um bocejo que indicava ao menos uma noite insone.

— Queria uma refeição – disse Bert –, o problema é que estou quase sem dinheiro. Não dá pra gastar mais que 1 xelim.

— Mais que *o quê*? – perguntou com certa rispidez o proprietário.

— Mais que 1 xelim – repetiu Bert, com uma súbita e desagradável ideia surgindo em sua mente.

— Sim – disse o proprietário, espantado momentaneamente e suspendendo algo de sua usual cortesia. — Mas que diabos é 1 xelim?

— Ele quis dizer 25 centavos – comentou um sujeito jovem com cara de sabido, trajando polainas de cavaleiro.

Bert, tentando anular os potenciais problemas em que se metera, pegou uma de suas moedas.

— Isto é 1 xelim – disse.

— Ele chamou um estabelecimento comercial de *lojinha* – disse o proprietário –, e quer conseguir uma refeição por 1 *xelim*. Tomo a liberdade de questionar, caro senhor, de qual região da América o senhor saiu?

Bert recolocou o xelim no bolso e respondeu:

— Niágara.

— E quando foi que deixou Niágara?

— Acho que faz uma hora mais ou menos.

— Ora – comentou o proprietário, que se virou intrigado e sorriu para os outros. — Ora, ora!

Fizeram várias perguntas ao mesmo tempo.

Bert escolheu uma ou duas para responder.

— Veja bem – disse –, eu estava na frota aérea alemã. Fui levado por eles, meio que por acidente, e acabei trazido pra cá.

— Da Inglaterra?

— Isso, da Inglaterra. A caminho da Alemanha. Eu estava na grande batalha com os orientais e fui abandonado em uma ilha entre as cataratas.

— Goat Island?

— Não sei como ela se chama, não. De qualquer jeito, achei uma máquina voadora que usei pra chegar até aqui.

Dois homens em pé olhavam incrédulos para ele.

— Cadê a máquina voadora? – perguntaram. — Está lá fora?

— Está lá atrás, na floresta. A 1 milha daqui, mais ou menos.

— E ainda funciona? – questionou um sujeito beiçudo com uma cicatriz.

— Minha descida foi meio acidentada...

Todo mundo se levantou e cercou Bert, falando ao mesmo tempo caoticamente. Queriam que ele os levasse de imediato até a máquina voadora.

— Olha só, pessoal – disse Bert –, eu levo vocês até o lugar, sim, mas é que eu estou sem comer nada desde ontem, só bebi água mineral.

Um jovem esquelético de aparência militar, longas pernas delgadas, polainas de cavaleiro e cartucheira, que ainda não havia dito nada, interveio naquele exato momento em favor de Bert, com uma nota grave de autoridade.

— Está tudo bem – disse. — Dê comida para ele, sr. Logan, em meu nome. Tenho interesse em ouvir mais dessa história. Vamos ver a sua máquina depois. Se alguém me perguntasse, eu diria que o mais improvável acaso trouxe esse cavalheiro até aqui. Acredito que possamos requisitar a máquina voadora, se a encontrarmos, para nossa defesa local.

3

Assim, Bert recompôs-se, comendo comida fria acompanhada de um saboroso pão com mostarda, além de excelente cerveja, narrando – um esquema geral bastante parcial e cheio das imperfeições típicas de uma mente como a dele – a história de suas aventuras. Contou a respeito de como ele e um "cavalheiro amigo" visitaram o litoral por questões de saúde até que um "camarada" chegou de balão e caiu exatamente naquele local; sobre como ficara à deriva até chegar à Francônia e os alemães o confundirem com outra pessoa, "capturando-o como prisioneiro" e trazendo-o para Nova York; e sobre como estivera em Labrador e voltara, acabando sozinho em Goat Island. Optou por omitir a história do príncipe e aspectos que pudessem ser trazidos pela citação do nome Butteridge – não por alguma astúcia ou engodo, mas por sentir uma profunda deficiência em termos de capacidade narrativa. O que ele mais desejava era que sua história tivesse um ar coerente, natural e correto, e que servisse para apresentá-lo como um confiável e sincero cidadão britânico em uma posição bastante medíocre, para o qual donativos na forma de acomodação e comida pudessem ser fornecidos com tranquilidade.

Quando a fragmentária narrativa chegou a Nova York e à Batalha de Niágara, os ouvintes pegaram jornais que estavam espalhados sobre a mesa e começaram a questionar Bert, pondo em dúvida tudo o que dizia com tanta veemência. Tornava-se evidente que o surgimento de um estranho vindo dos ares reavivava e aguçava as chamas de um tema que queimara de forma contínua e que aparentemente perdera o ímpeto pelo puro esgotamento de material enquanto o gramofone fornecia uma distração momentânea, uma discussão que unira esses homens, todos portando rifles, sobre o tema absoluto de todo o mundo: a guerra e os métodos da guerra. Bert percebeu que as questões concernentes à sua personalidade e ao caráter individual da aventura que vivera se perderam no pano de fundo, passando batido, e que ele deixara de ser uma fonte de informações. Os assuntos corriqueiros da existência, as necessidades cotidianas da vida que se desenvolvem nas transações comerciais, o cultivo do solo e o tratamento dos animais, tudo isso prosseguia apenas pela força da rotina, assim como também prosseguem os deveres comuns da vida numa casa cujo dono jaz deitado à espera de uma cirurgia iminente. O interesse prevalecente eram as aeronaves asiáticas que cumpriam incalculáveis missões pelo céu, os espadachins em trajes carmesins que poderiam surgir de repente para exigir combustível, comida, notícias. Os homens naquele estabelecimento comercial faziam a mesma pergunta que atravessava o continente: "O que fazer? O que é que podemos fazer? Como nos livrar de todos eles?". Bert apareceu nesse contexto como mero item, deixando de ser, até mesmo em pensamento, algo de central e independente.

Depois de comer e beber até se fartar – e dizer a todos como considerava a comida excelente –, Bert acendeu um cigarro que alguém lhe dera e liderou o caminho, cheio de dúvidas e apreensões, até a máquina voadora que jazia no meio dos lariços. Estava claro que o jovem esquelético, cujo nome era Laurier, era o líder tanto por sua posição quanto por aptidão natural. Esse Laurier conhecia os nomes, disposições e capacidades de todos os homens que o seguiam, e ele os pôs ao trabalho com vigor e eficiência para assegurar o precioso instrumento de guerra trazido pelo inglês. Trouxeram a coisa para o solo, com cuidado, abatendo algumas árvores no processo de resgate, e levantaram um teto plano de madeira e galhos de árvore para garantir que nenhum asiático, por acaso, visse o aeroplano do alto. Muito antes do cair da noite, conseguiram encontrar um engenheiro em uma cidade próxima para trabalhar na máquina e já estavam tirando a sorte entre os dezessete homens do grupo para ver quem pilotaria o aparato primeiro. Bert, por sua vez, reencontrou sua gatinha, que levou consigo até o estabelecimento comercial de Logan para doação à sra. Logan, com a mais sincera das recomendações. Era bastante claro que ele e seu bichano encontraram na sra. Logan uma alma afim.

Laurier não era apenas um indivíduo com características de líder, um rico proprietário e poderoso empregador – ele era presidente, Bert soube com admiração, da Tanooda Canning Corporation –, mas também célebre e habilidoso nas artes da popularidade. Pela noite, uma pequena multidão se aglomerava no estabelecimento comercial de Logan para conversar sobre a máquina voadora e sobre a guerra que estava reduzindo o mundo a pedaços. Logo surgiu um sujeito de bicicleta, carregando um jornal de uma folha, com péssima impressão, para jogar lenha na fogueira das discussões já travadas por ali. Eram em maior parte notícias sobre a América: os velhos cabos telegráficos caíram em desuso por alguns anos. Já as estações sem fio de Marconi espalhadas pelo oceano e pela costa do Atlântico eram um alvo particularmente exposto a possíveis ataques aéreos.

Mas que notícias!...

Bert sentou-se ao fundo – nesse momento, seu papel naquela história toda já estava bem definido e aceito – para ouvir. Em sua mente, passavam estranhas e vastas imagens sugeridas pelas conversas e discussões ao redor: problemas e crises gigantescas, nações mergulhadas no caos, continentes que soçobravam, fome e destruição para além de qualquer medida conhecida. Com alguma frequência, a despeito de todo o esforço possível, certas impressões pessoais surgiam em meio à confusão de imagens e sensações – a horrível massa explodida que fora o príncipe, o aeronauta chinês revirado, o oficial com cara de pássaro ferido e cheio de ataduras em sua fuga desesperada e desajeitada...

Falavam de fogo e de massacre, de crueldades cometidas por todos os lados envolvidos, de atrocidades perpetradas contra asiáticos inofensivos por indivíduos dominados por loucura furiosa, de cidades inteiras – incluindo entroncamentos de linhas férreas, pontes – arrasadas pelas chamas e pelos bombardeios, de populações em fuga e êxodo.

— Cada navio que eles tinham está no Pacífico – ouviu um homem exclamar. — Não é possível que tenham desembarcado menos de 1 milhão de homens na costa do Pacífico desde o início do conflito. Vieram para ficar nesses estados e vão ficar, vivos ou mortos.

Lenta e inexoravelmente, surgiu em Bert a plena compreensão da imensa tragédia humanitária que transcorria ao mesmo tempo que sua vida, da natureza terrível e universal dessa época que havia chegado, da ideia de que a ordem e a segurança cotidianas já não existiam. O mundo todo estava em guerra e não conseguiria reconquistar a paz; poderia, talvez, nunca mais recuperá-la.

Pensou que tudo aquilo pelo que passara fora excepcional, definitivo, que o cerco a Nova York e a Batalha do Atlântico Norte havim sido eventos que interromperam longos períodos de segurança. Mas não constituíam nada além dos primeiros impactos premonitórios de um cataclismo universal. Dia a dia, a destruição e o ódio cresciam, as fissuras entre as nações e os homens se tornavam mais amplas, novas regiões na tessitura da civilização ruíam e eram aniquiladas. No solo, os Exércitos cresciam e os povos morriam a mancheias; nos céus, aeronaves e aeroplanos voavam e lutavam, provocando contínuas tempestades de destruição.

Talvez seja difícil ao leitor de mente aberta e perspectiva ampla compreender como esse colapso da civilização científica era inconcebível para aqueles que a viviam, que sentiam em sua mente essa temível derrocada. O progresso marchava de forma aparentemente invencível por todo o globo terrestre, com disposição a se perpetuar por tempo indeterminado. Durante trezentos anos ou mais, a civilização europeizada realizara uma longa diástole de aceleração constante: cidades se multiplicaram, a população cresceu, valores subiram, novos países surgiram; o pensamento, a literatura e o conhecimento se desdobraram e se multiplicaram. Como parte marginal do processo, ano a ano os instrumentos de guerra tornavam-se mais vastos e poderosos. Logo a taxa de crescimento dos Exércitos e a potência dos explosivos ultrapassariam tudo o mais que também crescia...

A diástole durou trezentos anos, mas foi seguida por uma rápida e inesperada sístole, em tudo semelhante ao cerrar de um punho. Era impossível aos cidadãos daquele tempo entender aquele fenômeno como uma sístole. Para eles, não passava de um solavanco, um puxão, mera oscilação que indicava a velocidade constante do progresso. Quando o cataclismo colheu a todos, ainda permaneciam incrédulos. E então alguma massa de detritos os sufocou, ou o solo se abriu diante de seus pés. E morreram, ainda incrédulos...

Os homens que estavam no estabelecimento comercial formavam um grupo reduzido, remoto, que vivia abaixo desse gigantesco dossel de catástrofes. Passavam de um aspecto menor para outro. A principal preocupação de todos ali era a defesa contra os saqueadores asiáticos que surgiriam em busca de combustível ou para destruir as armas e as comunicações locais. Recrutamentos apareciam de todos os lados para reforçar, dia e noite, a defesa das ferrovias, na esperança de que as comunicações pudessem ser rapidamente restabelecidas. O núcleo da guerra terrestre ainda estava bem longe. Um homem com voz monótona distinguia-se pelo domínio de vários temas e pela astúcia. Com extremada autoconfiança, disse-lhes o que havia de errado com os *Drachenflieger* alemães e com os aeroplanos americanos, e qual era vantagem que os asiáticos de fato possuíam. Começou a fazer uma descrição romântica da máquina de Butteridge e isso aguçou a atenção de Bert.

— Eu *vi* esse negócio – disse Bert, mas foi logo reduzido ao silêncio por uma rápida reflexão. O homem com voz monótona prosseguiu, sem prestar atenção ao estrangeiro, comentando a ironia por trás dos fatos concernentes à morte de Butteridge. Um pequeno arrepio de alívio percorreu todo o corpo de Bert ao ouvir isso; ele nunca voltaria a ver Butteridge. Parecia que Butteridge morrera subitamente, muito subitamente.

— E o segredo de Butteridge, meus senhores, pereceu com ele! Quando procuraram as partes do invento, não conseguiram encontrar nada. O sujeito escondeu tudo muito bem.

— Mas ele não contou nada? – perguntou o homem de chapéu de palha. — Ele morreu tão de repente assim?

— Caiu duro, senhor. Raiva e apoplexia. Foi em um local chamado Dymchurch, na Inglaterra.

— É isso mesmo – disse Laurier. — Lembro-me de uma página sobre isso no *American* de domingo. Na época, disseram que um espião germânico roubara o balão dele.

— Bem, meus senhores – prosseguiu o homem de voz monótona –, essa apoplexia em Dymchurch foi a pior coisa, ab-so-lu-ta-men-te a pior coisa que já aconteceu à humanidade. Pois se não fosse pela morte do sr. Butteridge...

— Então ninguém sabe o segredo?

— Nenhuma alma. Perdeu-se. O balão dele, aparentemente, caiu no mar com todos os projetos. Foi-se, e com ele, o segredo.

Pausa.

— Com máquinas como aquelas que ele projetou, seria possível fazer frente aos voadores asiáticos de igual para igual. Poderíamos enfrentar e combater esses beija-flores escarlates onde quer que surgissem. No entanto, o invento se foi, não existe mais, e não há tempo de reinventar algo desse porte. Precisamos lutar com o que temos, e tudo está contra nós. Não será por isso que vamos parar de lutar. Não! Contudo, pensem em como tudo poderia ser diferente!

Bert tremia violentamente. Limpou a garganta rouca.

— Vejam – começou. — Olha só, eu...

Ninguém prestou atenção. O homem de voz monótona estava abrindo uma nova ramificação em seu discurso.

— Creio que... – reiniciou a voz monocórdica.

Bert, então, foi tomado de violenta ânsia. Levantou-se rapidamente. Fez movimentos espasmódicos com as mãos.

— Vejam! – exclamou. — Seu Laurier. Olha só, o que eu quero dizer é sobre a máquina do Butteridge...

O sr. Laurier, sentado em uma mesa adjacente, interrompeu o discurso do homem de voz monótona com um gesto.

— O que é que ele está dizendo? – questionou.

Então, as pessoas perceberam que algo se passava com o estrangeiro. Era vítima de uma sufocação por engasgo ou ficara louco: babava ao balbuciar palavras incompreensíveis.

— Olha só! O que eu quero dizer! Só um minuto! – tremendo, avidamente desabotoou as roupas.

Abriu o colarinho, o colete e a camisa. Vasculhou dentro das roupas e por um momento parecia que iria arrancar o fígado fora. Mas, conforme a luta com as roupas se deslocava para os botões nos ombros, perceberam que aquela nojeira amassada que Bert puxava das entranhas era na verdade um terrível e imundo protetor de peito flanelado. Mais alguns segundos se passaram antes de o estrangeiro, abrindo o traje em um decote irregular, mostrar a todos, acima de uma mesa, uma massa de papéis.

— Isso aí! – tentava articular algo, ainda meio engasgado. — Isso aí são os projetos! Sabe, né? Do Butteridge, da máquina dele! O camarada que morreu! Eu era o sujeito que estava no balão!

Por alguns segundos, um silêncio mortal caiu sobre o lugar. Todos olhavam para os papéis sobre a mesa, depois para o rosto pálido e os olhos esgazeados de Bert, e então de volta para os papéis. Ninguém movia um músculo. Depois de certo tempo, o homem de voz monótona começou a falar.

— Que ironia! – exclamou com uma nota monocórdica de satisfação.

— Realmente, uma notável ironia! Justo quando se pensava que era tarde demais para se fazer qualquer coisa!

4

Ninguém tinha dúvidas sobre a necessidade de repassar a história de Bert novamente. Contudo, foi nesse momento que Laurier mostrou seus dotes de líder.

— Não, *senhor* – disse, deslizando de sua mesa.

Com uma ampla varredura do braço, confiscou os projetos de Butteridge, salvando-os até mesmo de ganhar mais manchas dos dedos expositivos do homem de voz monótona, e os devolveu para Bert.

— Coloque-os de volta onde estavam – disse. — Temos uma longa viagem diante de nós.

Bert obedeceu-lhe.

— Como assim? – disse o homem de chapéu de palha.

— Ora, meu senhor, vamos nos encontrar com o presidente desta nação e entregar-lhe os projetos. Nego-me a acreditar, senhores, que seja muito tarde.

— Mas cadê o presidente? – perguntou Bert fracamente, aproveitando a pausa que se seguiu.

— Logan – clamou Laurier, desprezando aquele débil questionamento –, você precisa nos ajudar.

Num piscar de olhos, Bert, Laurier e o comerciante vistoriavam certo número de bicicletas estocadas nos fundos do estabelecimento comercial. Bert não gostou muito de nenhuma delas. Todas tinham aros de madeira, e a experiência que tivera com aros de madeira no clima da Inglaterra ensinara-o a detestar esse modelo. Esse problema e outras breves objeções feitas à imediata partida foram esmagados pela autoridade de Laurier.

— Mas *cadê* o presidente? – Bert repetiu, atrás de Logan, enquanto este enchia um pneu murcho.

Laurier olhou para Bert.

— Informes seguros garantem que ele está nas cercanias de Albany, em Berkshire Hills. Ele nunca fica no mesmo lugar por muito tempo e tenta, na medida do possível, organizar as defesas por meio de telégrafos e telefones. A frota aérea asiática está no encalço dele. Quando pensam ter encontrado a sede do governo, despejam bombas. É um terrível inconveniente, mas os orientais nunca chegaram a menos de 10 milhas da localização precisa. A frota aérea asiática neste momento está espalhada, sobrevoando todos os estados do leste, buscando e destruindo usinas de gás ou qualquer outra coisa que pareça permitir a construção de aeronaves ou o transporte de tropas. Nossas medidas de retaliação são excessivamente leves. Mas com essas máquinas... Caro senhor, nossa jornada será contada entre as mais importantes da história mundial!

Por pouco sua frase não soou afetada.

— Então nós não o alcançaremos esta noite? – perguntou Bert.

— Não, meu caro! – respondeu Laurier. — Nossa jornada vai durar alguns dias, com certeza!

— E suponho que vai ser difícil conseguirmos uma carona num trem, não é?

— De fato, senhor! Não tivemos transporte para Tanooda nos últimos três dias. Não é boa ideia ficar esperando. Precisamos alcançar nosso destino o mais rápido possível.

— Começamos agora?

— Começamos agora!

— Mas... Quanto é que a gente vai conseguir andar no meio da noite?

— Podemos viajar até estarmos esgotados e então dormir um pouco. Depois continuar. Nossa estrada segue a leste.

— Tá certo, mas... – começou Bert. Mas logo surgiram memórias da madrugada em Goat Island, e ele não concluiu a frase.

Estava agora ocupado em ajustar cientificamente o protetor de peito, uma vez que pedaços de projetos começaram a escapar de seu colete.

5

Por uma semana Bert levou uma vida de sensações confusas. Algo, contudo, predominava: a constante fadiga que sentia nas pernas. Na maior parte do tempo estavam pedalando, sempre com as costas de Laurier na dianteira, por uma terra que era uma versão ampliada da Inglaterra, com morros ainda mais elevados e vales ainda mais vastos, campos mais extensos, estradas mais largas, menos cercas e casas de madeira com varandas bastante aprazíveis. Bert pedalava. Laurier fazia perguntas. Laurier escolhia os caminhos. Laurier tinha dúvidas. Laurier decidia. Uma hora pareceu que tinham conseguido entrar em contato telefônico com o presidente para, um minuto depois, perder o rastro novamente. Contudo, eles precisavam prosseguir, sempre. E Bert, com isso, estava constantemente pedalando. Um pneu de sua bicicleta murchou, e ainda assim continuaram pedalando. Tornava-se cada vez mais doloroso permanecer no assento, mas Laurier declarou que isso não importava. Aeronaves asiáticas surgiam às vezes, o que obrigava os dois a buscar abrigo até que o céu estivesse limpo novamente. Certa vez uma máquina voadora oriental planou perseguindo a dupla, voando tão baixo que era possível distinguir a cabeça do aeronauta. Foram perseguidos por quase 1 milha. Ora passavam por regiões dominadas pelo pânico, pela destruição; havia locais em que as pessoas lutavam por comida; ora o cotidiano da cidade de interior quase não se alterara. Gastaram um dia na deserta e destruída Albany. Os asiáticos cortaram cada fio que havia na cidade, além de reduzir a cinzas o entroncamento dos trilhos, de modo que os viajantes tiveram de seguir para leste. Passaram por uma centena de pequenos incidentes e Bert sempre contemplava as costas do infatigável Laurier, enquanto impulsionava dolorosamente a bicicleta...

Muitas coisas chamavam atenção de Bert, alimentando sua perplexidade. Mas os questionamentos sem resposta logo se dissolviam em sua mente cansada.

Viu uma enorme casa em chamas na encosta, à direita, e nenhum homem por perto para ajudar...

Alcançaram uma estreita ponte do caminho ferroviário, onde havia um trem de monotrilho parado. Era um notável e suntuoso trem, a última palavra em expressos transcontinentais. Os passageiros jogavam cartas, dormiam ou preparavam uma refeição em estilo piquenique na encosta mais próxima. Já estavam ali fazia seis dias...

Em outro ponto, dez homens morenos estavam enforcados em cordas nas árvores que margeavam a estrada. Bert se perguntou o porquê daquilo...

Em uma aldeota de aparência tranquila, onde pararam para consertar o pneu de Bert e encontraram cerveja e biscoitos, toparam com um garoto muito sujo e descalço, que disse o seguinte:

— Enforcaram um *china* naquelas matas!

— Enforcaram um chinês? – perguntou Laurel.

— É. Os guardas pegaram ele roubando os barracões da ferrovia!

— Oh!

— Eles não gostam de gastar bala não. Enforcaram ele e também puxaram as pernas. Fizeram isso com todos os *china* que acharam! Não gostam de correr risco. Com todos os *china* que encontraram.

Nem Bert nem Laurier responderam. Na verdade, após uma habilidosa expectoração, o jovem cavalheiro teve a atenção desviada pela presença de dois amigos na estrada e partiu com um andar estranho e convulsivo...

No final da tarde, quase passaram por cima de um corpo baleado e parcialmente decomposto, que jazia no meio da estrada bem na saída de Albany. Devia estar largado ali havia dias...

Depois de passarem por Albany, acharam um carro motorizado com o pneu estourado e uma jovem mulher, em estado de absoluta passividade, no assento do carona. Um senhor idoso tentava executar alguns reparos impossíveis debaixo do veículo. Um pouco mais longe estava um jovem sentado com um rifle sobre os joelhos, encostado no carro e contemplando a floresta. O velho se arrastou para fora assim que percebeu a aproximação de estranhos e, ainda de quatro no chão, saudou Bert e Laurier. O carro quebrara durante a noite. O velho disse que não conseguia entender o que havia de errado, mas estava tentando. Nem ele nem seu genro tinham habilidade mecânica. Tinham-lhe garantido que o carro era à prova de falhas. Era perigoso ficar parado naquele lugar. Seu grupo fora atacado por saqueadores e teve de reagir. Era sabido que tinham provisões em quantidade. O velho mencionou também um grande nome no mundo das finanças. Será que Laurier e Bert não poderiam parar para dar uma mãozinha? Fez a proposta inicialmente com alguma esperança, depois com urgência, por fim em desespero, derramando lágrimas de terror.

— Não! – respondeu Laurier, inexorável. — Precisamos prosseguir! Temos algo mais importante que uma mulher para salvar. Nós vamos salvar a América!

A garota não mexeu um músculo...

Encontraram também um louco na estrada, cantando...

No fim das contas, acharam o presidente escondido em um pequeno *saloon* nas cercanias de um local chamado Pinkerville, à margem do Hudson River, e entregaram os projetos da máquina de Butteridge nas mãos do grande homem.

XI.
O GRANDE COLAPSO

1

Nesse momento, toda a tessitura da civilização estava esgarçada e se rompia em inúmeros pontos, deixando apenas fragmentos que se derretiam nas fornalhas da guerra.

Os estágios do rápido e universal colapso da civilização científica e financeira que inaugurou o século XX sucederam-se tão rapidamente que, quando vistos de perspectiva nos anais da história, pareciam se sobrepor uns aos outros. Em primeiro lugar, o mundo atingira algo próximo de um teto no que dizia respeito à riqueza e à prosperidade, o que soava para a população mundial como o máximo possível em termos de segurança. Quando, em retrospecto, o arguto observador analisa a história intelectual daquela época, que pode ser encontrada nos fragmentos da literatura e da oratória política que sobreviveram, nas poucas e pequenas vozes que o acaso selecionou entre as centenas de milhares possíveis para dirigir-se aos dias futuros, o que mais espanta nessa estranha teia de conhecimento e erro é a ilusão de segurança. Para os homens do presente, que vivem em nosso contexto de política mundial – ordenado, científico, seguro –, nada pareceria mais precário, mais vertiginosamente perigoso, que a tessitura da ordem social com a qual as pessoas no início do século XX se contentavam. Para nós, cada uma dessas instituições e relações parecia ser fruto da tradição e do acaso, de mera aleatoriedade; as leis pareciam ter nascido em ocasiões e momentos históricos diversos, sem nenhuma relação com as necessidades futuras; os costumes pareciam ilógicos, a educação, despropositada e inútil. Os métodos adotados para a exploração econômica nesse passado ao mesmo tempo remoto e recente impressionam uma mente informada e treinada, dado seu vigor frenético e predatório, para além de tudo o que se possa conceber; o sistema monetário e de crédito se sustentava em uma tradição insubstancial – o valor do ouro – que, a nossos olhos, parece espantosamente instável. E os habitantes desse mundo viviam em cidades sem planejamento, perigosamente congestionadas, cujas estradas, vias férreas e a população obedeciam a uma distribuição confusa, baseada em intermináveis considerações de uma irrelevância infindável. Ainda assim, tinham essa confiança cega na segurança e no progresso permanentes, e, escorados na força desses três séculos de avanços problemáticos e irregulares, respondiam a toda e qualquer dúvida de um incrédulo com a seguinte fórmula: "As coisas *sempre* deram certo. Não precisamos nos preocupar!".

Mas, ao compararmos as condições de vida do homem no início do século xx com a de qualquer período anterior na história, talvez fique mais claro o motivo dessa confiança cega. Não se tratava tanto de confiança advinda de reflexão, mas sim a consequência de um prolongado golpe de sorte. Pelos padrões disponíveis à época, as coisas estavam *sempre* dando espantosamente certo. Não seria nenhum exagero afirmar que, pela primeira vez na história, populações inteiras tinham sustento garantido em uma escala bem maior que suas necessidades usuais e mínimas. As estatísticas colhidas sustentam que tal época apresentou melhorias sólidas e sem precedentes nas condições de higiene, e o vasto desenvolvimento da inteligência e da engenhosidade em todos os domínios. O nível e a qualidade do ensino melhoraram espantosamente, e, na passagem do século xix para o xx, eram poucas pessoas na Europa Ocidental e na América do Norte que não sabiam ler ou escrever. Nunca antes na história existira tal massa de leitores. Havia uma ampla cobertura de seguridade social. Um cidadão comum podia viajar, com segurança, por mais de três quartos da porção habitada do globo, podia dar a volta ao mundo a um custo inferior à remuneração anual de um operário especializado. Comparada com a prodigalidade e o conforto da vida mais ordinária à época da grande crise, a ordem obtida no Império Romano durante os Antoninos[1] era local e limitada. De fato, a cada ano, a cada mês, surgia uma nova melhoria ou um

---

1   Os Antoninos foram quatro imperadores que governaram o Império Romano entre 138 e 192: Antonino Pio, Marco Aurélio, Lúcio Vero e Cômodo.

avanço para a humanidade, um novo país, novas minas, novas descobertas científicas, alguma nova máquina!

Durante esses trezentos anos, o movimento do mundo parecia inteiramente favorável à humanidade. O homem dizia, é verdade, que a organização moral estava atrasada em relação ao ritmo do progresso físico, mas poucos percebiam o verdadeiro significado desse argumento, cuja compreensão forma a base de nossa segurança atual. As forças construtivas e de equilíbrio de fato conseguiram mais do que contrabalançar por algum tempo o maligno impulso do acaso, da ignorância natural, do preconceito, da paixão cega, do desperdício egoísta, tão comuns à humanidade.

A inclinação acidental na direção do progresso, nesse sentido, foi mais suave e infinitamente mais complexa e delicada em seus ajustes do que as pessoas à época imaginavam. Pois é impossível negar que tenha havido, de forma efetiva, tal inclinação. As pessoas não percebiam, contudo, que essa época de relativa bem-aventurança era um momento de oportunidades imensas, mas temporárias, para o homem como espécie. Assumiram, de modo complacente, um progresso necessário sem a responsabilidade moral necessária. Não compreenderam que a segurança proporcionada pelo progresso era algo que deveria ser conquistado – ou perdido, pois o tempo para a conquista, de súbito, passara. Todos se atarefavam de modo muito enérgico e, ao mesmo tempo, com essa curiosa indolência diante das questões realmente ameaçadoras. Ninguém se preocupou com os perigos reais que a humanidade corria. Observavam Exércitos e Marinhas se tornarem mais e mais poderosos – alguns dos modelos de encouraçados chegavam a custar o que poderia ser gasto durante todo um ano em instituições de pesquisa e ensino vanguardistas. O acúmulo de explosivos e de máquinas de destruição era constante, bem como o crescimento do poder de fogo das tradições e invejas patrióticas. Nada fizeram diante do estímulo às hostilidades entre diferentes raças quando era evidente que todos os povos do planeta estavam cada vez mais próximos, embora sem compreensão e entendimento mútuos. Permitiram o crescimento de uma imprensa dominada por espíritos rasteiros, mercenária e inescrupulosa, incapaz de um ato de bondade, mas pródiga em maldades. Os Estados estavam totalmente à mercê dos poderes dos meios de comunicação. Quase sem consciência, permitiam que a papelada impressa e colocada em circulação pela imprensa pousasse diante de cada porta como um detonador para a guerra cujo rastilho apenas aguardava o fogo.

Os precedentes oferecidos pela história eram contos que sempre reproduziam o mesmo padrão de ruína das civilizações, o que tornava os perigos mais evidentes. Hoje, podemos dizer que é incrível que essas pessoas não vissem os riscos.

A humanidade poderia ter evitado o desastre que foi a Guerra no Ar? É uma pergunta inútil, tão sem sentido quanto perguntar se a humanidade poderia ter evitado o declínio que transformou a Assíria ou a Babilônia em desertos estéreis ou a lenta decadência e posterior queda, a desagregação social em etapas, fase por fase, que fechou o capítulo do Império Ocidental! A humanidade não poderia, porque não fez menção de evitá-la, não teve a disposição de detê-la. O que a humanidade poderia ter conseguido caso tivesse se orientado por vontades diferentes é mera especulação, tão inútil quanto magnífica. De qualquer forma, não foi uma lenta ruína que acometeu o mundo europeizado – ao passo que outras civilizações do passado caíram apenas em um processo de apodrecimento, a civilização europeizada terminou, digamos assim, com uma explosão. No espaço compreendido por cinco anos, estava completamente desintegrada e destruída. Até as vésperas da Guerra no Ar, qualquer um poderia assistir de camarote ao delicioso espetáculo do progresso incessante, da segurança alçada a um nível mundial, de áreas enormes do globo extremamente organizadas com suas indústrias e população confortavelmente assentada, de cidades gigantescas e tentaculares que se espalhavam continuamente, de mares e oceanos salpicados de navios, de terra retalhada por linhas férreas e estradas abertas. Mas, sem aviso, a frota aérea alemã atravessa a cena, marcando o início do fim.

2

A história do ágil ataque a Nova York, efetuado pela primeira frota aérea alemã, e a orgia inevitável de destruição sem sentido que se seguiu já foram devidamente contadas. Depois dessa primeira frota aérea, outra já estava inflando seus gasômetros quando Inglaterra, França, Espanha e Itália puseram suas cartas na mesa. Nenhum desses países se preparou para o conflito aéreo tão grandiosamente como os alemães, mas cada um deles mantinha seus segredos bem guardados e estavam de certa forma prontos, e um medo comum do vigor germânico e o espírito excessivamente agressivo do príncipe Karl Albert fizeram que as potências dedicassem seu tempo de forma conjunta, em antecipação secreta, a se precaver contra algum ataque. Essa aliança oculta tornou possível a rápida cooperação, e de fato cooperaram rapidamente. A segunda força mais poderosa em termos aéreos na Europa à época era a França. Os britânicos, sempre ansiosos com a expansão de seu império na Ásia e sensíveis diante do imenso efeito moral que as aeronaves poderiam ter em populações apenas razoavelmente educadas nos padrões europeus, deslocaram seus parques aeronáuticos para o norte da Índia, de modo que tiveram um papel apenas secundário no conflito europeu. Ainda assim, na Inglaterra mesmo restavam nove ou dez dirigíveis gigantescos, vinte ou trinta dos pequenos e certa variedade de aeroplanos experimentais. Antes que a frota do príncipe Karl Albert cruzasse a Inglaterra – enquanto Bert ainda observava Manchester do alto, com a visão de um pássaro –, acordos diplomáticos já estavam fechados, garantindo um ataque contra a Alemanha. Uma coleção heterogênea de balões dirigíveis de todos os tamanhos e tipos se reuniu sobre o Oberland Bernês, procedendo inicialmente à destruição das 25 aeronaves de fabricação suíça que inesperadamente se opuseram a essa concentração na Batalha dos Alpes. Depois, deixando as geleiras alpinas e os vales semeados por estranhos destroços, esse conjunto de aeronaves se dividiu em duas frotas que se dedicaram a aterrorizar Berlim e a destruir o parque na Francônia, decididos a cumprir tais tarefas antes que uma segunda frota aérea pudesse deixar o solo.

Tanto em Berlim quanto na Francônia, os atacantes contaram com modernos explosivos, cujo efeito destrutivo foi bastante eficaz antes que pudessem ser expulsos. Na Francônia, doze monstros com carga máxima de gás e cinco parcialmente cheios e armados foram capazes de levantar voo e, com a ajuda de um esquadrão de *Drachenflieger* vindo de Hamburgo, derrotar os atacantes, procedendo imediatamente à perseguição dos sobreviventes. Essas mesmas aeronaves também foram capazes de aliviar a situação de Berlim. Logo os alemães fizeram tudo o que podiam para pôr nos céus uma esmagadora frota aérea, que efetuou ataques contra Londres e Paris enquanto os avanços de frotas dos parques asiáticos, a primeira demonstração clara de que havia um novo fato nesse conflito, eram descritos por testemunhas na Birmânia e na Armênia.

Nesse momento, a tessitura do mundo civilizado já estava cambaleante. Com a destruição da frota americana no Atlântico Norte e o devastador conflito subsequente que varreu a existência naval da Alemanha no Mar do Norte, com o incêndio e a devastação de bilhões de libras em propriedades nas quatro cidades mais importantes do planeta, ficou clara pela primeira vez a opulência desesperada do novo conflito – de fato, algo como um tapa na cara da humanidade. O crédito despencou em um turbilhão selvagem de vendas de ações. Por todos os lados, um fenômeno bastante comum até mesmo em épocas de pânico mais suave se manifestava: o desejo de *manter uma reserva em ouro* antes que os preços caíssem excessivamente. Mas, nesse novo contexto, tal fenômeno se espalhou como um incêndio incontrolável, global, universal. No céu, viam-se conflito e destruição; na terra, algo ainda mais mortal e definitivo acontecia com a frágil estrutura das finanças e do comércio, fatores nos quais os homens confiaram cegamente. Enquanto as aeronaves combatiam nos ares, o suprimento de ouro do mundo desaparecia rapidamente. Uma epidemia de tentativas agressivas de compra de empresas, junto a uma crise global de confiança, varreu o mundo. Em poucas semanas, o dinheiro, exceto no caso de papel depreciado, desapareceu em cofres, buracos, paredes de casas, em milhões de esconderijos. O dinheiro desapareceu e, diante disso, o comércio e a indústria chegaram ao fim. O universo econômico emitiu seus últimos espasmos antes de cair morto. Foi como um derrame motivado por uma doença; como a água que desaparece do sangue de uma criatura viva; foi a repentina e universal coagulação da economia...

E conforme o sistema de crédito – outrora a fortaleza mais vistosa da civilização científica – titubeava e tombava sobre milhões de pessoas que unira por meio de relações econômicas, conforme essas pessoas perplexas e desamparadas deparavam com o desmantelamento daquela imensidão de crédito, surgiam as aeronaves da Ásia, incontáveis e implacáveis, espalhando-se pelos céus, dissipando regiões a leste e a oeste, América e Europa. Os anais da história, então, se transformam em um longo *crescendo* de batalhas. A base central da frota aérea anglo-indiana pereceu em uma pira de inimigos em chamas na Birmânia; os alemães foram dispersados na grande Batalha dos Cárpatos; na vasta península da Índia eclodiram insurreições que resultaram em uma guerra civil de ponta a ponta, e do Gobi ao Marrocos os estandartes da *jihad* tremulavam altivos. Após algumas semanas de guerra e destruição, parecia que a Confederação da

Ásia Oriental conquistaria o mundo – mas, justo nesse momento, a "moderna" civilização da China também acabou ruindo. A fervilhante e pacífica população chinesa fora "ocidentalizada" durante os primeiros anos do século XX com uma profunda sensação de ressentimento e relutância; foram arregimentados e disciplinados por uma influência combinada do Japão e da Europa, que incluía métodos sanitários, controle policial, serviço militar e todos os já conhecidos processos de exploração do trabalho e da natureza contra os quais se impunha toda uma tradição milenar. Devido à pressão da guerra, o endurecimento da sociedade encontrou um ponto de ruptura e a China mergulhou em uma revolta incoerente. A destruição do governo central, localizado em Pequim, por um punhado de aeronaves alemãs e britânicas coligadas, sobreviventes das batalhas principais, tornou tal revolta invencível. O Japão foi o próximo a cair. Barricadas surgiram em Yokohama, onde tremulavam as bandeiras negras da revolução social. Com essas crises, o mundo se transformava em um lodaçal de conflitos.

Assim, ao colapso social universal se seguiu, como consequência lógica, um mundo mergulhado na guerra total. Onde quer que houvesse grandes concentrações populacionais, grandes massas populacionais viam-se sem emprego, sem dinheiro, sem a possibilidade de conseguir comida. A fome dominava cada bairro operário do mundo após apenas três semanas de guerra. Depois de um mês, não havia cidade em que a lei civil já não estivesse suspensa, substituída por algum tipo de controle emergencial, não havia cidade em que armas de fogo e execuções militares não estivessem sendo empregadas para manter a ordem e prevenir a violência. Nos distritos mais pobres e populosos, e mesmo naqueles que um dia foram destinados aos ricos, a fome se impunha.

3

Assim, aquilo que os historiadores chamaram de Fase dos Comitês de Emergência durou da abertura do conflito até a etapa do colapso social. Depois veio um período de luta veemente e apaixonada contra a desintegração: em todos os lugares, surgiam iniciativas para manter a ordem e para dar prosseguimento à Guerra nos Ares. Ao mesmo tempo, o perfil do conflito aéreo sofreu algumas alterações, com a substituição das enormes aeronaves preenchidas de gás por máquinas voadoras como instrumento decisivo de combate. Assim que as imensas confrontações entre frotas tiveram fim, os asiáticos se aplicaram à tarefa de estabelecer fortalezas nos pontos fracos dos países por eles invadidos – centros fortificados a partir dos quais seriam possíveis assaltos com máquinas voadoras. Por algum tempo, o plano dos guerreiros orientais correu conforme o definido, mas, como já foi contado, o segredo perdido da máquina de Butteridge veio à tona e o conflito se tornou mais equilibrado, ou seja, ainda menos conclusivo do que antes. Pois as pequenas máquinas voadoras, ineficazes para qualquer expedição mais ampla ou ataque decisivo, eram, por outro lado, terrivelmente eficazes para a guerra de guerrilha: de construção rápida e simples, fáceis de utilizar e de esconder. O projeto da máquina de Butteridge foi rapidamente copiado e impresso em Pinkerville, sendo transmitido por todos os Estados Unidos. Algumas cópias chegaram também à Europa, sendo posteriormente reproduzido em massa no Velho Continente. Todo indivíduo, toda cidade, toda freguesia com recursos era estimulada a construir e usar os aeroplanos. Em pouco tempo, a máquina não era construída apenas por governos ou autoridades locais, mas por bandos armados de salteadores, comitês insurgentes, até mesmo por iniciativa individual. A peculiar destrutividade social da máquina de Butteridge se estribava em sua completa simplicidade. Era quase tão simples de construir e manter quanto uma bicicleta motorizada. As amplas dimensões de mobilização e conflito que marcaram os primeiros estágios da guerra desapareceram sob a influência decisiva do novo aparato, e o maciço antagonismo que havia entre nações, impérios e raças deu lugar a uma massa fervilhante de conflitos locais. O mundo transpôs uma unidade e uma simplicidade estrutural bem mais ampla que a do Império Romano em seu auge para adentrar a tortuosa via de uma fragmentação social tão completa quanto a do período dos barões saqueadores na Idade Média. Mas, dessa vez, em lugar de uma lenta, crescente e gradual desintegração, a queda vinha na forma de um salto repentino de um penhasco. Por todo o mundo, homens e mulheres perceberam tal realidade e iniciaram lutas desesperadas para se manter, por assim dizer, equilibrados na beira do penhasco.

Nesse momento, uma quarta fase se iniciou. Tratava-se da luta contra o caos. Em conjunto com a fome, surgiu outra velha inimiga da espécie humana – a peste, na forma de uma nova Morte Púrpura. Não houve, contudo, nenhum tipo de pausa nos conflitos. As bandeiras ainda tremulavam e novas frotas aéreas subiam aos céus. Novos tipos de aeronaves surgiam, e, logo abaixo das lutas feitas de rasantes, mergulhos e varreduras, o mundo se tornava mais e mais sombrio, em uma intensidade raras vezes vista na história.

Não é o objetivo deste livro contar esta história posterior: de como a Guerra no Ar prosseguiu devido à inabilidade das autoridades em chegar a um acordo e pôr-lhe fim, até que cada governo organizado que existia no mundo se fragmentasse em mil pedaços estilhaçados como porcelana atingida por um bastão de ferro. A cada semana desses anos terríveis a narrativa histórica se tornava menos precisa, mais confusa e localizada, mais sobrecarregada e incerta. A civilização entrou em colapso definitivo, mas não sem grande e heroica resistência. A despeito da brutalidade dos conflitos sociais, surgiam associações patrióticas, irmandades da ordem, prefeitos, príncipes e comitês provisórios interessados em manter a ordem na terra e preservar o céu à distância. O esforço duplo aniquilou-os todos. E quando a exaustão dos recursos mecânicos e técnicos da civilização clareou finalmente os céus, a anarquia, a fome e a peste triunfavam em toda a Terra. As grandes nações, os impérios e as potências se transformaram em nada além de nomes pronunciados pelos homens. As ruínas e os mortos insepultos se espalhavam por todo o mundo habitado, enquanto os sobreviventes, esqueléticos e amarelados, eram reduzidos a uma apatia mortal. Havia todo tipo de comando nas faixas fragmentárias de terras disponíveis: comitês de vigilantes, salteadores, grupos de guerrilheiros. Estranhas federações e irmandades eram formadas e dissolvidas, enquanto os mais variados fanatismos religiosos nascidos do desespero faziam brilhar os olhos dos famintos. Era a dissolução universal. A ordenação elaborada e o bem-estar de todo o planeta estouraram de uma vez, como uma bexiga. Cinco breves anos bastaram para o amplo escopo da vida humana sofrer um retrocesso tão grande quanto o que ocorreu da era dos Antoninos até a Europa do século IX...

4

Atravessando esse sombrio espetáculo de desastre, temos essa personalidade menor, insignificante, a quem os leitores desta história talvez dediquem agora alguma ligeira deferência. Dele, resta contar apenas um fato, pequeno, mas milagroso. Mesmo com o mundo mergulhado em seu momento mais negro de perda e desesperança, na agonia de morte da civilização, nosso pequeno *cockney* errante voltou a encontrar sua Edna! Ele encontrou sua Edna!

Conseguiu atravessar o Atlântico rumo a seu país natal graças a uma ordem presidencial e também à própria boa sorte. Meteu-se em um brigue inglês destinado ao comércio de madeira, que deixou Boston sem carga porque o capitão, ao que tudo indica, queria "voltar para casa" em South Shields. Bert garantiu sua entrada no barco principalmente por causa de suas botas de borracha, que pareciam típicas dos marujos. A viagem foi longa e cheia de aventuras. Foram caçados – ou imaginaram ter sido – por várias horas por um encouraçado asiático que combatia um cruzador britânico. Os dois barcos de guerra se enfrentaram durante três horas, circulando na direção sul, até que o crepúsculo e as nuvens de uma tempestade engoliram ambas as embarcações. Alguns dias depois, o barco de Bert perdeu o leme e o mastro principal durante outra tempestade. A comida da tripulação acabou e passaram a sobreviver daquilo que conseguiam pescar. Testemunharam estranhas aeronaves que se dirigiam para o leste, na direção dos Açores. Conseguiram aportar em Tenerife, com o objetivo de obter mantimentos e reparar o leme. Encontraram a cidade destruída e dois grandes transatlânticos adernando no porto, com todos os seus mortos ainda a bordo. Arranjaram provisões e o material necessário para os reparos, mas as operações tiveram de ser interrompidas devido à hostilidade de um grupo de homens armados que vinha das ruínas da cidade – o bando inimigo fez fogo à distância, tentando expulsá-los.

Aportaram novamente em Mogador e mandaram um bote até a cidade para buscar água. Contudo, quase foram capturados devido à armadilha de um grupo árabe. Nesse local, a Morte Púrpura conseguiu embarcar: voltaram ao mar com a peste incubada no sangue de alguns marinheiros. O cozinheiro foi o primeiro a adoecer, o segundo foi o imediato e logo praticamente todos estavam doentes, e três homens no castelo de proa pereceram logo de saída. A calmaria imperava e o barco navegou à deriva em direção ao equador, impotente e mesmo indiferente quanto ao destino final. O capitão fornecia doses de rum como remédio. No fim das contas, nove morreram; dos quatro sobreviventes, ninguém entendia da arte da navegação. Por fim, esses poucos sortudos se lançaram à tarefa de manobrar o navio, estabelecendo uma rota com a ajuda das estrelas em uma direção que conduzia vagamente ao norte. Nesse momento, com as provisões já bastante reduzidas, conseguiram ser aceitos em outro barco, um petroleiro que ia do Rio para Cardiff, cuja tripulação fora arrasada pela Morte Púrpura e de bom grado recebeu-os a bordo. Assim, após um ano inteiro de errância, Bert chegou à Inglaterra. Desembarcou em um belo e claro dia de junho, apenas para descobrir que, por ali, a Morte Púrpura começara sua colheita.

As pessoas que viviam em Cardiff estavam em pânico: muitos fugiam para as colinas. Assim, o navio a vapor de Bert aportou para reclamar o que restara de comida na cidade a um Comitê Provisório sem legitimidade alguma. Bert teve de atravessar o País de Gales, que se encontrava desorganizado, dominado pela peste e pela fome, abalado até a raiz de sua ordem imemorial. Quase morreu de inanição várias vezes. Também foi arrastado para confrontos violentos que poderiam ter interrompido definitivamente sua jornada. Mas Bert Smallways, que viajou de Cardiff a Londres movido por uma vaga ideia de "voltar para casa", pela vaga possibilidade de encontrar algo do que fora sua vida e que ganhava contornos tangíveis na forma de Edna, era agora uma pessoa muito diferente do Dervixe do Deserto que fora arrastado para longe da Inglaterra pelo balão do sr. Butteridge um ano antes. Estava moreno, magro, resistente, o olhar atento e o corpo temperado pela pestilência. A boca *cockney*, que já ficara aberta de espanto tantas vezes, agora estava fechada como uma armadilha de urso já disparada. Atravessava sua fronte uma cicatriz branca que ganhou após uma luta corporal no brigue. Em Cardiff, conseguira novas roupas e uma arma – uma camisa de flanela, um terno de veludo e um revólver com cinquenta projéteis – por meio de um recurso que o teria horrorizado um ano antes: saqueando uma loja de penhores abandonada. Pegara também sabão e lavara-se de verdade pela primeira vez em treze meses, utilizando a água de um riacho do lado de fora da cidade. Os grupos de vigilantes que a princípio fizeram seus disparos com bastante liberdade e frequência agora estavam ou inteiramente dispersos devido à praga ou ocupados no caminho entre a cidade e o cemitério, buscando em vão manter o ritmo nos constantes deslocamentos. Bert perambulou por aquelas cercanias por três ou quatro dias, morrendo de fome. Depois se juntou ao corpo médico da Marinha por uma semana, fortificando-se com algumas poucas refeições completas antes de seguir seu caminho na direção leste.

A área rural entre a Inglaterra e o País de Gales, à época, apresentava uma estranha mistura da segurança e prosperidade que caracterizavam o início do século XX com um toque medieval retratado com perfeição por um Dürer. Todo o maquinário, as casas, os monotrilhos, as sebes das fazendas, os cabos de energia, as estradas e pavimentos, as placas de sinalização e os anúncios publicitários da era anterior persistiam, intactos na maioria dos casos. Falência, colapso social, fome e doenças não conseguiram danificá-los, pois apenas nas grandes capitais e – por assim dizer – nos centros nervosos das nações e Estados ocorrera a destruição mais absoluta. Alguém que fosse atirado, subitamente, no meio do campo perceberia que pouco mudara desde o início da guerra. O que saltaria aos olhos inicialmente talvez fosse o fato de que as sebes necessitavam ser cuidadas, que a grama ao redor das estradas não fora aparada, que os pavimentos estavam desgastados pelas intempéries, que as casas pareciam desocupadas e trancadas, que os fios telefônicos haviam sido derrubados em vários pontos, que carros permaneciam abandonados pelo caminho. Mas o recém-chegado ainda sentiria sua fome estimulada pelos excelentes pêssegos nos anúncios da Wilder's Canned Peaches, ou seria informado de que não havia nada melhor que um desjejum com os embutidos da Gobble's Sausages. Nesse momento, o elemento medieval saído das pinturas de Dürer ficaria claro: aqui, o esqueleto de um cavalo; ali, uma massa de rebotalhos na sarjeta, com os pés raquíticos estendidos, o rosto e a pele – ou uma lembrança distante de ambos – amarelados, devastados e repletos de pústulas púrpuras. Depois haveria um campo onde nada fora plantado e muito menos colhido, um campo de milho pisado pelos animais e ainda uma placa virada no meio da estrada, que logo se transformaria em fogueira.

O sujeito então encontraria um homem ou uma mulher – sempre de rosto amarelado e provavelmente negligentes no que diz respeito ao vestuário, mas bem armados – perambulando em busca de comida. A compleição, os olhos e as expressões de tais pessoas os aproximariam de criminosos ou mendigos, embora algumas vezes suas roupas lembrassem mais a classe média ascendente ou mesmo a classe média alta. Muitas dessas pessoas estariam ávidas por informações e dispostas a fornecer ajuda e até mesmo pedaços mirrados de alguma carne esquisita ou migalhas de pão cinzento e pastoso em troca de qualquer notícia nova. Ouviriam a história de Bert avidamente e tentariam mantê-lo próximo ao menos por um dia. O provável fim dos serviços postais e o colapso de todo empreendimento jornalístico deixaram uma brecha imensa e dolorosa na vida mental daqueles anos difíceis. Os homens perderam, de forma veloz e inédita, seu poder de visão, que abarcava o mundo todo. Dependiam agora de uma sobrevivência baseada em boatos, em tudo semelhante ao que ocorria na Idade Média. Em seu olhar, em seu comportamento, em sua fala habitavam almas perdidas e desorientadas.

Conforme Bert se deslocava de freguesia em freguesia, de distrito em distrito, evitando como podia os grandes centros de violência e desespero – as cidades maiores –, percebia que as relações humanas variavam bastante. Em uma vizinhança, por exemplo, as grandes casas haviam sido incendiadas e o vicariato, destruído em conflito violento motivado por alguma suspeita de que ocultasse um estoque de comida real ou imaginária. Essa destruição implicava a paralisia de todo o mecanismo comunitário. Mais à frente, encontrava um distrito no qual forças dedicadas à organização e à pacificação da sociedade se empenhavam, de forma resoluta, no trabalho: avisos recentemente pintados afugentavam forasteiros e vagabundos, homens armados guardavam as estradas e campos que continuavam sendo cultivados, a peste estava sob controle e até serviços médicos estavam disponíveis, um armazém de mantimentos era bem administrado, os rebanhos e o gado tinham seu espaço vigiado e garantido. Nesses casos, um grupo de três ou quatro membros do judiciário, o médico rural ou um fazendeiro lideravam o local; um retorno, de fato, para as comunidades autônomas, bastante frequentes até o século xv. Contudo, a qualquer momento esse vilarejo ordenado poderia sofrer um assalto de piratas aéreos – aeronautas asiáticos ou africanos, por exemplo –, que exigiriam combustível, álcool ou provisões. O preço por um pouco de ordem era uma quase intolerável tensão provocada pela perpétua vigilância. Em seguida, calhava de aproximar-se de um centro populacional maior, pleno de problemas mais intrincados que poderiam ser resumidos pelas vagas informações e avisos manchados que diziam "Quarentena" ou "Estranhos serão abatidos", ou por uma fileira de saqueadores que pendiam em decomposição dos postes telefônicos ao lado da estrada. Nas cercanias de Oxford, os telhados estavam repletos de grandes avisos aos piratas aéreos com uma única palavra: "Armas".

Assumindo muitos riscos, havia ainda ciclistas pelas estradas, e uma ou duas vezes Bert encontrou poderosos carros motorizados conduzidos por figuras mascaradas e com óculos de proteção rodando em altíssima velocidade. Havia poucos policiais uniformizados, mas esquadrões de esfarrapados soldados-ciclistas surgiam na estrada com frequência crescente conforme ele deixava Gales para trás e adentrava a Inglaterra. Em meio a tanta destruição, ainda arranjavam tempo para sair em alguma campanha militar. Bert alimentava a ideia de pernoitar em um albergue quando a fome ou a solidão da noite fossem insuportáveis, mas eles estavam de modo geral fechados ou convertidos em hospitais temporários. Encontrou próximo a um vilarejo em Gloucestershire um desses estabelecimentos com todas as portas e janelas abertas, silencioso feito um túmulo e, para seu horror, repleto de cadáveres insepultos, nos quais tropeçou caminhando por corredores fétidos.

De Gloucestershire Bert seguiu na direção norte até o parque aeronáutico próximo de Birmingham, com a esperança de repousar por ali e conseguir alguma comida. De fato, ainda existia algum tipo de governo britânico, mesmo um Departamento de Guerra, com a função única de ignorar o colapso universal e a desagregação social e manter a bandeira britânica tremulando no ar enquanto buscava reviver a antiga organização com o que restara dos prefeitos e magistrados. Esse resquício de governo fez o que pôde para trazer os melhores operários especializados sobreviventes para a região do parque, que tinha provisões para o caso de um cerco ou assalto. A ideia era construir uma versão maior da máquina de Butteridge. Bert não conseguiu uma vaga nesse esforço de guerra por não ter formação ou experiência na área. Estava vagando por Oxford, mais tarde, quando uma batalha gigantesca arrasou o parque aéreo de Birmingham definitivamente. De um local chamado Boar Hill ele vislumbrou alguma coisa, mas não muita, dessa batalha. Testemunhou o esquadrão asiático atravessar as colinas vindo do sudoeste e viu uma das aeronaves orientais circular na direção sul perseguida por dois aeroplanos, até ser ultrapassada, atingida e incendiada sobre Edge Hill. Nunca soube, contudo, o resultado final dessa batalha.

Atravessou o Tâmisa de Eton para Windsor, pegando o caminho pelo sul de Londres até Bun Hill. Lá chegando, encontrou seu irmão, Tom, bastante parecido com um animal sujo e defensivo, ainda na velha loja – aparentemente recuperando-se da Morte Púrpura. Jessica estava no andar superior, presa de delírio furioso, à beira de uma morte horrível. Nas palavras incoerentes da pobre mulher, era possível distinguir pedidos enraivecidos de entregas a clientes e críticas perpétuas a Tom por ter se atrasado com as batatas da sra. Thompson e com a couve-flor da sra. Hopkins, embora todo o comércio tivesse acabado havia muito, e Tom desenvolvera talentos pouco convencionais para pegar ratos e pardais, bem como para esconder reservas de cereais e biscoitos vindas de mercearias saqueadas. Tom recebeu seu irmão com uma espécie de acolhimento resguardado.

— Olha só! – ele disse. — Se não é o Bert. Imaginei que você voltaria dia desses, por isso estou feliz de te ver. Mas não te convido pra comer porque não tenho nada... Onde é que você estava esse tempo todo, Bert?

Bert tranquilizou o irmão ao mostrar uma couve-nabo parcialmente devorada. Já começara a contar, utilizando a usual fragmentação e os parênteses de seu estilo narrativo, quando encontrou atrás do balcão um amarelado e esquecido recado dirigido a ele.

— O que é isso? – perguntou.

Descobriu tratar-se de uma nota escrita um ano atrás por Edna.

— Ela veio aqui – disse Tom, lembrando-se de algo trivial –, procurando você e pedindo pra ficar com a gente. Foi depois da batalha que acabou com Clapham Rise pegando fogo. Eu queria dar abrigo pra ela, mas a Jessica não deixou, daí ela tomou emprestados 5 xelins de mim e foi embora. Eu diria que ela te contou...

E foi o que ela fez, como Bert logo descobriu. Dizia a nota que ela partira para a olaria de uns tios perto de Horsham. Por fim, após mais duas semanas de aventurosa jornada, Bert a encontrou.

5

Quando Bert e Edna se avistaram, permaneceram encarando-se e rindo estupidamente – pois estavam tão mudados, tão castigados e surpresos. Ambos, naturalmente, se debulharam em lágrimas.

— Oh! Bertie, meu bem! – ela gritou. — Você veio, você veio! – prosseguiu, jogando os braços adiante e cambaleando. — Eu disse pra ele. Mas ele disse que ia me matar se eu não me casasse com ele.

Mas Edna não estava casada. Quando Bert conseguiu arrancar as palavras de Edna, ela explicou a situação. Aquele pequeno trecho de terra cultivável estava nas mãos de um bando de arruaceiros liderados por um tal de Bill Gore, que fora ajudante de açougueiro, mas se dedicara ao pugilismo, tendo conquistado alguns prêmios em sua "carreira". Todos vinham sendo liderados por um nobre que exercia alguma superioridade no território, mas que depois de certo tempo desapareceu, ninguém sabia como. Bill sucedeu na liderança e, com notável vigor, deu prosseguimento aos ensinamentos de seu antigo mestre. O nobre tinha uma ideia avançada de filosofia no que dizia respeito ao "melhoramento da raça" e à ideia de um além-homem, o que, para ele, na prática, significava casar-se seguidas vezes – principalmente ele, e, em menor frequência, o seu pequeno bando. Bill seguiu tais noções filosóficas de uma forma tão enfática que prejudicou a popularidade de que gozava entre seus comandados. Um dia, o tal Bill topou com Edna cuidando dos porcos e imediatamente dedicou-se a cortejá-la no meio dos cochos cheios de lama. Edna ofereceu brava resistência, mas ele persistia com seu vigor e sua impaciência extraordinários. Ele voltaria a qualquer momento, disse Edna, e olhou nos olhos de Bert. Haviam regredido ao estágio de barbárie no qual era necessário lutar para conquistar seu amor.

Neste momento, alguns leitores podem deplorar o conflito entre o ideal e o real na tradição cavalheiresca. Talvez preferissem um desenlace no qual Bert desafiaria seu rival, depois haveria uma contenda violenta, mas honrada, da qual ele emergiria vitorioso após um milagre de força, amor e sorte. Infelizmente, nada do gênero aconteceu. Em vez disso, Bert carregou o revólver cuidadosamente e depois esperou sentado no melhor quarto do pequeno chalé ao lado da olaria em ruínas. Parecia ansioso e perplexo; perguntava a respeito dos caminhos adotados por Bill para logo mergulhar em seus pensamentos. Subitamente, a tia de Edna, com a voz embargada pela emoção, anunciou a aparição do indivíduo – ele vinha com dois outros da gangue, já atravessando o portão do jardim. Bert se levantou, deixou a mulher em segurança e olhou para o lado de fora. Eram figuras notáveis. Trajavam o que parecia ser um uniforme: jaquetas de golfe vermelhas, suéteres brancos, camisetas de futebol, meias e botas (as vestimentas destinadas a cobrir a cabeça eram deixadas ao sabor da imaginação de cada membro do grupo). Bill estava com um chapéu feminino cheio de penas de galo, e todos tinham chapéus de abas amplas e curvas no estilo caubói.

Bert suspirou e levantou-se, ainda mergulhado em seus pensamentos, enquanto Edna o observava maravilhada. As mulheres estavam à distância, paralisadas. Deixou a janela e se dirigiu para a entrada lentamente, com o rosto dominado por uma expressão apreensiva, comum aos homens que se entregam a negócios incertos e complicados.

— Edna! – ele chamou, e, quando ela veio, abriu a porta da frente.

Bert perguntou de modo bastante direto, apontando para o mais destacado dos três. "É este aqui?... Mesmo?..." Assim que obteve a confirmação, disparou no peito do rival instantaneamente, com precisão inegável. Depois alvejou o padrinho de Bill na cabeça, exibindo menos preocupação com o rigor em acertar o alvo com precisão. Atirou contra o terceiro, sem fazer caso para a mira, uma vez que o indivíduo já estava em plena fuga. Tal cavalheiro deu um grito e continuou correndo, com um balanço bastante cômico.

Depois Bert permaneceu meditando com a pistola nas mãos, ignorando a presença das mulheres atrás dele.

Dentro do possível, as coisas tinham corrido bem.

Tornou-se evidente para ele que o envolvimento com a política local era essencial, especialmente se não quisesse ser enforcado como assassino. Sem dizer uma palavra para as mulheres, se dirigiu ao bar do vilarejo pelo qual tinha passado uma hora antes no caminho para a casa de Edna. Entrou pelos fundos, confrontando de imediato um pequeno grupo de brutos suspeitos que bebiam no bar enquanto discutiam o novo casamento de Bill de forma jocosa, mas com nítidas notas de cobiça e inveja. Empunhando casual mas firmemente o revólver carregado, Bert convidou os que ali estavam para se unir ao assim chamado – lamento dizer – Comitê de Vigilância, por ele presidido. "Surgiu bem agora e muita gente está se juntando a ele." Apresentou-se como aluguém que tinha amigos na vizinhança, embora, a bem da verdade, não tivesse nenhum amigo que fosse além de Edna e umas parentes dela – a tia e duas primas.

Houve uma breve mas inteiramente respeitosa altercação a respeito da situação. Pensavam que Bert era simplesmente um lunático que aparecera por ali, desconhecendo a existência de Bill. Desejavam ganhar algum tempo, até o retorno do líder; Bill iria dar um jeito nele. Alguém, por fim, mencionou o nome de Bill.

— Bill está morto. Acabei de atirar nele – disse Bert. — Vocês não precisam contar com *ele*. Ele está morto, baleado, junto com outro sujeito de cabelo vermelho e meio zarolho, que também está morto. Isso já está acertado. Chega de Bill, nunca mais. Ele tinha umas ideias erradas sobre casamento e outras coisas. É o tipo de sujeito que vamos perseguir.

Assim terminou a reunião.

Bill foi enterrado sem nenhuma grande cerimônia fúnebre, e o Comitê de Vigilância de Bert (pois ele continuou a ter esse nome) passou a reinar inconteste.

Este é o fim desta história, ao menos no que tange a Bert Smallways. Nós o deixamos com sua Edna, e os dois se tornaram posseiros em meio à argila e aos matagais de carvalhos de Weald, muito distantes do fluxo central dos acontecimentos. Daquele momento em diante, a vida tornou-se uma sucessão de afazeres rústicos, de trabalho com porcos e galinhas, de pequenas necessidades e pequeno comércio, de filhos, até que Clapham, Bun Hill e toda a vida que vivera durante a era científica pareceram, aos olhos de Bert, nada além da memória desbotada de um sonho. Nunca soube como terminou a Guerra no Ar, ou mesmo se ela continuava. Havia rumores de aeronaves ainda nos céus, de acontecimentos estranhos em certos distritos de Londres. Uma vez ou outra as sombras dessas monstruosidades surgiram enquanto Bert trabalhava, mas não saberia dizer de onde vinham e para onde se encaminhavam. Até a vontade de saber morreu por falta de comida. Eventualmente, surgiam salteadores e ladrões. Outras vezes, surgiam doenças entre os animais e carência de alimento. Certa vez, a vizinhança foi ameaçada por uma vara de javalis selvagens que Bert ajudou a caçar e a abater. Envolveu-se em inúmeras aventuras ilógicas e irrelevantes. Sobreviveu a todas elas.

Os acidentes e a morte estiveram muitas vezes bem próximos de Bert e Edna, mas por eles passaram incólumes; amaram, sofreram e foram felizes. Ela deu à luz muitos filhos – onze, para sermos exatos –, um depois do outro, dos quais apenas quatro pereceram devido às durezas e às necessidades daquela vida simples. Tiveram uma vida boa e plena, ao menos da maneira como isso era entendido na época. E seguiram a jornada usual dos viventes, ano a ano.

EPÍLOGO

Em uma clara manhã de verão, exatos trinta anos após o lançamento da primeira frota aérea alemã, um velho saiu com seu garotinho para procurar uma galinha perdida pelas ruínas de Bun Hill, seguindo a direção que levava aos estilhaçados pináculos do Palácio de Cristal. A idade do velho não era assim tão avançada: na verdade, contava poucas semanas de seus 63 anos. Tivera, contudo, uma vida inclinando-se sobre pás e forcados, carregando raízes e esterco, uma vida de exposição aos rigores da umidade e do clima sem trocar de roupa – tudo isso curvara seu corpo na forma de uma foice. Também perdera a maior parte de seus dentes, o que lhe afetou a digestão e também a pele e o temperamento. O rosto e os trejeitos lembravam curiosamente os do velho Thomas Smallways, que fora cocheiro de *sir* Peter Bone. De fato, isso não poderia ser diferente – pois o velho era Tom Smallways, o filho, que inicialmente tivera uma quitanda debaixo da estrutura do viaduto de monotrilho na Rua Principal de Bun Hill. Mas agora não havia mais quitandas: Tom vivia em uma das casas de campo arruinadas não muito distantes do pátio de construção desocupado em que, diariamente, cuidava de sua pequena horta. Ele e a esposa moravam no andar superior, que dispunha de sala de estar e de jantar com janelas francesas que se abriam para o jardim. No térreo, geralmente era possível encontrar Jessica, uma ruína idosa, esquelética e careca, mas ainda bastante enérgica e eficiente, gerenciando com êxito três vacas e uma multidão de galinhas desajeitadas.

Os dois faziam parte de uma pequena comunidade de desgarrados e fugitivos, talvez umas 150 almas, se muito, que conseguiram se estabelecer por ali após as ondas de pânico, fome e peste que se sucederam ao início da guerra. Vieram de estranhos refúgios e esconderijos para montar um lar entre casas de família e iniciar a extenuante batalha contra a natureza para obtenção de comida, que constituía agora o interesse central de todas essas pessoas. Era um povoado pacífico pela simples preocupação com o alimento, ainda mais depois do que acontecera a Wilkes, o agente imobiliário, que, guiado por alguma obsoleta ideia de aquisição, acabou afogado na piscina perto do gasômetro arruinado depois de reivindicar alguns direitos e exibir uma mente com tendência litigiosa. (É preciso destacar que ele não fora alvo de um assassínio, mas sim de uma imersão na água, com fins corretivos, mas sua resistência física acabou sucumbindo depois de passar dez minutos mergulhado.)

Em pouco tempo, essa pequena comunidade retornava aos hábitos originais de parasitismo suburbano – que muito provavelmente era o modo usual de vida da humanidade durante eras imemoriais, uma vida de economia doméstica e de escala reduzida, contato constante com vacas e galinhas, trabalho em faixas de terra, uma vida que exala e respira o cheiro do esterco e que encontra estímulo mais que suficiente nas bactérias e parasitas endêmicos. Essa fora a vida do camponês europeu desde a aurora dos tempos até o começo da era científica, modo a que a maioria dos habitantes na Ásia e na África já estava acostumada. Durante algum tempo, parecia que, devido às máquinas, a Europa se libertaria da labuta animalesca e cíclica da qual a América do Norte parecia ter se livrado desde o início. Mas com a destruição do vertiginoso e esplêndido edifício da civilização mecânica, que se elevara tão maravilhosamente, o homem comum teve de retornar ao solo, de volta para o esterco.

As pequenas comunidades, ainda assombradas pelas numerosíssimas memórias de grandes Estados, se reuniram e desenvolveram acordos e leis tácitas, tendo por guia um curandeiro ou sacerdote. A humanidade redescobria a religião e a necessidade de alguma crença ou sentido que mantivesse as comunidades unidas. Em Bun Hill, essa função foi desempenhada pelo velho pastor da igreja batista, que ensinou a seus companheiros uma fé simples, mas adequada. Nesses ensinamentos, um princípio do bem, denominado Palavra, enfrentava perpetuamente a influência diabólica de uma mulher, denominada Mulher Escarlate, e de um ser malévolo, chamado de Álcool. Esse Álcool tornara-se uma entidade exclusivamente espiritual, privada de qualquer elemento material – portanto, não estava relacionado com as ocasionais buscas por uísque e vinho nas adegas de Londres, empreendidas aos fins de semana pelos habitantes de Bun Hill. Essa doutrina era ensinada pelo pastor aos domingos. Durante a semana, ele era um velho amigável e doce, conhecido por uma bizarra mania: lavar as mãos, e se possível o rosto, diariamente. Também possuía notável habilidade em trinchar porcos. Os serviços religiosos eram ministrados aos domingos na velha igreja de Beckenham Road, e essas cerimônias tornavam a pequena localidade rural uma curiosa e vaga reminiscência dos trajes urbanos da era eduardiana. Todos os homens, sem exceção, trajavam sobrecasacas, cartolas e camisas brancas, embora muitos não tivessem botas. Tom se distinguia em tais ocasiões com sua indumentária, que incluía cartola com rendas douradas, casaca verde e calças encontradas em um esqueleto no porão de uma agência do Urban and District Bank. As mulheres, mesmo Jessica, trajavam jaquetas e chapéus imensos, com cortes extravagantes, flores artificiais e penas de pássaros exóticos – havia um vasto suprimento desse último produto em certas lojas ao norte. Já as crianças (não havia muitas crianças, pois a maioria dos recém--nascidos de Bun Hill morrera em pouco tempo devido a uma série de doenças inexplicáveis) usavam roupas similares às dos adultos, embora de tamanho conveniente. Assim, até o pequeno neto de Stringer trazia uma enorme cartola na pequena cabeça.

Esses eram os trajes de domingo no distrito de Bun Hill, uma curiosa e intrigante persistência das tradições refinadas da era científica. Nos dias da semana, o povo local envergava trapos imundos, pedaços de pano de prato, tecidos de flanela em cores vivas, sacos, cortinas de sarja, pedaços de tapete velho. Andavam descalços, embora alguns protegessem os pés com grosseiras sandálias de madeira. Essas pessoas, o leitor precisa sempre ter em mente, constituíam uma população urbana que regrediu para um estado de campesinato primitivo e bárbaro, portanto destituída das artes simples e eficazes do campesinato primitivo e bárbaro tradicionais. Em mais de um aspecto, esses novos camponeses eram curiosamente degenerados e incompetentes. Tinham perdido a noção mínima de feitura dos itens têxteis, dificilmente seriam capazes de produzir roupas em qualquer tecido disponível, de modo que eram forçados a saquear periódica e continuamente os suprimentos existentes nas ruínas ao redor em busca de panos e trapos. As noções mais simples de artesanato eram enigmas e segredos perdidos para os habitantes de Bun Hill, o que se agravou com a falência dos serviços de drenagem, abastecimento de água, comércio e afins. Assim, os métodos civilizados com os quais estavam acostumados eram completamente inúteis. Seria um elogio chamar de primitivas as práticas de preparação dos alimentos adotadas pelos cidadão do distrito de Bun Hill. O cozimento era feito de qualquer jeito em fogueiras acesas nas enferrujadas lareiras daquilo que havia sido uma sala de estar, pois os improvisados fogões de cozinha sapecavam os alimentos de cinzas. Entre todos os habitantes parecia não haver nenhum conhecimento de procedimentos como a panificação, a fermentação de bebidas ou a fundição do metal.

O uso de sacos de estopa rústicos como vestimenta cotidiana, somado ao hábito de amarrar esses sacos com corda, adicionando um enchimento de palha no interior do traje improvisado, para manter o calor, dava à população local uma aparência singular, de sacos dotados de pernas, braços e cabeça. Era um dia normal de trabalho quando Tom tomou seu pequeno sobrinho para excursionar em busca da galinha, o que significa que ambos estavam devidamente vestidos com seus sacos.

— Então, você finalmente vai ver a velha Bun Hill, Teddy – disse o velho Tom, começando a conversar com o menino e afrouxando o ritmo das passadas quando já estavam fora do alcance de Jessica. — Você é o último dos garotos do Bert que eu ainda não conhecia. Eu já vi... eu já vi o jovem Bert, Sissie e Matt, Tom, que tem esse nome por minha causa, e Peter. O povo que estava viajando trouxe você sem erro, né?

— Dei um jeito – disse Teddy, que era um rapazinho seco.

— Não quiseram comer você no caminho?

— Eram legais – respondeu Teddy –, e no meio do caminho, perto de Leatherhead, vimos um homem andando de bicicleta.

— Minha nossa! – exclamou Tom. — Não sobraram muitas hoje em dia. Para onde ia?

— O sujeito disse que ia pra Dorking se a High Road estivesse boa. Mas eu duvido que ele tenha chegado. Toda a Burford estava alagada. A gente passou por cima da colina, tio; usamos aquela estrada que eles chamam de Roman Road. É bem alta e segura.

— Não conheço – disse o velho Tom. — Mas uma bicicleta! Tem certeza de que era uma bicicleta? Tinha duas rodas?

— Era uma bicicleta com certeza.

— Pois é! Eu me lembro de uma época, Teddy, quando havia bicicletas sem fim, quando você parava bem aqui; na época, as estradas eram lisas como um quadro. Dava pra ver vinte ou trinta indo e vindo ao mesmo tempo, bicicleta e bicicleta motorizada, carro motorizado, esse tipo de coisa.

— Não! – disse Teddy.

— Via, sim. O povo ficava andando o dia todo, centenas mesmo.

— Mas pra onde iam? – questionou Teddy.

— Direto pra Brighton; você nunca viu Brighton, acho, é perto do mar, costumava ser um lugar bem bacana. Também iam e vinham de Londres.

— Por quê?

— Elas iam e vinham.

— Mas por quê?

— Só Deus sabe, Teddy. Mas elas iam e vinham. Está vendo aquelas coisas enormes, como se fossem pregos enferrujados, voando por cima das casas? Você deve estar se perguntando como aquela coisa não caiu no meio das casas. Era o tal do monotrilho. Também sempre indo pra Brighton, dia e noite as pessoas iam e vinham nuns vagões grandes como casas, cheios de gente.

O garoto observou as evidências enferrujadas através da estreita vala enlameada cheia de esterco das vacas que um dia fora a Rua Principal. O menino, claramente, estava inclinado ao ceticismo, mesmo com todas aquelas ruínas diante dele! Tentava apreender ideias que escapavam à sua capacidade imaginativa.

— Por que eles foram embora – perguntou –, todos eles?

— *Tiveram* que ir. Tudo o que havia naquele tempo, tudo.

— Sim, mas de onde veio tudo isso?

— Por todo lado, aqui, Teddy, tinha gente morando nessas casas. E subindo a rua, mais gente e mais casas. Acho que você não consegue acreditar em mim, Teddy, mas juro pela Bíblia que é verdade. Você podia seguir esse caminho pra sempre e encontraria sempre casas, mais casas, depois mais, não tinha fim. Sem fim mesmo. E elas ficavam maiores também. – O velho baixou o tom de voz quando começou a recitar nomes estranhos de lugares. — Aqui é *Londres* – disse.

— Agora, tá vazia, totalmente abandonada. Abandonada de uma vez. Você dificilmente consegue achar uma alma aqui, nada além de cães, gatos atrás de ratos, até chegar perto de Bromley e Beckenham, onde moram os homens de Kent, pastores de porco (sujeitos legais, mas meio broncos!).

Vou te dizer que, mesmo com o sol alto, isso aqui é silencioso como um túmulo. De vez em quando, fico aqui um dia todo. – Fez uma pausa.

— Todas essas casas e ruas e caminhos eram cheios de gente antes da Guerra no Ar, da fome e da Morte Púrpura. Muita gente, Teddy, mas veio a época em que essas ruas e calçadas ficaram cheias de cadáveres e você não conseguia andar nem 1 milha sem que o fedor te obrigasse a recuar. Era a época da Morte Púrpura, que acabou com muita gente. Até os gatos, cachorros, galinhas e bichos do mato pegavam a doença. Tudo e qualquer coisa viva. Só uns poucos de nós conseguiram sobreviver. Eu fui contaminado, sua tia também, e foi por isso que ela perdeu o cabelo. Pois é, dá pra encontrar os esqueletos dentro das casas até agora. Foi por isso que tivemos que entrar em todas as casas, dar uma olhada, depois enterrar um monte de gente, mas olha só, daquele lado, Norwood, você encontra casas ainda com vidro nas janelas e a mobília intocada, cheia de pó e caindo aos pedaços, além do esqueleto das pessoas que moravam lá, uns na cama, outros espalhados pela casa, do mesmo jeito que a Morte Púrpura deixou tudo 25 anos atrás. Fui numa dessas casas, eu e o velho Higgins, ano passado e tinha até uma sala com livros, Teddy. Você sabe o que é um livro, Teddy?

— Eu vi. Eu vi um que tinha figuras.

— Bom, tinha livro pra todo lado, Teddy, centenas deles, sem motivo ou propósito, como dizem, verdes de mofo e quebradiços. Deixei eles no lugar, já que nunca fui muito de ler, mas o velho Higgins tinha de tocar neles. "Acho que eu consigo ler um deles *agora*", ele me disse.

— "Não consegue", respondi.

— "Consigo", ele disse, rindo e abrindo um.

— Eu olhei e, então, Teddy, tinha essa imagem colorida, tão bonita! Era a imagem de uma mulher com serpentes num jardim. Nunca tinha visto nada parecido.

— O velho Higgins disse então: "Esse aqui é meu". E ainda completou: "por direito".

— E como se fosse um velho amigo do livro, deu um tapinha nele...

O velho Tom Smallways fez uma pausa, profundamente impressionado.

— E depois? – perguntou Teddy.

— Aquilo virou pó. Pó branco! – O velho ainda estava impressionado, talvez mais que antes. — Não conseguimos tocar em mais nenhum livro naquele dia. Nem depois.

Por um bom tempo, mantiveram o silêncio. Mas logo Tom, trabalhando um assunto que o atraía com um fascínio mortal, repetiu:

— O dia todo, "eles" ficam assim, quietos igual um túmulo.

Teddy resolveu se aprofundar nesse tema, por fim.

— E de noite, também ficam assim? – questionou.

O velho Tom balançou a cabeça.

— Ninguém sabe, meu jovem, ninguém sabe.

— Mas o que poderia acontecer?

— Ninguém sabe. Ninguém viu pra contar.

— Ninguém?

— Contam histórias – disse o velho Tom. — Contam histórias, mas é difícil acreditar nelas. Eu volto pra casa com o pôr do sol e fico a portas fechadas, então não posso dizer nada, não é? Mas tem gente que pensa uma coisa, tem gente que pensa outra. Ouvi dizer que dá um azar danado tirar as roupas deles, a não ser que seus ossos estejam bem brancos. São histórias...

O garoto concentrou um olhar penetrante no tio.

— *Que* histórias são essas?

— Histórias sobre noites de luar e coisas que andam por aí. Mas eu não ligo pra isso. Fico na minha cama. Se você dá muito ouvido pra essas histórias... Deus! Vai ficar se borrando de medo se tiver no campo mesmo ao meio-dia.

O garoto estava contemplando os arredores e não fez perguntas por um tempo.

— Contam a história desse sujeito de Beckenham que ficou perdido em Londres três dias e três noites. Partiu numa das excursões atrás de uísque e se perdeu no meio das ruínas. Ficou vagando por lá. Vagou três dias e três noites, mas as ruas estavam mudadas e ele não conseguia encontrar o caminho. Se ele não tivesse lembrado umas palavras da Bíblia, é bem capaz que ainda estivesse por lá. Ficou procurando a saída o dia todo e a noite toda, e durante o dia aquilo tudo era quieto. Quieto como um morto, o dia todo. Mas aí veio o pôr do sol, começou a escurecer, e uns barulhos estranhos apareceram: um farfalhar, um sussurrar, um som como o de passos apressados.

Fez uma pausa.

— Certo – disse o garoto, quase sem respirar. — Continua. O que aconteceu depois?

— Era um som de carroças e de cavalo, um som de carruagem e de ônibus. Então muito assobio, assobios estridentes, assobios de gelar a alma. Logo depois dos assobios, começou o espetáculo de verdade: apareceram pessoas apressadas, pessoas nas casas e nas lojas trabalhando, um monte de carros nas ruas, uma espécie de luz da lua iluminando as lâmpadas e as janelas. Eram pessoas, Teddy, mas também não eram. Eram os fantasmas delas que tomaram o lugar de volta, os fantasmas delas que lotavam as ruas. E esse povaréu todo ia e vinha e nunca prestava atenção no sujeito lá, perdido, porque desaparecia como se fosse neblina ou vapor, Teddy. Às vezes esses fantasmas eram alegres, outras, horríveis, tão medonhos que ninguém consegue descrever. E uma vez ele foi pra um lugar que se chama Piccadilly, Teddy: lá, as luzes brilhavam como se a noite virasse dia, homens e mulheres usavam roupas esplêndidas, abarrotando as calçadas, táxis seguiam pela rua. Mas ali, diante dos olhos dele, esse povo todo se transformou: eram maus, uma maldade que transtornava o rosto deles, Teddy. E de repente pareceu que *todos o avistaram*, daí uma mulher olhou pra ele de cima a baixo e gritou coisas horríveis, cruéis, de meter medo. Outra mulher chegou bem perto e olhou direto na cara do coitado, bem perto mesmo. Mas ela não tinha rosto, era só uma caveira pintada, e ele via todos como caveiras pintadas. Vinham e diziam coisas horríveis, sem parar, empurravam o sujeito, ameaçavam, encurralavam. Ele sentia que o coração ia sair pela boca de tanto medo.

— Sim – disse o engasgado Teddy diante de uma pausa insuportável.

— Foi aí que ele se lembrou de umas palavras da Escritura, o que acabou o salvando. "O Senhor é meu auxílio", foi o que ele disse, "jamais temerei; que poderão me fazer os homens?". Logo depois o galo cantou e a rua ficou vazia de novo, de ponta a ponta. Porque Deus é bom e nos guia pra casa.

Teddy olhou prolongadamente para o tio antes de lançar outra pergunta.

— Mas quem eram essas pessoas? – perguntou. — Quem vivia nessas casas? Quem eram?

— Homens de negócio, pessoas ricas, ao menos assim a gente pensava, porque o mundo caiu de podre e a riqueza virou só papel sem valor. Olha só, tinha muita gente assim, aos milhares. Acho que milhões mesmo. Tinha essas ruas tão cheias que você não conseguia andar pela calçada, especialmente na hora das compras, com toda aquela mulherada e gente comprando.

— E como esse povo conseguia comida e tudo o mais?

— Comprava em lojas como a que eu tinha. Vou te mostrar, Teddy, no caminho de volta. O pessoal hoje nem imagina como eram as lojas, não imagina mesmo. Vitrine de vidro, por exemplo, pra eles é coisa de outro mundo. Olha só, a gente conseguia vender mais de 1 tonelada de batata de uma só vez. Você ia ficar abobalhado de admiração se visse o que eu vendia na minha quitanda. Cestos com amontoados de pera, abóbora, maçã, umas nozes enormes e deliciosas. – A voz do velho ficou um pouco melosa.

— Bananas, laranjas.

— O que é banana? – perguntou o garoto. — E laranja?

— Fruta, ora. Frutas doces, deliciosas, suculentas. Frutas estrangeiras. Eram trazidas da Espanha, de Nova York e de outros lugares. Nos barcos, sabe? Traziam pra mim de todo o mundo e eu vendia aqui na minha quitanda. *Eu* vendia, Teddy! Eu mesmo, que estou aqui com você, vestindo esse saco velho e procurando galinha perdida. As pessoas vinham na minha quitanda, umas damas bonitas que você nunca sonharia em ver, vestidas no capricho. Diziam: "Bem, seu Smallways, o que temos esta manhã?". E eu respondia: "Olha só, chegaram umas maçãs canadenses bem bonitas, e também essas abóboras". Entende? E elas compravam. Diziam: "Mande-me um pouco disso". Deus! Que vida a gente tinha. Os negócios, todo o alvoroço, as coisas modernas que a gente via, os carros passando, as carruagens, as pessoas, os tocadores de realejo, as diversões de rua. Sempre aparecia alguma coisa nova, sempre. Se não fosse por essas casas vazias, eu poderia jurar que tudo não passou de um sonho.

— Mas o que foi que matou toda essa gente, tio? – perguntou Teddy.

— Foi uma coisa de arrasar – disse o velho Tom. — Estava tudo indo muito bem até que começou a guerra. Tudo funcionava igual relógio. Todo mundo tinha trabalho e estava feliz e tinha uma boa refeição todo santo dia. – Contemplou os olhos incrédulos de seu ouvinte. — Todo mundo – disse com firmeza. — Se a coisa ficasse difícil, você podia ir pra esses albergues e lá teria um prato de sopa, que chamavam de *skilly*[1], e um pão que ninguém mais sabe fazer, pão de verdade, *branquinho* e feito pelo governo.

Teddy estava maravilhado, mas não disse nada. O que ouvira alimentava anseios profundos que o menino achou prudente debelar.

---

1   Um mingau de aveia comum nas refeições de presídios e albergues durante a era vitoriana.

Por bastante tempo, o velho entregou-se aos prazeres da rememoração gustativa. Seus lábios se moviam.

— Salmão em conserva – murmurava. — Com vinagre... Queijo holandês, *cerveja*! Um cachimbo com tabaco danado de bom.

— Mas *como* essa gente toda foi morta? – perguntou Teddy em seguida.

— Teve a guerra. A guerra foi o começo do fim de tudo. A guerra arrasou tudo e deixou todo mundo abobalhado. Mas não *matou* tanta gente assim. Só que as coisas ficaram bagunçadas. Vieram e atearam fogo em Londres, queimaram todos os navios no Tâmisa, deu pra ver a fumaça por semanas, e jogaram um monte de bombas no Palácio de Cristal, destruíram as linhas de trem e todas essas coisas. Mas a matança acabava sendo mais acidental. As pessoas matavam umas às outras mesmo. Tinha essa grande batalha no céu, Teddy. Uns monstros, do tamanho de cinquenta casas, maiores que o Palácio de Cristal, maiores que qualquer coisa, pairando no ar e se atracando com outros parecidos, derrubando um monte de homem morto aqui embaixo no chão. Era horroroso! Mas até que não foram tantas as pessoas mortas nessa história de guerra, o pior foi quando os negócios pararam de vez. Não havia mais comércio, Teddy, nem dinheiro, nada pra comprar ou vender.

— Mas como essa gente toda foi *morta*? – perguntou Teddy após uma pequena pausa.

— É o que estou te contando, Teddy – prosseguiu o velho. — Foi quando os negócios pararam de vez, depois de a guerra começar. De repente, não tinha mais dinheiro por aí. Você tinha seus cheques, era um papel escrito que valia tanto quanto o dinheiro, que vinha dos seus melhores clientes. Mas de repente esses cheques não tinham valor nenhum. Me deixaram três deles e dois eu tentei trocar. Consegui um monte de nota sem valor. Daí sumiu a prata. O ouro você não conseguia nem a troco de... do que fosse. Os bancos de Londres é que estavam com as coisas de valor. Mas os bancos foram arrasados. Todo mundo faliu, ficou sem emprego. Todo mundo!

Fez mais uma pausa e aproveitou para analisar seu ouvinte. O rosto inteligente do garoto exprimia infinita perplexidade.

— Foi isso que aconteceu – disse o velho Tom. Buscava alguma forma de expressão mais clara. — É como quando você para um relógio – disse então. — As coisas ficaram bem quietas por algum tempo. Quietas como um defunto, mas as lutas das aeronaves no céu continuavam, e foi então que todo mundo ficou desesperado. Lembro do meu último cliente, o último que tive. Ele se chamava seu Moses Gluckstein, um sujeito que trabalhava no centro de Londres, muito agradável e sempre procurando aspargo e alcachofra. Ele apareceu na minha quitanda, fazia dias que não aparecia um cliente que fosse, e começou a falar muito depressa. Queria comprar tudo que eu tivesse na loja, as batatas e tudo, pelo valor da mercadoria em ouro. Disse que tentaria fazer dinheiro com umas especulações. Que estava muito aflito e que podia perder tudo, mas que ia continuar tentando. Falou também que era um apostador, sempre foi. Disse que eu só precisava pesar a mercadoria para que me desse um cheque. Bom, essa conversa acabou em uma discussão, muito respeitosa, mas uma discussão, sobre se o cheque ainda valia alguma coisa. Enquanto o sujeito me explicava, apareceu um monte de desempregados com um grande cartaz pra todo mundo ler, na época todo mundo sabia ler, "Queremos comida". Três ou quatro entraram de repente na minha quitanda.

— "Tem comida aqui?", perguntou um deles.

— Respondi: "Não", e continuei, "não pra vender. Eu até queria ter. Mas, se eu tivesse, vocês não poderiam levar. Este cidadão aqui me ofereceu...".

— O seu Gluckstein tentou me interromper, mas era tarde.

— Um camarada enorme com um machado na mão disse: "O que foi que ele te ofereceu, hem?", "Que foi? Que foi?", insistiu, e eu tive de contar.

— O camarada do machado disse o seguinte: "Rapazes, temos aqui outro financista!", levaram o coitado pra fora e o enforcaram em um poste de luz no fim da rua. Ele não levantou um dedo para resistir. Depois que eu o dedurei, não disse mais nada...

Tom caiu em profunda meditação. Depois, disse:

— Foi a primeira pessoa que eu vi ser enforcada!

— Quantos anos você tinha? – perguntou Teddy.

— Por volta dos 30 – respondeu o velho Tom.

— Bom, eu vi aqueles ladrões de porco serem enforcados antes dos 6 anos – disse Teddy. — O pai me levou pra ver porque meu aniversário estava perto. Disse que eu devia aprender desde cedo...

— Bom, você nunca viu ninguém ser morto por um carro motorizado, não é mesmo? – comentou o velho Tom, expressando certo desagrado. — Nem viu um morto ser carregado até a farmácia.

O momentâneo triunfo de Teddy murchou.

— Não – ele disse –, nunca vi.

— Nem vai ver. Nem vai ver. Você nunca vai ver as coisas que eu vi, nunca. Nem que vivesse uns cem anos... Bom, como eu estava dizendo, os problemas começaram de verdade quando a fome e a confusão apareceram. Houve muitas greves e socialismo, essas coisas que eu nunca suportei, e tudo piorando cada vez mais. Houve muita briga e tiroteio, queimaram casa e saquearam os restos. Atacaram os bancos em Londres e pegaram o ouro. Mas não se fabrica comida com ouro. O que a gente podia fazer? Ficamos por aqui, bem quietos. Não interferimos em nada e ninguém interferiu com a gente. Ainda sobraram umas batatas, mas a comida que mantinha a gente vivo vinha mesmo era dos ratos. As casas aqui eram velhas, cheias de ratos, e a fome parecia que não incomodava esse tipo de bicho. Sempre dava pra conseguir um rato. Sempre mesmo. Mas muita gente que vivia na região não tinha muito estômago pra comer rato. Não pareciam gostar muito. Tinham vivido com todo tipo de iguaria, mas não se acostumaram a comer o que tinha, até que já era tarde demais. Acabaram morrendo.

— Foi a fome que começou a matar muito, muito mesmo. Mesmo antes da Morte Púrpura, que apareceu e daí as pessoas morriam feito mosca no fim do verão. Lembro muito bem disso! Fui um dos primeiros a pegar a desgraçada da doença. Eu estava caçando, procurando quem sabe um gato, quando voltei pra minha casa antiga atrás de uns nabos que eu tinha esquecido e fui dominado por alguma coisa muito horrível. Você não imagina a dor, Teddy, essa praga quase acabou comigo. Eu fiquei lá, caído na esquina. Foi sua tia que veio me buscar e me arrastou até em casa, como se eu fosse um saco velho.

— Nunca teria ficado bom se não fosse a sua tia. "Tom", ela dizia, "você precisa ficar bem de novo", e *fiquei* mesmo. Mas daí foi *ela* que adoeceu. Ficou muito doente, mas tem pouca coisa no mundo que pode matar a sua tia. "Deus!", ela dizia, "se eu morrer você vai fazer um monte de asneiras sozinho!". Era o que ela dizia. Ela tem uma língua, essa sua tia. Mas a doença a deixou careca. Gozado que ela nunca se preocupou em usar a peruca que eu achei pra ela, tirei da velhinha que vivia no jardim do vicariato.

— Bom, então tinha a Morte Púrpura, e isso quase acabou com todo mundo, Teddy. Não dava pra enterrar todo mundo e a praga pegava em gato e cachorro também. Até nos ratos e nos cavalos. Chegou uma hora em que todas as casas e jardins estavam cheios de corpos. O caminho para Londres era impossível de percorrer por causa do fedor, e tivemos que sair da Rua Principal pra ficar naquela casa que conseguimos. Começou a faltar água. Ia tudo pelos canos e túneis subterrâneos. Só Deus sabe de onde veio a tal da Morte Púrpura; uns dizem uma coisa, outros dizem outra bem diferente. Falam que foi de comer rato, mas também falam que foi de não comer nada. Outros ainda dizem que foram os orientais que trouxeram, de um lugar chamado Tibete, acho, onde a praga nunca fez tanto estrago. Tudo o que eu sei é que veio depois da fome. E a fome veio depois do pânico. E o pânico veio depois da guerra.

Teddy meditou um pouco.

— De onde veio a Morte Púrpura? – perguntou.

— Mas eu não acabei de dizer?

— Mas por que teve o pânico?

— Por causa da guerra.

— Mas por que eles começaram a guerra?

— Eles não conseguiam parar. Tinham construído essas aeronaves e tinham que usar.

— E como a guerra acabou?

— Só Deus sabe se acabou, garoto – disse o velho Tom. — Só Deus sabe se acabou. Teve um viajante por aqui, um camarada que apareceu dois verões atrás, que disse que a guerra ainda estava acontecendo. Disse que havia bandos no norte que prosseguiam nas batalhas, e gente na Alemanha, na América, na China e em outros lugares. Falou que ainda existiam essas máquinas voadoras, gás e tudo. Mas a gente aqui faz sete anos que não vê nada nos ares, e também ninguém se aproximou lá de cima. A última vez que vimos algo do tipo foi uma coisa meio desengonçada que desaparecia no horizonte, por ali, ó. Era um troço pequeno e desequilibrado, como se tivesse algum problema.

O velho apontava para o local, mas fez uma pausa diante da visão de uma fenda entre as cercas, os vestígios de uma velha cerca de onde, na companhia do bom vizinho sr. Stringer, o leiteiro, assistira certa tarde de sábado à ascensão dos balões no aeroclube do sul da Inglaterra. Memórias sombrias, como era de esperar, daquela tarde em particular retornaram à mente de Tom.

— Ali, lá embaixo, onde a ferrugem fica mais vermelha e brilhante, era o gasômetro.

— O que é gás? – perguntou o garoto.

— Ah, é um tipo de ar perigoso que faz os balões subirem. Antes da eletricidade, era o combustível que tinha.

O jovem, em vão, tentou imaginar o gás com base nessas informações. Assim, os pensamentos de Teddy se voltaram para um tópico anterior.

— Mas por que eles não acabaram com a guerra?

— Teimosia. Todos estavam ferindo uns aos outros, mas estava todo mundo muito entusiasmado e patriótico, de maneira que preferiam sair por aí destruindo tudo. De tanto destruir, acabaram perdendo a cabeça e ficando igual selvagens.

— Eu acho que ela devia acabar – disse o garoto.

— Ela não devia nem ter começado – respondeu o velho Tom. — Mas as pessoas eram orgulhosas. As pessoas tinham o nariz empinado, eram presunçosas, orgulhosas. Elas se fartaram. Desistir? Jamais! E, passado um tempo, ninguém pediu pra elas desistirem. Ninguém pediu...

Tom, então, chupou suas velhas gengivas enquanto meditava – seu olhar se perdia na direção do vale onde o vidro quebrado do Palácio de Cristal brilhava ao sol. Uma sombria e gigantesca sensação de desperdício irrevogável de todas as oportunidades invadiu a mente do velho. Teve de repetir o julgamento definitivo que fazia a respeito de tudo, obstinada, lenta e definitivamente. Deixou, então, sua sentença final sobre o assunto.

— Podem dizer o que for – disse o velho Tom. — Não devia nem ter começado.

Apenas isso – alguém em algum lugar deveria ter impedido alguma coisa de acontecer, mas o que exatamente, como ou por quê, tudo isso não lhe cabia responder.

TRADUÇÃO
ALCEBÍADES DINIZ

É professor, tradutor, pesquisador e escritor, formado em linguística pela Universidade de São Paulo (USP), com mestrado, doutorado e pós-doutorado na Universidade Estadual de Campinas (Unicamp). Suas pesquisas se concentram no estudo de narrativas literárias, sobretudo as de natureza fantástica.

ILUSTRAÇÕES
LOUISA GAGLIARDI

Nasceu na Suíça em 1989 e formou-se em design gráfico na École Cantonale d'Art de Lausanne (ECAL) em 2012. Ilustradora, exibiu recentemente seus trabalhos na LUMA Foundation, em Zurique; na Tomorrow Gallery, em Nova York; e na König Galerie, em Berlim. Vive e trabalha em Zurique.

© EDITORA CARAMBAIA, 2017

TÍTULO ORIGINAL	THE WAR IN THE AIR [LONDRES, 1908]
DIREÇÃO EDITORIAL	FABIANO CURI
EDIÇÃO	GRAZIELLA BETING
ASSISTENTE	ANA LÍGIA MARTINS
TRADUÇÃO	ALCEBÍADES DINIZ
PREPARAÇÃO	VANESSA GONÇALVES E FÁBIO BONILLO
REVISÃO	RICARDO JENSEN DE OLIVEIRA E TAMARA SENDER
PROJETO GRÁFICO	ESTÚDIO CAMPO PAULA TINOCO E RODERICO SOUZA ASSISTÊNCIA CATERINA BLOISE
ILUSTRAÇÕES	LOUISA GAGLIARDI
PRODUÇÃO GRÁFICA	LILIA GÓES E TONINHO AMORIM

EDITORA CARAMBAIA

RUA AMÉRICO BRASILIENSE,
1.923, CJ. 1502
SÃO PAULO SP

CONTATO@CARAMBAIA.COM.BR   WWW.CARAMBAIA.COM.BR

CIP-BRASIL
CATALOGAÇÃO NA PUBLICAÇÃO
SINDICATO NACIONAL DOS EDITORES
DE LIVROS, RJ

W481G

WELLS, H. G., 1866-1946
A GUERRA NO AR / H. G. WELLS ;
TRADUÇÃO ALCEBÍADES DINIZ. – 1. ED.
– SÃO PAULO : CARAMBAIA, 2017.
304 P. : IL. ; 21 CM. (CAIXA H. G. WELLS)

TRADUÇÃO DE: THE WAR IN THE AIR

ISBN 9788569002260

1. FICÇÃO INGLESA. I. DINIZ, ALCEBÍADES.
II. TÍTULO. III. SÉRIE.

17-44295 CDD: 823
CDU: 821.111-3

O projeto gráfico da Caixa H. G. Wells procura contextualizar graficamente o universo singular e icônico do autor, com um olhar contemporâneo sobre sua obra.

As ilustrações internas foram feitas pela artista suíça Louisa Gagliardi. Seu trabalho, com características bem digitais, feitos com uma única cor e uso intenso de gradientes reticulados, alude a um futurismo irônico e perturbador, um pouco surreal e obscuro, que pode se relacionar tanto com o universo imaginativo, tecnológico e científico do escritor como com suas concepções catastróficas e assustadoras sobre o futuro e a humanidade.

A caixa que acomoda os dois livros parte de referências a embalagens de suprimentos militares usados em zonas de guerra. Esse vocabulário visual, técnico e militarista, remete aos textos de Wells, que abordam o impacto social e político das descobertas tecnológicas na sociedade do início do século XX, que culminariam com a Primeira Guerra Mundial.

O texto foi composto nas fontes Neue Haas Grotesk, de autoria de Christian Schwartz e Max Miedinger, e Relative, de Stephen Gill. O livro foi impresso em papel Norbrite White 66,6 g/m², pela gráfica Ipsis, em setembro de 2017.

ESTE EXEMPLAR É O DE NÚMERO

0696

DE UMA TIRAGEM DE 1.000 CÓPIAS